G000125752

COLLECTION FOLIO

Sophie Chauveau

Manet, le secret

Gallimard

© *2014, Éditions SW Télémaque.*
www.editionstelemaque.com

Sophie Chauveau est auteur de romans dont *Les belles menteuses*, *Mémoires d'Hélène*, d'essais comme *Débandade* ou *Éloge de l'amour au temps du sida*, et d'une monographie sur l'art comme langage de l'amour. Elle s'est documentée durant quatre ans pour écrire *La passion Lippi*, premier volet d'une trilogie qu'elle a poursuivie avec *Le rêve Botticelli* et *L'obsession Vinci* sur le siècle de Florence. Avec *Diderot, le génie débraillé*, elle s'est penchée sur le siècle des Lumières et des encyclopédistes, et a poussé son enquête du XVIIIe siècle avec *Fragonard, l'invention du bonheur*. *Noces de Charbon*, prix Paul-Féval de la Société des Gens de Lettres 2014, a paru en 2013. *Manet, le secret* revient sur la vie de l'auteur du *Déjeuner sur l'herbe* dans un Paris bouleversé par la guerre de 1870 et la frénésie haussmannienne.

Prends l'éloquence et tords-lui son cou...

PAUL VERLAINE

La peinture est affaire d'intelligence,
on la voit bien chez Manet.

PABLO PICASSO

L'art moderne est né le jour
où l'on a séparé la beauté et l'art.

ANDRÉ MALRAUX

Ma vie est une insomnie, je ne peux me reposer,
le désir de chercher aboie dans le noir.

HENRI MICHAUX

Une femme nue n'est point indécente,
c'est une femme troussée qui l'est.

DENIS DIDEROT

Il faut avoir quelque chose à dire,
sans quoi, bonsoir !
Il ne suffit pas de connaître son métier,
il faut encore être ému.
Très bon la science, mais pour nous peintres,
l'imagination vaut mieux.

ÉDOUARD MANET

À Frédéric Brandon
qui m'a appris que la peinture,
la vraie, la grande peinture,
n'est jamais tout à fait sèche.
Qui m'a tenu la main pour entrer
dans la matière brute de la toile.
Entrer. Comprendre.
Chez Manet, par son œil, j'ai vu
que l'herbe du Déjeuner *bougeait encore.*
Vibrait toujours.

Merci à l'ami.
Merci au peintre.

Chapitre premier

1832-1848

NAISSANCE D'UNE PETITE CONSCIENCE

Sous l'ombre du faux col effrayant de son père...

ARTHUR RIMBAUD

Vient toujours un instant où, du fond des enfances, une petite conscience s'éveille. Aiguë et précise, elle annonce que l'enfance est finie. Personne ne le sait encore.

Pour le jeune Édouard Manet c'est le jour où il accède à la certitude de ce qu'il refuse absolument : ressembler à son père, et mener la même vie que lui.

C'est fulgurant, cinglant, irrémédiable, une lucidité qui pousse en soi. Ça ose tout et ça donne des ailes, au moins du courage, sinon de la témérité. Il a treize ans et très peur de son père. Sa révolte a grandi au fond de lui comme une sourde menace, encore inerte. Jusqu'ici les conflits larvés s'effaçaient devant monsieur Père, comme ses fils s'amusent à l'appeler mi-respectueux, mi-moqueurs. Tous trois grandissent dans le sinistre climat de cette bourgeoisie riche sans ostentation, austère par puritanisme, qui tient son rang et reçoit à son Jour.

Tant pis ! Édouard ne peut comprimer plus longtemps sa conscience fraîchement éveillée, alors, soudain, haut et fort, peut-être trop fort, pour se donner de l'élan, il jette à la face de son père. « Je ne ferai pas d'études, et surtout pas "*Mondroit*"... »

Jusqu'à l'âge de l'école, enfant modèle, affectueux et soumis, Édouard a filé doux, son père le donnait en exemple à ses insouciants petits frères, plus batailleurs et indisciplinés. Jusqu'à ce jour de 1845 où il se lance dans une carrière de révolutionnaire intime.

Oh, de loin en loin, il s'est risqué à de vagues envolées, plus lyriques que rebelles, contre ce père rigide. Gustave et Eugène, respectivement un et trois ans de moins que lui, béants d'admiration devant ce grand frère plus fort aux jeux de plein air, l'incitaient à briller davantage, à prendre plus de risques physiques. Aussi bravache que timide, Édouard se promettait de lui dire son mot. Plus tard. Toujours plus tard. Pressentant l'assentiment muet, voire le soutien clandestin de sa mère, il n'y arrivait pourtant pas. Pour elle, pour ses frères, mais pour elle surtout, ce fils aîné est porteur de tous les espoirs. Elle le bade comme une amoureuse, ce qu'elle n'a jamais eu le loisir d'être devant son époux : quand elle l'a connu, il était déjà bien trop âgé pour le rêver en couleur.

Né le 14 Fructidor de l'an IV, Auguste Manet en a 35 le jour de son mariage, mais il fait bien plus vieux. Très tôt, il arbore la barbe et l'air compassé des hommes respectables. Descendant d'une vieille famille d'Île de France où, depuis plus de deux cents ans, ses ancêtres se succèdent à toutes sortes de postes officiels : greffiers, procureurs, prévôt d'Épône – le vrai berceau des Manet –, trésoriers, hommes de loi, et surtout maires de Gennevilliers, de génération en génération, sa famille se transmet des centaines d'hectares et des fermages. Le passé commande à l'avenir.

De l'importance de son lignage, monsieur Père est tout empli. Sur ses terres, il fait de si profitables travaux d'assèchement, qu'il est régulièrement réélu maire. C'est là qu'en famille on passe les vacances, et Auguste n'entend pas que ça change. D'ailleurs il entend que rien ne change. Voilà huit générations que des Manet se perpétuent dans la même garde-robe sobre et bien coupée, son fils aîné lui succédera en tout : robe et mairie.

Il a près de 50 ans le jour où son fils fait sa première crise de foi. En public, sa femme le soutient mais Édouard, Eugène et Gustave savent pouvoir compter sur leur mère, tellement plus de leur âge. Mariée à 21 ans avec cet homme de 14 ans son aîné, qu'elle respectait certes, mais qui n'a pas même essayé de la séduire, nonobstant les trois garçons qu'il lui a faits coup sur coup. Ou peut-être à cause ? Eugénie-Désirée Fournier est d'un naturel beaucoup plus léger que les mâles qui l'entourent. Fantaisiste ? Elle l'aurait été si son époux l'avait moins bridée. Reste que la joie, rue des Petits-Augustins, ne vient que d'elle, de ses histoires, de ses rêves, de sa légende et de son chant, elle a une fort jolie voix. Filleule de roi, tout de même. Personne ne peut l'ignorer. Chaque heure, chaque demie, et même chaque quart, le rappelle : cadeau de mariage ; sur la cheminée du salon, cette pendule était jointe à sa dot, offerte par Bernadotte, roi de Suède, à sa chère petite filleule.

Outre pas mal d'actions et plus de six mille francs en espèces qui ne scandent pas les heures.

Son père à elle fut un temps ambassadeur de France à Stockholm. Très apprécié et pas mal intrigant comme tout ce qui gravitait à la cour, il fit alternativement fortune et faillite, mais sut intelligemment placer le candidat de la France pour en faire un roi. Son aplomb lui permit de couronner Bernadotte, alors maréchal de France, sur le trône de Suède, sous le nom de Charles XIV. Par gratitude, ce dernier le nomma vice-consul de France à Stockholm. Il s'éteint en 1824, ruiné mais heureux, laissant peu de choses à Eugénie et à son frère Edmond-Édouard Fournier, officier d'artillerie et aide de camp du duc de Montpensier. Une propriété à Marolles en Île de France et cet immeuble de la rue des Petits-Augustins qu'ils se partagent. Et pour Eugénie, sa dot qui sonne au salon.

Sensuel, affectueux et fringant, Edmond vit dans la nostalgie des royautés perdues et pour l'amour des femmes. Militaire dans l'âme, il quitte l'armée après la révolution de 48 par souci de cohérence : on ne sert pas qui l'on hait.

Royaliste intègre, viveur épicurien, comment pourrait-il s'entendre avec son beau-frère, ce rigide haut fonctionnaire sinistre, nourrissant des sentiments républicains intangibles et pratiquant une forme de résistance intégriste à l'esprit monarchique ? Donc ils ne s'entendent pas.

Tous cohabitent pourtant rue des Petits-Augustins, face à l'école des beaux-arts et ses inénarrables saturnales, dos à l'Institut et quasiment face au Louvre. Immeuble où les Fournier ont toujours vécu, où

Auguste est venu rejoindre son épouse. Les lieux sont vastes, éloignés de la rue par une grande cour arborée, sur trois côtés, d'où s'élèvent quatre étages aérés de la belle pierre de Paris. À chacun son étage, une cousine vieille fille au premier, la famille Manet au second, et au-dessus le célibataire entêté, amateur d'art et de femmes, autrement nommé oncle Edmond. Il nourrit une passion de propriétaire pour sa petite sœur et couve ses trois neveux d'un œil paternel usurpé. Au quatrième, on trouve essentiellement les affaires d'un cousin qui, militaire, passe sa vie au front. Il y mourra sans que quiconque l'ait même revu.

Le ver est dans l'immeuble sinon dans le fruit, entre le second étage et le troisième où l'oncle reçoit l'après-midi d'élégantes jeunes femmes embaumant l'esprit de ses neveux. Qui apprennent à les identifier à leur parfum.

Entre le républicain marié à l'ennui des traditions et le monarchiste amateur d'art et de toutes sortes de fastes, les enfants sont crucifiés. D'autant que les deux hommes s'attribuent de légitimes droits sur eux et sur leur mère...

Dans cette ambiance de pâle mélancolie, impossible de sécher l'école. Plus surveillé qu'Édouard, on n'imagine qu'une jeune fille nubile. En tant qu'aîné, il essuie tous les plâtres d'un père peu souple et sclérosé avant la paternité. À la maison, Auguste émet des ordres comme au ministère et Eugénie est censée les faire exécuter.

Face à toute velléité d'indiscipline, on serre les garçons de près. Dès les petites classes, ils sont demi-pensionnaires chez l'abbé Poiloup, institut réputé à Vaugirard, où l'on mange maigre le vendredi et communie deux fois la semaine. Auguste est républicain mais surtout conventionnel. Il a fait baptiser tous ses enfants à huit jours. On ne sait jamais. Ces petites âmes sont si fragiles.

Puis de 1844 à 1848, l'un après l'autre, les trois garçons se retrouvent pensionnaires au collège Rollin rue Lhomond près du Val-de-Grâce. Cet ancien couvent fut une maison de redressement où l'on cloîtrait les jeunes filles nobles de l'Ancien Régime quand on ne pouvait les doter. Le collège en garde la trace, il est sinistre, mal éclairé, mal chauffé, les salles de classe sont surpeuplées, plus de 60 élèves. Dès le début Édouard est mal noté : « Pas brillant, insuffisant, nul en latin. » À son meilleur, il est quarante-deuxième sur soixante-six. Le directeur grommelle qu'il a les idées si confuses que ça devrait lui interdire une carrière de juriste.

Édouard s'ennuie tant qu'il devient tapageur, insubordonné et de plus en plus insolent. Il prend goût au succès populaire que lui offrent ses incartades contre l'autorité. Adoré par ses camarades, pendant l'année 1845, il s'est trouvé un ami intime, un ami pour la vie, Antonin Proust qui, comme lui, cherche à sécher l'école par tous les moyens. L'amitié les sauve du chagrin.

Édouard a beau savoir que le directeur du collège est un ami de son père – il paraît régulièrement à son Jour –, il ne peut s'empêcher de fronder. Alors qu'à la maison il souffre d'une terrible inhibition, tétanisé par la voix de son père. Même en disant bonjour, on croirait qu'il donne un ordre ou va se mettre en colère.

L'oncle Fournier offre à son neveu la plus belle échappée possible. Dans l'armée, on se doit de savoir dessiner, la photographie n'est pas encore assez répandue, aussi l'oncle a-t-il développé un don, et surtout un goût pour la belle peinture, qu'il transmet à ses neveux, à commencer par l'aîné. Eugénie a obtenu de son époux de le laisser se promener avec Édouard. Ainsi régulièrement, l'oncle Edmond lui fait visiter les musées du Louvre et du Luxembourg, où jusqu'à son abdication en 1848, Louis-Philippe donne à voir sa collection privée de près de cinq cents chefs-d'œuvre des grands Espagnols qui effraient tant les Français. Oncle et neveu, main dans la main, s'émeuvent de la profondeur des noirs de Goya, rêvent devant les mêmes folies de Vélasquez... Sitôt que son amitié pour Antonin Proust s'intensifie, l'oncle amène les deux garçons. Puisqu'ils sont toujours fourrés ensemble, autant qu'ils développent les mêmes passions. Grand patriote à sa façon, l'oncle leur apprend à aimer l'histoire de France qui se décline dans les musées, et à apprécier ces merveilles dont tout Français est issu, tissé.

Et comme Édouard gribouille à longueur de journée, autant lui apprendre les rudiments du gribouillage. Il lui offre des cours de dessin, son père refusant de financer des choses si inutiles (sic !). Là, plutôt que de recopier les modèles casqués des antiques ou ces plâtres poussiéreux qu'on leur impose, Édouard caricature avec ferveur ses camarades, surtout ses professeurs, idem en classe pendant les cours qui l'ennuient. Au moins, noircit-il enfin ses cahiers qu'il couvre littéralement de caricatures. Le dessin lui devient un moyen de tirer au flanc et la langue à l'autorité d'où qu'elle vienne. Mèches rebelles, nez en trompette, grandes oreilles...

S'il est doué ? Évidemment, mais ça n'est pas l'important. Il vient de découvrir une forme de libération et, mieux même, d'opposition à tout ce qui l'ennuie. Le courage ne lui vient pas de se dresser contre son père de façon directe ou frontale, mais muni d'une mine de plomb et d'un fusain, le roi n'est pas son cousin. Là, il a toujours le dernier mot.

Il a fallu l'amitié intense d'Antonin et la menace de ces terribles études de droit pour déclencher l'éveil de sa conscience. Un éveil hurlant qui commence par dire NON.

Du droit ?

Non.

Pour rien au monde !

Sa mère le défend contre son mari qui, d'avance, traite tout mauvais élève de bon à rien et de parasite... Elle sait bien, elle, que ses fils ont du génie, surtout l'aîné. Une mère sent ces choses-là. Si l'école n'est pas faite pour lui, qu'on lui laisse le temps de trouver sa voie.

Elle espère qu'il va enfin éclore. S'épanouir. Ça barde si fort. Quand Édouard est lancé, rien ne peut l'arrêter, même la fureur de son père. Il est à l'âge le plus fou, le plus audacieux, le plus risqué. L'âge où, ébloui, tout l'émerveille, prêt à tout étreindre, tout adorer. Sauf le droit, les études et les idées de son père. Il est à l'âge où la vie est un songe merveilleux, une promesse d'idéal, de passion, l'âge des illuminations qui vous remuent corps et âme. L'âge surtout d'oser dire non aux effroyables conventions paternelles.

Stupeur ! Jusqu'ici il a poussé, résigné à l'obéissance. Soudain un vent de folie l'emballe. Assez d'ombre ! À lui, la lumière, la grande lumière. Artiste, être artiste, arrêter l'école, faire de la peinture...

« Un Manet artiste ! Mais c'est le déshonneur, le grotesque, la honte ! Tu piétines mon nom, ma lignée, ta race. Tu feras du droit. »

La punition est terrible. L'ombre instantanément s'abat sur la maison, la rue, la vie... du jeune rebelle. Trop tard. Même s'il ne peut pas la suivre, sa conscience s'est éveillée. Ivre de son audace, il ne s'arrêtait plus... Quand son père l'a saisi au col et claquemuré dans sa chambre où il le tient trois jours, trois nuits enfermé au pain sec et à l'eau, sans autre accès au monde que ses sourcils furieux et sa silencieuse menace. Ni ses frères, ni sa mère, ni Antonin, venu sonner souvent, ni l'oncle Edmond n'ont droit de lui parler. À la fin, Édouard cède. Et cède sur tout. Il présente ses excuses et un reniement public. Toute honte bue, il s'engage à travailler en classe. À ne plus dessiner sans trêve à tort et à travers. Son trait est pourtant de plus en plus rapide et précis. À ne plus jamais prononcer les mots d'artiste et de peintre. Oncle Edmond est banni de la maison, et toutes sorties interdites. Trop tard quand même.

Il passe les deux années suivantes en ce purgatoire. Déjà, ce n'est plus l'enfance, car malgré ce traitement de choc, une fois animée, la petite conscience ne se tait plus. Ce n'est pas encore l'âge adulte, il est prisonnier. Mais il n'oublie plus cette évidence qui l'a ébloui avant que la lourde main de son père n'y mette bon ordre : « Ne jamais devenir comme lui. » Retombe ce voile de taciturnité qui nimbait sa petite enfance quand, trop apeuré pour émettre le moindre son devant lui, il le subissait telle une catastrophe naturelle.

Si apparemment, il file doux, il ne saurait forcer sa nature. Toujours aussi médiocre à l'école sauf en sport où l'on peut penser qu'il se défoule, il néglige même le dessin où les batailles à copier le font bâiller d'ennui. Il ne s'amende pas, il fait semblant. Il apprend à donner le change. Chaque trimestre, à l'arrivée du bulletin, ça recommence. Les scènes, les cris, les châtiments... Cette première épreuve l'a assommé aussi pendant des mois, Édouard fait le dos rond. Il reprend des forces pour, un jour, il se le promet chaque soir, rompre radicalement, clamer son absolu refus de suivre la voie tracée. Mais comment, et quel sentier de traverse pourrait-il bien emprunter ? Crayon en main, il n'ose même plus se l'avouer.

Pourtant deux ans plus tard, un vendredi d'avril 1847, en fin d'après-midi, où comme souvent après une semaine en pension, son chien lui a manqué plus que tout, il le promène le long du quai, en rêvant, en jouant, en courant, quand il aperçoit son père rentrant de son bureau rue Cambon à pied, roide et digne comme une potence. Alors que le chien frétille et jappe en direction du monsieur bien vêtu, Édouard s'avance tête basse. À la maison, son bulletin l'attend. Son père en ignore la teneur. Quoique le directeur l'en ait peut-être déjà averti.

Tout à trac, comme si de rien jamais n'avait été, il lui repose la question fatidique.

« Alors quel avenir te vois-tu, quelles études ? »

Affolé, le jeune garçon n'ose pas regarder en direction des Beaux-Arts, pourtant à dix mètres, et tourne la tête vers la Seine. En ces premières semaines de printemps, la Seine miroite comme une promesse.

Passe une péniche, Édouard la suit des yeux, espérant qu'elle lui inspire une réponse. Une péniche, ça va vers la mer ? Saisi d'angoisse par la façon dont le presse son père, il répond tout à trac :

« Marin.

— Marine, tu veux dire, donc Navale. Très bien, demain, je t'inscris au concours de Navale. »

Incroyable, Édouard vient de se débarrasser des études de droit ! Comme ça, au débotté.

Si son père a choisi de céder sur le droit – après tout marine, c'est bien aussi –, c'est surtout pour éviter que son fils ne bascule tout entier côté Fournier.

La question est vite réglée. À la fin d'une énième année scolaire aussi médiocre que les précédentes, il n'y a pas de raison, monsieur Père obtient de son ami du collège Rollin de faire passer Édouard en propédeutique ! Faire sauter une classe au plus cancre ? Au point où il en est, qu'on en finisse...

Propédeutique qu'il bâcle comme le reste, pour s'atteler à l'examen d'entrée à Navale qu'il rate. À 16 ans, sans rien comprendre aux sciences mathématiques et autres indispensables trigonométries, c'était couru. Mais le droit s'est éloigné. Et alors qu'Édouard s'apprête à essuyer la colère de son père, oncle Fournier, le militaire, vole à son secours :

« Il paraît que depuis l'an dernier les élèves ayant raté l'entrée de Navale peuvent être repêchés par un stage en mer. »

« Repêchés en mer », l'oncle ne manque pas d'humour. Son père, si. Pourtant c'est vrai. Une loi a été votée pour le sauver.

En s'embarquant au loin, très loin des colères de son père, Édouard sera autorisé à repasser Navale au retour. Il ne balance pas une seconde. Certes il n'imagine ni la mer, ni le navire, ni la séparation d'avec sa mère, ses frères, son cher Antonin, l'oncle Edmond..., il sent seulement sa cage thoracique s'emplir d'air pur, pur de toute menace paternelle... Enivrant comme la liberté.

Partir en mer, c'est d'abord quitter les siens. S'il a déjà dormi loin de chez eux, pendant ses années de pension, c'était avec ses frères et Antonin, il voyait ses parents tous les jeudis, samedis, dimanches. Là, c'est six mois d'absence, peut-être plus. Puis il y a les tempêtes, les naufrages... Oui, mais mener la vie de son père ne lui paraît simplement pas envisageable. Il les regarde, la maison où il a grandi, ses meubles, ses tentures, ses parents, tout y sent le renfermé. Fuir, là-bas fuir... ? Évidemment, il accepte.

Pour le père comme pour le fils, cette saison en mer est un risque et une aubaine. Auguste compte sur l'armée, et surtout la discipline de bord pour casser l'esprit de révolte de cet enfant, le dégoûter de la vie au grand air, et le ramener aux vraies valeurs de sa classe : les Études De Droit ! Édouard se gargarise d'avoir fait dévier les plans de son père qui le veut juriste comme lui et rêve d'un Eugène médecin... Chance pour Gustave, il n'a pas encore planifié son avenir.

Auguste interdit à sa femme en larmes d'accompagner son fils aîné au Havre. Lui y va, il a trop peur qu'il se défile. Il veut voir son fils embarquer pour de vrai. Prendre la mer. Au cas où...

Si le 2 décembre 1848, Édouard monte à bord du Havre et Guadeloupe, une tempête en ajourne l'appareillage. Mais il reste à bord, navire à quai. Et monsieur Manet dort seul à l'hôtel. Le vent souffle en tempête, de sa fenêtre il surveille le bateau, toujours à quai. Il ne rentrera à Paris que lorsqu'il l'aura vu s'éloigner, son fils à bord. Six jours se passent à attendre l'accalmie. Édouard, qui n'a jamais eu l'intention de s'échapper, s'imprègne du rythme disciplinaire de la vie à bord. Aussi, le 8 décembre, son père camoufle ses sentiments pour monter lui faire ses adieux. Et allez, sans une larme, sans un embrassement, ni le moindre tremblement d'angoisse apparent, Auguste Manet serre la main du premier de ses fils. Un dernier salut au pied de la passerelle, un regret ? Tout de même, la mer, l'océan ? La traversée reste dangereuse… Il retourne à Paris.

Chaleureux, les adieux du père à son fils aîné ? Édouard ne s'en rappelle pas. Il n'a d'yeux que pour le grand large.

La mer, le ciel immenses, toutes les couleurs miroitant à l'horizon avec ce mot gravé au fronton du ciel : Liberté.

Chapitre II

1848-1851

HOMME LIBRE
TOUJOURS TU CHÉRIRAS LA MER !

Pour l'enfant amoureux de cartes et d'estampes,
L'univers est égal à son vaste appétit.
Ah ! Que le monde est grand à la clarté des lampes !
Aux yeux du souvenir que le monde est petit !

CHARLES BAUDELAIRE

Depuis son départ du Havre, Édouard ne cesse d'écrire à sa mère, la chargeant d'embrasser les siens. Il a beau savoir que sa prose sera lue à ses père, frères, oncles et mère-grand, il ne s'adresse qu'à elle en de longues missives couvrant des périodes aléatoires. Il l'aime absolument. Il l'aime comme un très jeune enfant, elle compte tant pour lui qu'il ne se rend pas compte de sa dépendance psychologique.

« Chère maman... Je regretterais que tu ne sois pas venue m'accompagner jusqu'au Havre si je n'avais craint une nouvelle séparation et des adieux toujours pénibles [...] non seulement le nécessaire à bord mais aussi un certain luxe, tout ce confortable console et rassure les pauvres mamans venues conduire leurs enfants... Il y a trente-six lits, je couche dans un hamac. Nous avons vingt-six hommes à bord dont un cuisinier et un maître d'hôtel nègre. Nous avons un très joli salon à l'arrière avec un piano [...]. Adieu chère maman je pars content quoique bien attristé de notre séparation. Dis bien des choses de ma part aux frères, à Edmond et à tous nos amis sans oublier d'embrasser la bonne grand-mère. Je t'embrasse bien tendrement, ton fils respectueux... »

Pour poster depuis la mer, il faut croiser un bateau qui rentre en France, aussi ses lettres souvent interminables s'arrêtent-elles abruptement, quand passe le navire. Il n'y en a pas tant.

Il n'a pas 17 ans le jour où il embarque, il voit son avenir en grand bleu, mais toujours pas en termes de carrière. Dans la contemplation des vagues, il cherche sa voie. Il lui est vite manifeste qu'il n'est pas fait pour être marin, si jamais il a pu se le faire croire. Oh, il aime la mer, il aime vivre près d'elle, mais pas tant dessus qu'à côté. Il aime la mer en vacances, en touriste. Passé les premiers jours où il se flatte d'être seul à résister au mal de mer, et se juge un peu vite amariné, il succombe à la seconde vague de tempêtes : pendant quatre jours, il ne quitte pas l'arrière-pont, l'endroit le plus puant du navire où chacun vient vomir. Mal de mère aussi que cette intempérie déclenche – une remise en question de ses études, il ne fera pas Navale –, une tempête plus intérieure, peut-être plus déstabilisante que celle du dehors qui, pourtant, menace sans trêve.

Édouard a bien compris la discipline du bord et le type de hiérarchies qui assujettissent chaque classe de passagers. Des officiers supérieurs au dernier des moussaillons sur lesquels même les apprentis marins comme lui ont droit de lever la main, tous sont soumis à un régime disciplinaire avec des variantes à chaque échelon.

Il est le plus jeune de sa catégorie, aussi est-il vite protégé par un dénommé Adolphe Pontillon, en stage lui aussi, mais plus âgé et qui réussit tous ses examens. Lui, c'est sûr, va devenir officier de marine !

Pendant les quarts, ces longues plages de temps vide, se noue entre eux une solide amitié. Pudique, avare en confidences, Manet a pourtant toujours envie d'échanger avec ses pairs sur la politique et les grands mouvements historiques. Il prise beaucoup l'art de la conversation. Il interroge régulièrement son capitaine, qui n'a pas plus de nouvelles que lui de l'état de la France. Peu d'événements durant la traversée vers Rio, à part la météo et la lassitude. Dès l'appareillage, le mauvais temps les déroute vers l'Irlande, ils mettent plus de temps que prévu à atteindre le Portugal, où des vents contraires les empêchent d'accoster pour refaire provision d'eau, de pain et de fruits frais... dont ils se trouvent manquer. Ils ont faim. Édouard, qui a d'abord fait le difficile, se rue désormais comme tout le monde sur les biscuits de mer. On leur en sert à tous les repas, il ne les boude plus. Il fait des réserves de pain, il en chipe partout où il en trouve... Il découvre une forme élémentaire d'économie : à bord, rien ne se perd. Interdit de rien jeter jamais.

S'il s'est d'abord amusé des mauvais traitements qu'on fait subir aux mousses, corvées, bains forcés, affreuses mises en scène conçues pour les terroriser, dès qu'il comprend que ça dépasse de loin les blagues de potaches, il s'apitoie profondément. Mais de sa place de petit jeune, il ne peut rien faire pour les soulager. Ne pas y participer est déjà un exploit, compte tenu des hiérarchies.

Au mal de mer s'ajoute le mal du pays. Dès le 22 décembre, son moral est au plus bas, il est assez découragé. Il a l'impression d'être en mer depuis des mois, confie-t-il à Pontillon.

— Je n'en peux plus. Toujours du ciel, toujours de l'eau. Où qu'on pose les yeux. Et tous les jours c'est la même chose. À la fin, c'est stupide comme vie !

Et il n'a appareillé que le 8 décembre ! L'escale rêvée de Madère pour refaire des vivres s'éloigne de l'horizon comme une raie noire, la météo en rend l'approche impossible. Des biscuits de guerre, encore.

Comme tous les novices, il s'extasie sur les marsouins, trouve les baleines monstrueuses, adore les poissons volants qui sautent sur le pont. Passé le tropique du Cancer, où ils demeurent immobilisés cinq longs jours dans le pot au noir, la chaleur les suffoque, la soif devient tourment...

Un mois en mer, et toujours pas croisé de bateau français pour lui remettre le courrier du bord, et récupérer les journaux ; or les nouvelles manquent terriblement à Édouard. Il veut savoir ce que devient son pays, il l'a laissé en si piteux état. Quand ils ont appareillé, la situation politique était des plus confuses, on ignorait qui allait diriger la France. Vu de l'océan, c'est pire. L'année 1848, après tous ses bouleversements reste incompréhensible...

Son vif intérêt pour la chose publique s'exacerbe d'être sans nouvelles. Huit mois plus tôt, dans les rues de Paris il a assisté à la chute de la monarchie de Juillet. Les disettes des années 1845/46 ont succédé aux mauvaises récoltes et rendu impossible d'endiguer le flux armé des miséreux. Un peuple rendu fou de faim et de privations est un peuple hors de tout contrôle, Édouard l'a vu. Il a été pris dans les barricades du mois de juin, au moment de la démission de Louis-Philippe, dans la foulée de celle de son oncle. Les tempêtes de la haute mer lui rappellent les querelles entre son père et son oncle, et son déchirement d'être de l'avis de son père alors qu'affectivement il se sent si proche de son oncle. Mais il a tété le lait républicain à la mamelle.

Les apprentis matelots subissent un entraînement physique qui séduit Manet. Il adore ces exercices en plein air comme hisser et gréer les voiles, manier les armes, tirer… Il s'y montre habile. Il frime un peu.

Comme il ne se passe rien que le lent déploiement des nuages et des grains, à bord tout fait événement. Fêter Noël, le nouvel An, ou tirer les rois, entre hommes ! « Et c'est le nègre qui a la fève, il choisit pour reine le commandant ! »

Nonobstant le sévère emploi du temps des élèves : lever à 6 h 30, tout le monde sur le pont pour l'inspection, petit déjeuner à 8 heures, puis les apprentis ont deux heures de mathématiques mais leur prof de maths met si longtemps à s'amariner qu'il passe la traversée de l'aller malade dans sa cabine. Le déjeuner de biscuits est à 11 h 30, ensuite littérature à 13 heures, anglais à 15 heures, dîner à 16 heures, récré jusqu'à 19, puis études jusqu'à l'extinction des feux à 22. Les horaires sont stricts, disciplinaires sauf que la mer et la météo ont toujours le dernier mot.

Très vite, Manet s'embête. Alors il dessine. Et se fait repérer par la justesse des portraits charge de ses camarades à qui il finit par les offrir.

Aussi quand le capitaine découvre que les tempêtes ont endommagé sa cargaison – les embruns ont délavé les étiquettes des fromages de Hollande ! –, il lui demande s'il est capable de les repeindre pour leur rendre l'air neuf !

Le capitaine apprécie ce garçon qui a une si bonne éducation et une vraie ouverture d'esprit, cette curiosité qui fait les grands marins. Les discussions à bord tournent vite au pugilat, et Manet est souvent celui qui lance les sujets qui fâchent. Surprise pour ce rejeton de la bourgeoisie cossue, les plus humbles sont les plus attachés à la monarchie, les plus riches aussi, alors que la classe moyenne représentée par Manet, Pontillon, et sans doute le commandant, s'affiche fièrement républicaine. Son commandant n'en pense pas moins, mais le chef n'a pas le droit de donner son avis. Une nuit, il ôte un couteau des mains de son second qui s'apprêtait à régler son compte au jeune républicain : Manet est sa tête de Turc depuis l'embarquement. Par chance, en plein jour et en groupe son statut d'élève le protège. Le commandant lui conseille fermement de l'éviter la nuit. On bascule si vite par-dessus bord.

Le baptême de la Ligne a lieu le 22 janvier 1849, la veille de ses 17 ans ! C'est une cérémonie inouïe pleine de superstitions aux coutumes inimaginables. Après l'apparition d'un Astrologue magnifiquement costumé, paraît le gendre du Père La Ligne, et celui que la marine nomme l'Équateur, puis un Mage qui descend du plus haut des mâts en se contorsionnant pour indiquer la direction à prendre. Et qui y remonte demander si La Ligne l'autorise à traverser son domaine !

Après dîner, s'abat une pluie de haricots secs versés par seaux depuis les mats annonçant un Messager Équinoxial, suivi d'un Paysan Breton ! Celui-là est adoré : il apporte des poules, des œufs et des crêpes. Des vrais ! Quand une lettre du Père La Ligne lue à voix haute les autorise à passer, le Paysan Breton se livre à toutes sortes de facéties, il jette même de la farine à la tête du commandant.

Sous une tente, montée dans la nuit sur le pont avant, le lendemain matin, les réjouissances reprennent de plus belle avec un défilé de personnages encore plus improbables : Le Père La Ligne et son épouse, attifés faut voir comment, un beau Neptune, un Barbier qui fait mine de tous les raser, puis deux Gendarmes et enfin le Diable et son fils. Les Gendarmes escortent les futurs initiés sous la tente pour les baptiser. Tous ceux qui n'ont jamais passé la ligne sont entraînés de force et enduits de mille onguents puants par couche épaisse. Cette initiation les rend un temps assez égaux. Reste ensuite à se débarrasser de ce qu'on a répandu sur eux, de couleurs, de badigeons, de plumes, ils se frottent à la graisse fondue et empestent... assez longtemps. Il paraît qu'on s'en souvient toujours, écrit l'enfant sceptique à sa mère.

« Nous voilà donc marins puisqu'on a passé La Ligne ! Quoique beaucoup de capitaines de vaisseaux ne l'ont jamais passée. » Édouard se moque de lui avec autant de joie que de ses congénères. Il ne prend pas grand-chose au sérieux à commencer par ces mythologies folkloriques, qui l'amusent néanmoins mais qu'il juge puériles, juste bonnes à passer le temps. Il s'ennuie vraiment.

Ainsi s'écoulent les jours et les semaines jusqu'au

30 janvier où, à quelques milles de Rio, tout le monde repeint le bateau. On ne paraît pas au port avant d'avoir tout repeint. Puis le 5 février, on jette l'ancre après deux mois de gros temps. Bizarrement les Portugais, gardiens officiels des deux forteresses de la baie, commencent par leur tirer dessus ! Une erreur de fanions ! Après ils les consignent à bord deux jours, puis trois, enfin une semaine. Interdit de descendre. Comme tout le monde, Édouard rêve d'eau fraîche et de ne plus manger cette viande épouvantablement salée.

Lors de sa première permission, comme il est mineur, on lui attribue un correspondant, un Français de son âge qui vient le chercher et l'amène déjeuner chez sa mère, chapelière de Copacabana.

« Ne t'effraie pas de son titre de marchande de mode, elle est hors ligne, et son fils, élève à la pension Jouffroy, est mieux élevé que beaucoup d'entre nous », précise-t-il à sa mère qu'il prie d'envoyer une lettre de château à cette femme pour la remercier de le recevoir si gentiment. Il n'oublie jamais les bonnes manières. Ce qui rassure sa mère.

Après une visite détaillée de la ville, diurne hélas, son correspondant est plus jeune que lui, Manet apprend qu'on ne voit les Brésiliennes qu'après dîner. Il est frappé par la condition des Noirs qui forment les trois quarts de la population. Il ne parvient pas à croire que tous ces nègres soient des esclaves. Il découvre le pouvoir exorbitant des Blancs sur eux. Avec Pontillon, il se rend à un marché d'esclaves... Femmes aux seins nus, peu vêtus aussi ailleurs, enfants en loques, hommes qui tentent de bander leurs muscles, ce spectacle le désespère autant qu'il le révolte. Si atroce soit le traitement qu'on leur inflige, il ne peut pourtant s'empêcher de trouver le brillant de cette peau noire sublime. Pontillon l'empêche de lever la main sur un Blanc en train de tirer une femme de couleur par les cheveux. Manet rugit mais ronge son frein, pas question d'être arrêté par la police locale, il serait consigné à bord durant toute l'escale.

Si, en théorie, la France a aboli l'esclavage dans ses colonies antillaises depuis mars 1848, ici il n'en est rien. À sa correspondante adorée, Édouard décrit ce qu'il perçoit sans préciser jusqu'où il succombe à l'attrait de ces corps exhibés.

« Les Brésiliens, ainsi appelle-t-on les seuls Blancs du pays, ont des femmes incroyablement libres. Elles arpentent les rues tête nue, souvent décolletées et parfois bras nus. Il paraît qu'on les marie quand elles ont 14 ans. Elles sortent toujours accompagnées de leurs esclaves et de leurs enfants. »

Ses lettres trahissent sa violente attirance pour toutes les femmes, blanches, métisses ou noires. Sa mère se dit qu'il s'agit d'une poussée adolescente, où quelle que soit la femme sur qui ses yeux se posent, pourvu qu'elle bouge bien et joue avec grâce de son châle et de ses épaules, elle le fait instantanément tomber en amour, ou du moins en désir. Il se veut rassurant : « Rien n'est si prude ni si bête qu'une Brésilienne. Le carnaval se passe assez drôlement, je m'en suis vu comme tout le monde victime et acteur [...]. Excursions dans une sublime nature avec quelques célibataires locaux logés dans une maison charmante toute créole... »

En réalité le carnaval est son épreuve du feu. Entre orgies et furies, il se rappelle mal la chronologie de ces cinq jours-là, où avec Pontillon et deux autres élèves, il s'est « livré au vice, au stupre et à la fornication ». Pour la première fois de sa vie, il connaît intimement le sens de ces mots jusque-là exclusivement livresques et même bibliques. De belles métisses, et de moins belles mais qui toutes lui ont paru merveilleuses, se sont empressées, remplacées, succédé, auprès de ces quatre jeunes garçons blancs, sains, inexpérimentés et si généreux. Elles les nourrissaient à même la couche, les abreuvaient mais pas trop, et les aimaient, encore et encore. Cinq jours de tourbillon effréné qui auraient pu durer toujours. Édouard a découvert l'amour. Ou le plaisir jusqu'à épuisement de tout désir.

Rien de plus précis quant à ses véritables expériences. Si, une fois, il mentionne la méchanceté du second envers lui : « Un vrai brutal. » Pas une plainte, ni bien sûr un mot sur ses bordées avec les autres marins, cuites, beuveries et galipettes. Dans une lettre à Eugène, il avoue « avoir plus d'une fois couru une bordée ». Mais « bordée » en langue de marin, ça veut tout dire, et rien. Trop boire, voir des femmes faciles, ne pas dormir, errer de bar en bar...

Puceau comme il était au départ du Havre, avoir succombé aux séductions capiteuses des belles métisses demeure un éblouissement, une révélation et un chagrin poignant. En les étreignant, il sait que c'est l'unique et ultime fois : un Manet ne peut s'amouracher d'une négresse, ni même d'une métisse. La France a peut-être aboli l'esclavage, la discrimination des races y sévit plus que jamais, profondément enracinée dans toutes les têtes. Sa mère ne doit rien en savoir, ni personne.

Il s'abandonne dans leurs bras sensuels avec la liberté de qui ne reviendra jamais, il jouit de ces caresses hallucinantes d'autant plus fiévreusement qu'elles n'auront plus jamais lieu. Il vit ses premières explosions sexuelles pour la dernière fois. Curieuse sensation qui le fait mûrir plus sûrement que l'aventure en soi. Il s'extasie sur les talents des femmes de plaisir, ses belles mulâtresses expertes en amour. Puceau et pudique, pas le moins du monde exhibitionniste, il dissimule le changement qui s'opère au profond de lui. Le carnaval qui autorise toutes ces folies ne permet pas de déserter. Contraint de remonter à bord, un déchirement. Trois jours plus tard, nouvelle permission, il redescend se perdre dans les bas quartiers à la recherche de ces femmes... Il faut beaucoup s'éloigner de la ville pour se retrouver dans la luxuriance de la nature. La jungle dans sa lumière originelle. Aussi angoissant que beau ! On l'a mis en garde contre la dangerosité des serpents. Et des filles. Bien sûr... Mais l'aiguillon du désir...

Au sortir d'une case de plaisir, il se fait mordre assez gravement par un reptile qu'il n'a jamais identifié. Un crotale, au vu de la plaie. Pontillon, son camarade de bordée, le voit changer si vite qu'il interrompt leur virée pour le ramener à bord où, immédiatement, c'est l'alarme. On saigne sa morsure qui pue déjà. Mauvais signe. Le médecin n'est pas optimiste. Le crotale est toujours mortel. S'il n'en meurt pas il ne remarchera plus, lui cache-t-on assez mal. Édouard doit demeurer immobilisé sans poser le pied à terre toute la dernière semaine de l'escale, il enrage mais souffre aussi beaucoup. Son pied est salement amoché. Le second, qui le déteste depuis le départ, regarde son pied et crache : « Pas plus de trois jours à vivre. Tu ferais mieux de me donner ta montre, elle ne te servira plus... »

Il n'avoue son alarme qu'à Eugène. À qui, depuis ses visites aux bordels et sa morsure, il se met à écrire des lettres séparées. La peur de mourir avant... ? Avant de vivre... Il n'oubliera jamais. S'il survit, il osera faire ce qu'il veut...

Au retour, il dira à Antonin combien les bordels étaient glauques à Rio. Avec quoi un novice tel que lui peut-il bien comparer ? Il les a jugés d'abord follement exotiques ! Il a jeté sa gourme. Il y a pris goût, il va lui falloir recommencer. Beaucoup.

À l'aller, ses lettres insistaient pour que son père l'inscrive à Navale afin de concourir sitôt rentré. Dès l'escale de Rio, il sait qu'il ne sera ni prêt ni reçu. Pendant cette interminable semaine où il soigne sa morsure de reptile inconnu, il est incapable de rien faire tant qu'il ignore s'il va survivre. Alors réviser ses examens ! Outre sa peur panique de mourir, il est désespéré de n'être plus à terre. Il se remet à pleuvoir. Il reste seul enfermé dans sa cabine puante, déplorant ces longues journées perdues pour l'amour... Perdues pour la vie. Vraiment, ce climat ne lui convient pas plus que la vie en mer.

Enfin, un matin, il fait beau, un matin il n'a plus mal, il peut marcher, courir... Las, c'est aujourd'hui qu'on appareille ! Il ne reverra plus jamais ses belles métisses... Mais il n'est pas mort. Quitte pour la peur de sa vie.

« J'ai vainement cherché un maître de dessin à Rio. Tout futur marin doit savoir dessiner. Vous qui savez, pourriez-vous en transmettre les rudiments aux apprentis de l'équipage, exige courtoisement le commandant.

— Donner des cours de dessin à mes compagnons ? Pourquoi pas. »

Serait-il seulement sur cet océan si l'armée n'avait pas instruit son cher oncle dans l'art du dessin ? Pendant la traversée, Manet est propulsé maître de dessin. À l'aller, il s'est fait une réputation auprès des officiers et professeurs qui lui ont réclamé leur caricature. Jusqu'au commandant qui a reçu la sienne en guise d'étrennes. Le retour est plus morne. Édouard ne songe qu'à briller comme maître de dessin et rencontre là son premier succès de peintre. Son portrait de Pontillon en Pierrot chancelant survit seul à ses œuvres maritimes.

Il s'inquiète de l'état dans lequel il va retrouver son pays. À Rio, les derniers rebondissements politiques l'ont catastrophé. Les événements ont dépassé ses pires prévisions. Ses craintes étaient fondées. L'économie sous Louis-Philippe a subi des ravages. De nouvelles fortunes ont engendré une pauvreté énorme. On affirme que sur les trente et un millions de gens qui peuplent la France, vingt-six vivent avec moins de 55 centimes par jour. Ce qui équivaut pour ce jeune homme riche au prix approximatif d'une miche de pain.

Louis-Philippe a sous-estimé les malheurs de son peuple, l'insurrection de février 1848 l'a chassé, il a dû s'exiler en Angleterre. La seule chose qui a affecté Manet, c'est que le roi déchu a retiré au public l'accès à sa collection de tableaux espagnols ! Sinon, ni lui ni personne n'avait mesuré les effets du lamentable « Enrichissez-vous » de Guizot sur les pauvres.

Donc la presse lui a appris que Louis-Napoléon a été élu président de la deuxième République le

16 décembre 1848. Et en février 1849, tandis que Manet s'égarait dans les bouges de Rio, ou se battait contre une mortelle morsure de serpent, Paris s'est réveillé pavoisé de drapeaux rouges. Un gouvernement provisoire a pris une série de mesures sociales courageuses, qui aussitôt ont calmé l'élan populaire. Vont suivre des élections censitaires, d'où sortira une petite république tellement conservatrice. Elle ne saura endiguer le soulèvement du peuple de Paris désespéré, qui sera écrasé les 23 et 24 juin comme pour fêter le retour de Manet en France. On tue, on arrête, on déporte. De la République ne subsiste que le nom. Une fois dans la place, le prince président s'assure le contrôle de l'armée, puis élimine tranquillement tout processus démocratique. Au point que le coup d'État du 2 décembre ne surprendra personne.

Édouard exprime, dans ses différentes missives, sa défiance envers ce Bonaparte bis, le Petit comme il ignore qu'Hugo le surnomme, il l'exprime dans ses différentes missives. À 17 ans et des milliers de kilomètres, il témoigne d'un solide sens politique. Qu'en fera-t-il demain, adulte et réinstallé dans la capitale de toutes les émeutes ?

À Eugène et à distance, il avoue que le souvenir des humiliations de son père lui a donné parfois envie de se jeter à l'eau. L'escale de Rio a tout effacé. A-t-il acquis par sa mère l'assurance qu'après l'avoir fait plier sur le droit il gagnera sur *autre chose* ? On ne nomme jamais cette *autre chose*. Ça ne l'empêche pas d'être fier de ses exploits physiques et de son endurcissement. À Eugène seul, il confie l'ennui et la frustration de la vie à bord. Au moins sont-ils deux à savoir qu'il ne persévérera pas dans la marine. Assez perturbé par les aléas du mauvais temps et les corvées quotidiennes, quand il quitte le navire à la mi-juin, il sait que c'est pour toujours. Et sans regret.

Sa famille l'accueille comme s'il n'avait pas changé. Or un fossé s'est creusé pendant ces longues journées de mer, ses jours et surtout ses nuits à Rio, sa lutte contre les fièvres, et les ultimes semaines du retour en maître de dessin. Chez lui, on s'obstine à ne remarquer que son allure élancée, quasi émaciée, sa mine bronzée, ses cheveux blondis, sa démarche plus assurée pour arpenter la terre ferme. S'il n'y a pas que ça, quoi d'autre ? Chez ces grands bourgeois catholiques, on ne parle pas de ces choses.

Comme prévu, il rate Navale. Comme il n'a pas osé dire franchement non à Père et ne pas s'y présenter, il a rendu copie blanche. En secret, avec ses frères, il s'entraîne à la résistance.

Aussi à l'énoncé des résultats, quand son père lui repose la fatidique question.

« Que va-t-on bien pouvoir faire de toi ? »

La réponse fuse :

« Ni droit ni Navale. Peintre. »

Il a dix-sept ans et demi, il sait absolument ce qu'il veut et, surtout, ce qu'il ne veut pas. Durant les vacances à Gennevilliers devant toute la famille réunie, Édouard paraît vraiment changé. Il a entamé sa mue. Mince, musclé, épuré, et il a commencé à se dégarnir, ce qui confère à son grand front une affirmation d'intelligence et de responsabilité redoublée par l'insolence de ses nouveaux favoris qu'une jeune barbe prolonge. Il y a autre chose. Les tropiques et leurs mystères, les épreuves physiques et celles dont on ne parle pas, lui confèrent une maîtrise de soi qui impressionne les siens. Une expression d'étrangeté qui séduit mère, frères, cousins... et ne laisse pas d'inquiéter son père. En renonçant à lui imposer de faire son droit, monsieur Père commence à dételer.

Édouard se sent désormais assez fort pour s'opposer frontalement. Six mois de mer et un premier succès l'ont affermi.

« Tu veux donc entrer aux Beaux-Arts ?

— Non, répond-il posément.

— Mais comment devient-on peintre sinon ?

— Il y a d'autres apprentissages, laissez-moi quelques semaines, le temps de choisir mon atelier.

— Peintre et rien d'autre ? Même pas un peu architecte ?

— Peintre et rien d'autre. »

Auguste a cédé. Édouard a gagné. Il a 17 ans. Il est libre !

Compte tenu de l'état du monde de l'art à cet instant, ou de son humeur, Manet persiste à refuser tout ce qui s'apparente à l'Institution, de près ou de loin.

« Non aux Beaux-Arts, non au prix de Rome, et je ne vise pas non plus le chemin classique qui mène à l'Institut. Non à l'Académie.

— Alors quoi ? Où ? Comment ? »

Désarmé, le rigide fonctionnaire.

Pendant six mois, Édouard s'entête dans son refus de répondre. Il va et vient, visite, interroge, regarde ce qui existe, examine l'offre proposée : quels ateliers pratiquent de façon à lui plaire ? À ne pas lui déplaire.

Désormais son père va céder sur tout. D'abord il

plie devant l'assurance de ce fils qui s'entête à refuser la voie tracée, qui conspue l'Académie et exige de choisir le maître qui lui conviendra.

Dans cet état de liberté, quasi de vacances, à Paris qu'il n'a jamais tant chéri, il erre près de six mois à la recherche du meilleur atelier. Il va au Louvre, questionne ceux qui copient là tous les jours…

Son errance se prolonge la nuit. Dès son retour, pressé d'aller comparer les bordels de Rio avec ceux de la Nouvelle Athènes, ce quartier neuf sur les pentes du village Saint-Georges, il entame une carrière de jeune homme riche, expérimentant cercles, cafés à la mode, cabarets et autres bouges, choisissant ses futurs amis en les essayant tous. Certaines heures voient revenir une certaine catégorie de rapins, bohèmes, mondains et dandys de toutes sortes, il pioche dans le tas ceux avec qui il se sent de partager davantage. Jeune mais nettement plus mûr que son âge le laisse imaginer, il se trompe peu. L'élégance qu'il acquiert ces mois-là devient son signe distinctif. Il se perfectionne en cravates. Sa mère en est flattée. Toujours ponctuel à la table de ses parents à l'heure implacable du dîner, grâce à la complicité sans faille de ses frères et de sa mère, il s'escamote sitôt son père endormi. Il aime Paris, il aime la nuit. Alors Paris, la nuit…

Depuis qu'il a goûté au plaisir, il refuse de s'en passer. N'est-ce pas ainsi qu'il faut vivre ?

Initié à certains lieux de débauche par oncle Edmond, ravi de cet ultime pied de nez à son beau-frère, il se prend de passion pour ce Paris interlope en train de changer sous ses yeux. Le demi-monde accède à un début de visibilité, quelle aubaine pour un jeune homme amoureux du plaisir. Sa gratitude envers celles qui l'incarnent lui donne envie de les représenter sur la toile. Ça serait follement audacieux. Mais patience, il doit d'abord apprendre.

Les relations entre son père et son oncle se sont encore dégradées, depuis les Événements, ils ne s'adressent plus la parole. L'arrivée de Louis-Napoléon à la tête de cette drôle de République qui ne plaît ni à l'un ni à l'autre signe paradoxalement leur rupture. Au point qu'oncle Edmond quitte Paris, la maison où Édouard l'a toujours connu, pour s'installer dans ses terres d'Île de France. Ses neveux ne le verront plus que de loin, quand Eugénie ira voir ce frère chéri, le plus souvent en cachette de monsieur Père. Même si Édouard ne le voit plus, il reste son modèle de liberté, opinions politiques exceptées, il a toujours été d'accord avec lui.

C'est le moment que choisit leur grand-mère maternelle pour s'éteindre. Les trois garçons n'ont jamais approché la mort intime, c'est dire comme on les infantilise. Interdits de mise en bière, ils l'enterrent sans la revoir. Ça rend sa mort très abstraite. Après le temps du deuil, redoublé pour Eugénie par l'absence de son frère au-dessus d'elle, elle se redresse et remonte la pente. Sa maison doit vite être plus joyeuse afin que ses fils ne la quittent pas, eux aussi. Elle avait son Jour, elle en aura deux désormais. Le mardi, elle reçoit les amis de son mari, des gens sinistres, le jeudi elle le consacre à la musique, sa passion, où se pressent des gens légers et drôles, et, qui sait, demain les amis artistes de son fils aîné. Elle embauche un professeur de piano sous prétexte d'enseigner son art à ses fils mais surtout pour l'accompagner le jeudi quand, devant leurs amis réunis, elle pousse l'aria.

Après avoir fait la tournée des popotes, Édouard se décide enfin pour un atelier. Et en janvier 1850, il s'inscrit chez Thomas Couture. Étonnamment, son père l'approuve. La réputation du maître éteint toute critique. Certes, il n'est pas de l'Académie mais ses tableaux, si. Il est la coqueluche de la société des républicains qu'il fréquente. Après l'avoir combattu et avoir échoué à lui imposer ses vues toute l'enfance, monsieur Père soutient son fils. Plus que courageux, c'est généreux de sa part et même intelligent. Maintenant qu'il lui a cédé, il se met à croire en son génie, du moins son talent. Pour Édouard, l'encouragement est de taille, si seulement il arrivait à lui donner raison en ayant assez de succès pour justifier ce choix si opposé à sa nature. Malheureusement l'art est lent. L'apprentissage est long, rugueux, âpre. Pénible même. Ses premières œuvres qu'il se ferait une fête d'offrir à son père ne sont vraiment pas à la hauteur de son propre jugement. Il se déçoit. Il ne peut décevoir aussi son père. Il détruit tout ce qui ne passe pas au crible de ce seul critère. Désormais ils sont deux à attendre mieux et plus de lui, à ne pouvoir se contenter d'à-peu-près, ni même de pas mal. Et il détruit, il détruit, ou peint par-dessus. Il veut épater son père, et se surprendre lui-même. Pour l'heure il se juge décevant, nul ou, pis, convenu. Plus son œil s'affûte, plus le niveau de ses exigences s'élève, et le recale à la soumission au jugement paternel. Créera-t-il jamais une œuvre qui ne le fasse pas rougir à l'idée de la lui montrer ?

Où s'est-il forgé une si grande idée de la peinture, pourquoi a-t-il placé la barre si haut qu'il ne se juge jamais prêt de la passer ? Comment s'est développée chez ce jeune gandin une si excessive exigence, comment pareil amour de l'art a-t-il pris racine dans cette famille ? Autant d'énigmes qu'il n'est pas près de résoudre mais qui tapissent le fond de son âme. Et s'il a toujours détesté l'école, voilà qu'il y retourne, et témoigne d'une rare assiduité, en dépit de constants motifs de désaccord avec le maître qu'il s'est pourtant choisi.

Il habite toujours sous le même toit que les siens, et apparemment comme le meilleur des enfants. Il est toujours mineur, même s'il mène une vie de jeune homme indépendant, voire débauché, nuitamment et à la marge. L'atelier Couture est à Pigalle, sous les moulins de Montmartre, quasi hors de Paris. Assez loin pour autoriser toutes les dérives, toutes les escapades. Qui sait où il se trouve quand il n'y est pas ?

Depuis son retour, il mène grand train, déjeunant chaque jour dehors et ressortant chaque nuit. Il a engagé des frais somptuaires pour se composer une garde-robe à sa mode. Il met un soin jaloux à assortir ses cravates à ses guêtres, à choisir le tissu au meilleur tombé. Rien n'échappe à sa vigilance de dandy, ce qu'il ne peut obtenir de sa main sur ses toiles, il l'exige de son tailleur…

Un mètre soixante-dix, svelte et musclé, il a l'air plus long et plus élancé que ses frères. Il marche comme un félin, vite, avec élasticité. Antonin Proust s'amuse de le voir se déhancher plus que de raison pour un garçon, « c'est à cause du roulis », explique-t-il à l'ami qui se moque. Un roulis qu'il va traîner toute sa vie. Qui sait si ça n'est pas une forme de coquetterie, histoire de dissimuler cette exotique blessure au pied qui n'en finit pas de se rappeler à lui ? Oh, elle a fini par cicatriser, mais le relance régulièrement de-ci de-là. Ce n'est rien, à dix-huit ans, la santé est une certitude, une garantie d'immortalité.

Sa voix rauque a tout du Parisien typique, l'accent un rien traînant mais jamais vulgaire, son phrasé fleure la bonne éducation. Depuis son retour, il porte barbe et cheveux aussi longs que possible. D'un blond tirant sur le roux qui s'harmonise avec ses yeux clairs oscillant du gris au vert, gris bleuté, pour plaire à sa mère. Mais il ne peut dissimuler que leur chute a commencé et s'avère irréversible, à 50 ans sûrement sera-t-il chauve.

Follement joyeux, facétieux et rieur, il répand un vrai charme. Certes il est doté d'une langue terriblement acérée, parfois vipérine, mais il est si drôle qu'on admet qu'il soit féroce, tant qu'il reste plus original que méchant. Moqueur et piquant, aucun ridicule ne lui échappe. Il voit tout. Railleur sans mépris, il aime les gens, profondément, toutes sortes de gens. Élégant et dandy mais pas snob, son intérêt pour les physionomies le pousse à s'intéresser à toutes les classes sociales. Pourvu qu'un visage le retienne, il fait connaissance et peut devenir ami avec des gens très éloignés de lui. Populaire à l'atelier Couture, nonobstant une charge de travail énorme. Thomas Couture exige que ses élèves soient cultivés, il veut élever le niveau des conversations d'atelier, et les pousse à lire beaucoup : « Absorbez ! Homère donne la simplicité primitive, Virgile le rythme, Shakespeare la passion, Molière le beau langage. Vous êtes jeunes, la digestion vous sera facile. » En six ans chez Couture, Manet parfait sa culture générale bâclée à l'école.

Sa vie s'organise entre les cafés du matin, ceux de l'après-midi où traînent les artistes, les music-halls, théâtres, cabaret ou pis après souper... Dès l'aurore chez Couture, un saut au Louvre dans l'après-midi, et parfois en fin de journée un passage chez le Suisse, cet atelier libre où beaucoup de rapins travaillent gratis au chaud. Ses chiches heures de sommeil à la maison.

Unique témoin de sa révolution intérieure, Antonin Proust, riche et rentier, retrouvé après Rio, justement il ne faisait rien de précis. Il se laisse convaincre de l'accompagner chez Couture. *Alter ego* à vie.

C'est alors que se produit l'événement qui va bouleverser cette fraîche organisation. Le grain de sable qui s'insinue pour infléchir radicalement la vie de cet apprenti peintre en apparence dilettante pour dissimuler l'énormité de son ambition.

La jeune pianiste hollandaise que sa mère a engagée pour l'accompagner, et incidemment leur apprendre la musique, est ce grain de sable. Placide et tranquille comme l'humeur qu'on prête à son peuple, elle accomplit sa tâche avec une grande discrétion et une assez unanime gentillesse. Impossible de ne pas aimer Suzanne Leenhoff, grande et massive comme un Rubens, profonde comme un Rembrandt, tendre comme un Vermeer, joyeuse comme un Frans Hals, et surtout, bonne, bonne comme personne. La bonté personnifiée. Douée quand elle joue du piano. Franz Liszt en personne est venu chez ses parents les persuader de l'envoyer se perfectionner à Paris. Elle chante au moins aussi bien qu'elle interprète les musiciens préférés d'Eugénie. Le sien, c'est Schumann, il reflète assez justement la fraîcheur de son âme.

Elle met le même entrain à chanter Mozart qu'à évoluer dans l'univers des romantiques. Quatre jours par semaine, elle fait répéter Eugène, Gustave et Eugénie, et chaque fois une humeur enchanteresse envahit la maison, à croire qu'ils sont tous amoureux d'elle, sauf Gustave qui, fidèle à l'idéal de son père, se lance dans les fameuses études de droit, et peine, peine... Il semble même dépérir. Quand son petit frère, épuisé, laisse tomber le piano, Édouard décide de s'y essayer. Il essaie surtout la répétitrice.

Leur père, dit assez drôlement Eugénie, ne doit pas avoir l'oreille assez musicale pour percevoir ce vent de liberté heureuse que Suzanne fait souffler sur la rue, sur le quartier, sur la ville... et dans le cœur de l'aîné des garçons. Liberté qu'elle a tétée dans son pays natal.

Ni oreille musicale ni beaucoup d'instinct de mâle pour se rendre compte qu'Édouard se meurt d'amour. Combien de temps demeure-t-il transi et éconduit ?

De deux ans plus âgée qu'Édouard, la jeune femme est une pure énigme à ses yeux de récent consommateur de femmes vénales. Elle est belle, elle est bonne, elle est bouleversante. Quand elle chante ou joue du piano, il entre en tétanie. Son frère aussi. Rien ne peut interrompre leur sidération à l'audition de cette créature.

Normalement l'emploi du temps de ce fils de famille bourgeoise, chaque soir à l'heure à table, mains lavées, cheveux peignés, après avoir abattu une folle journée d'apprenti ne lui laisse pas le loisir d'être amoureux. Dès potron-minet chez Couture, sur le motif au premier rayon, il déjeune en courant, passe au Louvre recopier ce qui fait battre son cœur, d'abord les Vénitiens, le Tintoret, puis les Hollandais, ce Rembrandt qu'il adore, enfin les Espagnols, ce Vélasquez, à ses yeux le plus grand, outre quelques maîtres du dix-huitième Boucher, Watteau, Chardin... Ensuite c'est la ruée sur les cafés à la mode du boulevard des Italiens, où il fait amitié avec toute la bohème artistique. En courant toujours, et sans oublier le démon du plaisir, découvert à Rio, il multiplie les rencontres éphémères mais souvent suivies d'amitiés avec des grisettes...

Alors ce bon fils de famille à l'emploi du temps surchargé devient fou, ivre, méconnaissable à ses propres yeux, l'amour lui tombe dessus comme un grain sur la mer. Une folle passion enraie sa vie entière. Une démesure dont il ignorait qu'elle sévissait chez les humains. La démesure des dieux grecs.

Comme Édouard est le premier touché au cœur, il s'empresse de déclarer sa flamme à la déesse pendant sa leçon de piano ! Car l'obligation de se voir quatre, cinq fois la semaine fait aussi succomber sous son charme Eugène et, mais c'est moins grave, madame Mère. Le père ne fraie jamais avec des subalternes, et Gustave n'a pas le temps.

De haute lutte, après une cour incroyablement assidue, Édouard aura raison de sa vertu. Elle résiste pourtant longtemps, des semaines, des mois. Elle doit. Elle veut résister. Mais la nuit de la Saint-Sylvestre précisément, elle n'y est plus arrivée. Les assauts sont trop impérieux, et puis il est séduisant, convaincant, il parle si bien à son cœur. C'était trop demander à cette jeune Hollandaise tellement seule dans la grande ville pleine de pièges et d'attraits. La nuit du réveillon, elle s'offre à son désir.

Édouard l'aime, il est beau, il est profond, plein d'attentions, il l'aime et le lui dit avec des mots si touchants, il est jeune mais il a voyagé loin, il n'est pas bête ni fat ni prétentieux, comme les garçons de son âge, et surtout il l'adore. Cette nuit d'entrée dans la décennie 1850 transforme la passion univoque du jeune homme en coup de foudre mutuel. En secret, ils se jettent dans une folle passion qui les entraîne dans un tourbillon ahurissant à quoi ni l'un ni l'autre ne s'attendaient. Un sentiment dont ils ignoraient qu'il pouvait se déployer grandeur nature. Suzanne avait lu des romans, Édouard avait voyagé, mais pareille intensité, pareille communauté de pensée, ils n'auraient pas osé croire ça possible. Et ça leur arrivait à eux, et ça se renouvelait tous les jours. Impossible de ne pas faire le mur chaque nuit pour la retrouver, impossible de ne pas la dessiner chaque aurore. Ses progrès au piano s'arrêtent net. Il n'a plus une seconde pour le clavier, il lui faut l'étreindre sans cesse. Cette Flamande surgie de ses tableaux préférés lui est une déesse, il n'a pas 20 ans, quand la déesse daigne baisser les yeux sur lui. Sa reconnaissance est infinie.

Commence alors une vie plus folle encore. Édouard ne renonce à rien de son emploi du temps. Suzanne se rajoute à tout, magnifie tout. Illumine tout.

À l'atelier, très lentement son rêve prend forme, enfin il fait quelques progrès, mais il est toujours aussi mécontent du résultat. Sa vie secrète l'épuise mais l'épure, il est de plus en plus aigu, précis. Il l'aime à hurler alors il accélère. Son instinct de classe lui souffle de ne rien dire de cet amour à sa famille. Après avoir refusé tous les projets de son père pour son avenir, il ne peut lui annoncer qu'il aime la répétitrice de piano de sa mère, et qu'il l'aime au point de lui donner son nom... Il sait d'évidence comment il réagirait, et ce dont il est capable pour l'en séparer. Histoire, dirait-il de protéger son fils de cette intrigante ! Oh, il entend jusqu'au ton de son père prononcer ces impitoyables sentences. Il le sait capable de la dénoncer à sa famille, de la renvoyer dans sa Hollande natale, d'en faire une caricature de fille perdue. Il connaît son père, il connaît sa caste, il sait leur étroitesse d'esprit. Il ne peut aimer Suzanne qu'en cachette, d'autant plus fort qu'ils sont seuls au monde à le savoir. Le secret et l'interdit protègent leur passion, l'empêchent de se déliter trop vite.

Édouard se tait, mais ça lui coûte. Il rêve d'exulter. Il n'a jamais senti son cœur battre si fort.

Suzanne n'exige rien, ne demande rien, elle aussi est folle d'amour. Ils s'adorent, que peut-elle rêver d'autre ? Elle a compris seule que ces gros bourgeois français ne l'accepteraient jamais. Non qu'elle soit fille de rien. Sa famille est très honorablement connue dans sa ville natale, ses parents sont des gens extraordinaires, elle a deux sœurs et deux petits frères magnifiques, ces gens s'aiment et se respectent à leur manière, protestante, loin de ces clivages de classes qui pourrissent les Français...

Protestante ! Ça non plus, son père ne l'encaissera pas.

Elle aime Édouard et, connaissant sa famille de l'intérieur depuis plus d'un an qu'elle y passe presque tous les jours, et les observe dans leur intimité, elle préfère elle aussi ne pas faire la lumière sur son amour. Son cœur déborde, elle a 21 ans, elle n'a rien connu de tel, elle a besoin d'aide. Elle écrit à sa mère pour lui confier son amour. Celle-ci ne la blâme pas.

Prévient-elle aussi sa mère si compréhensive qu'elle est enceinte ? Oui, et même avant d'en parler à Édouard. Et sa mère consulte la sienne, la grand-mère de Suzanne. Que faire puisqu'elle aime tant son petit Français, et tient plus que tout à garder l'enfant ? La grand-mère propose de se rendre en France pour l'aider...

Attendons. Tant de grossesses n'arrivent pas à terme... Il sera toujours temps d'agir, pensent les dames hollandaises.

Suzanne est folle de joie d'attendre un enfant de son grand amour. En août 1851, quand la chose est sûre, elle le lui annonce. Édouard écoute, Édouard entend mais ne comprend pas ce que ça signifie. Pour toute réponse, il enlace son amour, se met à genoux devant elle, et l'aime encore mieux.

Lui a-t-elle demandé son avis ? N'a-t-elle pas seule décidé de garder l'enfant ? Se soucie-t-elle de ce qu'il en pense ? Il l'aime tant qu'il fera tout ce qu'elle veut. D'ailleurs, tout aussi fou qu'elle, Édouard se réjouit. Trop plein d'amour, il n'a plus le moindre libre arbitre, il déborde en baisers, en étreintes, en embrassement. Il se dit d'abord qu'il va l'épouser, mais en même temps qu'il le lui promet, il sait que c'est irréaliste. Épouser à 19 ans cette petite Hollandaise protestante, qui gagne sa vie comme répétitrice de piano... ? Impossible, son père en mourrait. Il perçoit jusqu'au chuchotement de sa mère lui enjoignant de n'en rien faire. Sa mère à qui il aimerait confier son amour mais l'heure est mal choisie. Tant qu'il peut la tenir éloignée, même s'il ne sait pas exactement pourquoi, c'est mieux pour Suzanne, et pour leur amour. Tant qu'elle ignore tout, il se sent à l'abri !

Édouard a parfaitement intégré les codes de son milieu.

Aussi décident-ils tous deux de cacher cette grossesse, et d'organiser leur vie secrète. Suzanne comprend les raisons de son amant. À l'aune de folie où s'élève leur amour, elle n'imagine pas que ça puisse s'arrêter. Alors, que changerait le mariage pour eux ?

Il a 19 ans, et il sera demain à la tête de trois existences, dont deux clandestines. Comment réaliserait-il ? À cet amour de cathédrale, sans témoin, il s'adonne avec la ferveur des premiers chrétiens. Fou d'amour et prêt à tout. Sauf à tuer son père. Il adopte la conduite de qui avance masqué. Personne ne doit rien savoir de cette passion, offerte par sa mère. Oui, sa mère, c'est elle qui a choisi Suzanne. Il est l'aîné, il l'a séduite avant Eugène, qui n'est pas loin d'éprouver les mêmes élans envers leur magique professeur de piano, d'harmonie et de joie...

Combien de temps Édouard va-t-il tenir sa mère à distance ? Il a confiance en elle. Oui. Mais non. C'est trop tôt.

À l'automne, Suzanne a tant grossi qu'elle ne peut plus donner ses cours. Demoiselle et enceinte, elle ne peut décemment se présenter avec son gros ventre chez ces rigides bourgeois catholiques. La grossesse est une honte pour les jeunes filles : ce sont elles et elles seules les fautives, qui doivent donc tout dissimuler.

Il reste trois mois avant l'accouchement, Édouard trouvera bien de quoi la nourrir et payer son loyer. Suzanne le rassure : ses parents sont au courant et feront tout pour l'aider.

Et puis, *quand on s'aime comme nous d'un si extraordinaire amour, que craint-on ? L'arrivée de l'enfant ? On verra bien*. C'est si long, trois mois.

Pour le moment, amant comblé, il peint un peu mieux. Surtout la nuit, quand son amante s'arrondit sous son fusain. C'est beau à n'y pas croire. Sous ces métamorphoses, il ne voit pas du tout se profiler l'enfant. Il n'a aucune imagination, et le présent lui suffit amplement. La placide Suzanne ne semble pas non plus s'alarmer. Il ne se sent pas père ? C'est normal, ça n'est pas grave, ça viendra.

Cette vie où toutes ses minutes sont pleines comme un œuf lui laisse pourtant le loisir de se passionner pour la chose publique.

Début décembre 1851, en courant de chez Suzanne à chez ses parents, dès l'aube pour faire comme s'il y avait dormi, il tombe en pleine rue sur l'armée tenant le peuple en joug. Oui le peuple ! Armée jusqu'aux dents, attendant l'ordre de tirer, la troupe menace. Édouard bifurque par une rue adjacente et rentre chez lui. Sauvé, à l'abri. Mais il a senti cet étrange climat d'insurrection. Il réveille Eugène pour lui raconter ce qu'il a vu, se change et repart chez Couture.

L'atelier est en émoi. *Il paraît qu'on tire sur le boulevard des Capucines ! Des fusils seraient braqués sur les Parisiens*. L'atelier s'y précipite. Folle jeunesse au sang chaud et à l'âme pure, elle ne va pas laisser faire ça ! Mais comment s'opposer au coup d'État de Louis-Napoléon Bonaparte, ce président qui veut être roi. Et qui fait pire. Il ordonne de tirer sur le peuple de Paris au canon. De charger ses sujets.

Manet et Proust veulent voir ça de leurs propres yeux. Mal leur en prend, les voilà à leur tour sous une charge de cavalerie dans une rue coupe-gorge. L'armée s'acharne à détruire les barricades dressées ici et là en crachant sa mitraille, Édouard réalise alors qu'ils sont tous de la piétaille face à des militaires armés. Ce jour-là, Antonin et Édouard ne doivent leur survie qu'à la vitesse et l'à-propos d'un marchand de tableau de la rue Laffitte qui entrebâille sa porte et les force à entrer. Encore sauvés !

Plus tard, en tentant de revenir chez eux, ils se retrouvent à nouveau sous le feu, et se jettent à plat ventre boulevard Poissonnière le temps que cesse une autre canonnade. Arrêtés sans raison, relâchés de même, ils ont eu vraiment peur.

La frénésie des rues de Paris en ce mois de décembre est incroyable, Manet n'a rien vécu de plus ardent : passionnant et terrible. L'atelier au complet se rend au cimetière de Montmartre où, horrifiés, ces jeunes gens découvrent entassés par paquets amoncelés tous les fusillés, tous les suppliciés de ces journées d'épouvante. Des tas de morts, des morts en tas, des êtres humains traités comme des choses sans valeur, tous les corps massacrés ont été mêlés. Manet serre le bras de Proust, toujours à ses côtés. Sous le choc. Ils n'avaient jamais vu de morts, autant de morts. Sur les rares visages apparents, des rictus de terreur, masques de douleur, traces de convulsions, mais surtout sur les corps. Corps de suppliciés, souillés de sang séchés, en des poses brisées…

Que faire ? Manet sort de sa poche un carnet et une mine, et se met à gratter, gratter la feuille comme s'il lui en voulait. On dirait un halluciné qui se venge. Il ne peut rien faire d'autre qu'affûter son regard sur toujours plus de détails, menus, ténus, minuscules détails, afin de dissiper, noyer, escamoter cette vision d'épouvante, de honte, de haine envers les auteurs de ce massacre. Il doit s'approcher assez près pour ne plus voir l'ensemble, ne s'attacher qu'aux détails pour les rendre universels.

Ensuite ? On tue, on arrête, on déporte. Partout en France.

Au fond, ce coup d'État n'a surpris personne. Idem quand le prince président s'autoproclame empereur. Dans la foulée des émeutes, ça passe ! Personne ne réagit non plus quand Napoléon III fait ôter des édifices publics la devise Liberté-Égalité-Fraternité. Le pays est en ruine. Le peuple de France anesthésié. Ainsi s'achève l'année, sur un Paris meurtri. Puis très vite, en chantier. Dans les bagages du nouvel empereur, arrive Haussmann, qui a ordre de tout casser pour faire du neuf. Ces émeutes sont bien tombées qui l'autorisent à tout raser pour tout refaire.

Manet et Proust, infatigables marcheurs, apprennent leur ville avec leurs pieds, des élégantes terrasses des Tuileries aux taudis de la Petite Pologne rue de la Pépinière, ils inaugurent le trottoir en cours d'aménagement. Cette nouveauté plaît à ces élégants, ils peuvent y étrenner leurs fines chaussures. Grâce à ces chaussées surélevées, elles ne seront plus crottées. Il n'y a pas que le beau sexe qui se félicite de cette innovation.

Apprenant la fuite de Victor Hugo en Belgique, la famille Manet quitte la rive des bourgeois, des riches conformistes pour l'autre rive de la Seine, la droite où sont relégués les pauvres et les artistes. Ça enchante les fils Manet, surtout l'aîné que ça rapproche de l'atelier, et plus encore de son amante sur le point d'accoucher.

Chapitre III

1851-1856

PÈRE ET PEINTRE

De la musique avant toute chose
Et pour cela préfère l'impair,
Plus vague et plus soluble dans l'air
Sans rien en lui qui pèse ou qui pose.

PAUL VERLAINE

Édouard aime passionnément la musique et Suzanne. Aussi quand elle se met au piano, littéralement, il n'en peut plus. Les heures où il la regarde jouer ou, pis, chanter en s'accompagnant sont les plus extatiques de sa vie. Il n'a jamais rien ressenti de plus jouissif : ce désir issu de la musique, ce désir qui monte de la musique, ce désir pour l'interprète pendant qu'elle chante ce qu'il prise plus que tout au monde... S'il pouvait faire l'amour sur cette musique qui parle à son cœur, il en mourrait. Il voudrait tout arrêter, que sa vie soit celle d'un spectateur calcifié sur ces arpèges... Le corps et l'âme en fusion.

C'est Haydn qu'il préfère. Il y a quelques sonates qu'il sait par cœur, la cinquante-deuxième, la soixante-deuxième, la quarante-neuvième surtout. Oh ! Et la quinzième aussi... Elle les lui joue avec parcimonie, elle sait attiser, laisser monter, faire durer son désir.

Elle s'épanche davantage dans Schubert, Schumann aussi. Mais son ventre grossit, ses bras doivent s'étirer pour atteindre le clavier, sa frappe se fait moins précise, moins déliée. Elle pense à autre chose même quand elle joue pour lui.

Les jours raccourcissent, les soirées sont trop longues, trop seules... Il dîne toujours chez ses parents, et la rejoint tard. Elle, si paisible, fronce les sourcils. Une angoisse qu'elle ne sait dire. Elle ne sort plus, trop enceinte pour affronter les regards alors que dans son quartier on la sait jeune fille. Elle se cache. Elle passe ses jours à attendre l'homme qu'elle aime. Elle tricote, elle coud, elle prépare le trousseau du bébé. Un trousseau tout blanc. Garçon, fille, qu'importe, un enfant d'Édouard. Elle brode. Elle sait déjà qu'il sera plus intermittent comme père que comme amant. Il ne s'intéresse pas le moins du monde au bébé, à sa naissance, ses premières années, leur avenir à trois. Il vit l'instant à tout instant, et prétend même chercher l'instant dans son art. Est-il seulement capable de se projeter ailleurs que sur la toile ? Il est tant plein d'amour pour Suzanne, est-ce que ça peut durer toujours ?

Il la peint à son ouvrage. Son teint laiteux, ses beaux bras blancs de nacre, ses yeux pastel, sa bouche magnifiquement ourlée..., il en est fou. Jusqu'ici pas d'autre conflit que musical. Sa passion pour Haydn est exclusive : « À bas Schumann, à bas Wagner ! » glapit-il tandis que Suzanne fait mine de s'offusquer.

Elle joue moins, moins bien, depuis qu'elle a cessé de donner des cours, elle perd un peu la main. Sans autre ressource que les oboles d'Édouard et les sous envoyés par ses parents et sa bonne grand-mère qui a promis de venir la rejoindre à Paris à l'heure de l'accouchement. Suzanne refuse de retourner en Hollande, elle ne veut pour rien au monde quitter son amour, elle le lui a promis. En attendant, elle se sent seule et elle a peur. Pas tant de l'avenir que de ne pas savoir s'occuper d'un petit. Elle l'écrit à sa mère. Puis reprend son ouvrage. Elle s'arrondit comme pour ne pas déparer du stéréotype, ô combien maternel, des plantureuses maternités hollandaises.

Branle-bas de combat. Les Manet quittent l'immeuble familial d'une rue récemment rebaptisé Bonaparte, pour s'installer dans un sinistre appartement sombre mais vaste, rue du Mont-Thabor, à deux pas des Tuileries où se tient le palais de l'empereur ! Déménager, c'est d'abord trier, ranger, jeter. Édouard est mobilisé pour ces tâches tandis que Suzanne est au plus mal. Les contractions ont commencé. La délivrance est proche. L'avant-veille, sa mère est arrivée de Hollande avec son dernier fils. Elle a rejoint la grand-mère dans les bras de qui Suzanne tremble, serre les dents et sanglote à la fois. Honte, peur, mal, de part en part l'émotion la saisit et ne la lâche plus. Sa mère prend le relais de la sienne qui éloigne le petit Rodolphe. Trois jours qu'elles sont arrivées, et Édouard réquisitionné par ses parents n'a pas eu le temps d'aller ne fût-ce que se présenter à eux. Il s'en veut de faire ça à Suzanne. En même temps, elle n'est plus seule.

Enfin à la nuit tombée, il s'échappe, et file rejoindre la femme qu'il aime. Elle n'y est pas. Plus rien, plus personne, là où depuis des mois ils s'étreignaient sans trêve. Vide. Elle a disparu. Tout a disparu. Même leurs affaires ont disparu. Fou d'angoisse, Édouard s'imagine Suzanne enlevée par sa mère, repartie en Hollande, interdite de le revoir jamais...

Mais non, le rassure une voisine, des voitures à bras sont venues à l'aube les chercher et les ont embarquées avec tout leur barda. Elles ont déménagé ! Elles aussi.

Sans le prévenir ?

Mais comment le prévenir ? Et où ?

L'humble logis où résidait Suzanne ne pouvait héberger sa mère, sa grand-mère, son petit frère, bientôt le suivant, et le bébé. Sitôt à Paris, madame Leenhoff a trouvé dans ce nouveau quartier de la barrière de Clichy, un cinq-pièces, rue Saint-Louis, qui, sans être luxueux, offre une chambre à chacune des trois générations de femmes, et une pour les enfants. Un salon, une salle à manger et un bureau, en l'occurrence un salon de musique. Elle a aussitôt commandé les déménageurs et ils sont partis le jour même. Les Savoyards, précise la voisine, ont transporté Suzanne juchée sur le dessus de la carriole. Et la mère n'a pas lâché sa fille qui étreignait son gros ventre sans savoir ni où elle se trouvait ni où elle allait. La mère-grand et le petit Ferdinand les ont rejoints en fiacre. Le travail, commencé rue de la Fontaine-au-Roi, a continué sur la charrette. À l'aube, pas d'embouteillages, et par chance son bébé a attendu pour sortir d'être chez lui à sa nouvelle adresse. Et après qu'on a, sur un brancard improvisé par les déménageurs, monté l'imminente accouchée dans l'appartement vide. En solide fille des Flandres, Suzanne accouche sans mot dire. Dans l'heure qui suit, tandis que toutes les femmes autour d'elle s'affairent à ranger, elle allaite son petit. Pas étonnée que ce soit un garçon, elle n'avait pas même imaginé une fille !

Rodolphe, tout énamouré devant ce « neveu » encore fripé, le prend pour son dernier frère. Ce qui inspire à la mère de Suzanne l'idée de faire effectivement passer ce nouveau bébé pour le sien. « Personne ne nous connaît, ici. Il n'y aura qu'à dire que ce n'est pas Suzanne mais moi qui viens de mettre au monde mon ultime enfant ! »

Quand Édouard paraît, fou d'angoisse et de soulagement de les avoir retrouvés, il se rue sur sa femme sans même voir l'enfant, c'est elle qu'il aime, elle qu'il a crue perdue. Autour d'eux, ils sont plus nombreux qu'il ne s'y attendait ? Tant mieux, plus ils seront à aimer sa Suzanne, mieux ce sera. Ainsi dit-il sur l'instant à cette nouvelle parentèle qui, du coup, l'accepte d'emblée. Sa future belle-mère l'embrasse chaleureusement, belle-mère, oui, puisque c'est certain, demain, après-demain, il épousera sa Suzanne, il l'aime tant. Quand ? Ça, il ne peut le dire. Il n'en sait encore rien. Quand son père... Mais oui, c'est sûr, il l'épousera et qu'on n'en parle plus ! Il étreint si chaleureusement les mère et grand-mère de son amour qu'elles ont quelque peine à garder leur distance envers ce jeune homme qui a mis leur petite dans cet état. Son amour est de belle qualité, jugent-elles, pourquoi douter de lui et de ses serments ? S'il ne l'a pas encore épousée, il les a convaincues qu'il le fera.

Manet trouve tout de suite sa place dans cette famille aimante, qui l'accepte comme elle accepte cet enfant de l'amour. D'ailleurs à ce propos, l'enfant de l'amour, comment le nommer ?

« On t'attendait pour lui donner un état civil. Léon ? tente la jeune mère.

— D'accord, Léon.

— Mais Léon quoi ? ajoute la future belle-mère.

— Léon Leenhoff, affirme Suzanne. C'est mon enfant.

— Est-ce que Léon-Édouard Leenhoff, ça t'irait ?

— Mais il ne peut pas avoir le seul nom de jeune fille de sa mère, s'insurge la grand-mère ? Que diriez-vous de Koëlla, propose-t-elle ?

— Koëlla ? D'où ça vient ? demande la mère.

— J'ai eu un amoureux quand j'étais jeune qui portait ce nom…

— C'est hollandais ? demande Édouard.

— Ça sonne hollandais, mais ça ne veut rien dire.

— C'est joli, approuve Suzanne.

— D'accord ? »

Comme pour acquiescer, Léon se met à téter goulûment cette mère comblée. Elle a un fils de son bel amour, sa mère l'approuve, sa grand-mère lui caresse la nuque, Rodolphe est à genoux à ses pieds, Léon est trop joli… On se croirait dans un tableau flamand, se dit Édouard, passionnément épris de ces femmes sorties de chez Rembrandt. Toutes trois se mettent au tricot, le jeune Rodolphe joue aux billes, Léon s'est endormi sous la voix psalmodiante des trois Hollandaises.

Mère et grand-mère vont rester à Paris tant qu'Édouard ne l'aura pas épousée ? On verra bien, elles ne peuvent laisser si seuls leur Suzanne chérie et son petit. Tant pis pour son mari, le sévère organiste de Grote Kerk, tellement pris par la cathédrale de Zaltbommel, leur ville natale. Bah, ses deux autres filles en prendront soin, ainsi que de son grand garçon.

Suzanne a besoin de sa mère, Léon aussi. Elle s'installe.

Tout le monde est soulagé par ces décisions. Suzanne appelle sa grand-mère *Lieve Omaatje*, difficile à prononcer pour Édouard mais il y arrivera, il en aura le temps puisqu'elle décrète s'installer ici pour mourir. Elle n'abandonnera pas sa chère petite.

L'enfant est calme, souriant, jamais seul, passant sans trêve de bras satinés, laiteux et caressants en bras blancs et soyeux d'une autre Hollandaise plus maternelle encore, à croire qu'elles font un concours de douceur. Mille toiles passent sous les yeux de son père, la *Sainte Anne et sa fille* de Vinci l'obsèdent, quelques vierges à l'enfant de Titien se superposent sur ses paupières, toutes les maternités des primitifs italiens et flamands envahissent sa maison. Tandis que Suzanne et sa mère chiffonnent et babillent en néerlandais, Édouard entraîne le jeune Rodolphe dans les bois des Batignolles. Il sera toujours temps de faire connaissance avec son bébé plus tard. Cet autre petit garçon, bien plus âgé que le sien, lui permet de s'entraîner pour l'avenir, d'apprivoiser son nouveau rôle. Il y a trop de monde et d'agitation auprès de la femme qu'il aime... qu'il voudrait encore aimer à genoux, seul avec elle. Rien que tous les deux... Ça semble de plus en plus difficile.

Alors il reprend sa vie de dandy, de peintre, d'apprenti et de fils soumis... Il a eu peur mais tout est arrangé. À l'avenir il faut qu'il dispose de plus d'argent. Il veut contribuer à l'entretien de son fils. Aider la femme qu'il aime à élever son enfant. Édouard ne se perçoit pas encore en père. Ça viendra sans doute. Plus tard ! Il a eu 20 ans six jours avant la naissance de son fils. Même Oma, la mère de Suzanne, le comprend. « Il faut laisser du temps aux hommes pour devenir père. Mon mari, qui m'a fait cinq enfants, ne s'est vraiment senti père que des deux derniers ! Rodolphe qui n'a que huit ans, et Ferdinand à peine onze. Donc très tard. Non, il n'a pas été un père présent ni attentif pour Suzanne. Encore moins pour ses sœurs... »

Édouard se confie enfin à Eugène, son frère le plus proche.

« Donc moi, je suis oncle ! »

À eux deux, ils organisent une manière de racket sur l'argent du ménage afin d'en soustraire un peu chaque jour pour Suzanne et l'enfant. Las, ça ne va pas suffire.

Chez Couture, pour la première fois, Édouard tient tête à son maître. Le différend est de taille : il s'agit de peindre le réel tel qu'il le voit plutôt que de le sublimer. Édouard n'est pas là pour sublimer. Le sublime est dans les détails, et il refuse de tricher avec les apparences. « Les choses sont ce qu'elles sont et c'est en les peignant vraies que je ne trahis pas mon art... »

Il insulte un modèle des plus fats, de ceux qui regrettent de ne pas signer eux-mêmes les œuvres, persuadés que c'est leur pose et leur anatomie qui en font le charme.

« Tiens-toi normalement ! Oh, et puis rhabille-toi. Je veux te peindre comme si tu étais vrai. Dans la vraie vie, on ne passe pas souvent des heures avec des hommes nus, rhabille-toi.

— Tel que je suis fait, si tu me peins ainsi, je te mènerai jusqu'à la villa Médicis...

— Mais je me contrefous du prix de Rome. Les "sujets nobles", je n'en peux plus ! »

Il rêve de peindre le vivant des rues où il traîne, les belles vivantes surtout qu'il suit selon la grâce de leur démarche. Pourquoi toujours l'antique ? Paris est le centre du monde, et son monde, comme le demi-monde en plein épanouissement, ne demande qu'à s'offrir à lui comme les fleurs qu'il sait « arranger » dans un vase pour leur faire prendre la meilleure pose. Le Brésil a collé sur sa rétine un fort attrait pour les tons francs, voire outrés, en tout cas tranchés, et il s'insurge contre tous les tarabiscotages, les demi-mesures fondues et confondues dans un modelé trop soigné. Il conchie toute cette peinture « poil du cul léchée », où on doit pouvoir compter les poils de la moustache du chat. Plus ça va, plus il fronde le maître.

Ce jour-là, l'algarade dégénère. Proust tente de le retenir mais se fait injurier. Manet quitte l'atelier en claquant la porte, sous la muette approbation des autres apprentis. Il file au café de Bade, où il s'apaise au contact de rapins plus vieux, et vaguement aigris, qui l'approuvent tant qu'il se prend à regretter d'avoir fui Couture : il a encore des choses à en apprendre, et n'aime pas l'amertume. Il descend chez le Suisse. Là encore, une tripotée de nouveaux élèves déjà informés de son esclandre l'applaudit bruyamment. Un dénommé Camille Pissarro, qui arbore un genre peuple appuyé mais qui fait des choses très fines, et un grand ours d'Antoine Guillemet apportent de l'eau à son moulin, pas seulement en parole, leurs esquisses racontent la même démarche. Manet est ravi, il est compris, ces gars-là sont de sa famille. Il leur paie un verre puis deux, trois…

En rentrant chez lui pour souper, son père le tance ouvertement.

« On m'en dit de belles à ton sujet. »

Édouard meurt de peur que soient découvert son amour secret, et pis, son fils caché, quand il entend son père lui lire le mot que Couture lui a fait tenir pour l'avertir de l'incorrection de son fils.

Ouf, ce n'était que ça ! Édouard est soulagé. Merci Couture ! Grâces lui soient rendues. Oui, dès demain il ira s'excuser, s'aplatir devant le maître, promet-il, prêt à tout pour rassurer ce père qui ne sait donc toujours rien. Encore une fois, plus de peur que de mal.

Sitôt sa famille endormie, il rejoint l'autre, sa famille secrète, où, la nuit au milieu du gynécée rassemblé autour du bébé qui ne fait que dormir, sourire et téter, Édouard se laisse à son tour consoler et bercer par ces femmes tendres et si naturellement caressantes.

Brinquebalé entre ces deux figures paternelles tout aussi hostiles à ses yeux, son père et son maître, Édouard ne prend de répit qu'entre les bras de toutes ces mères qui ne demandent qu'à le bercer… La sienne d'abord, ignorante, qui l'aime passionnément, puis Suzanne et sa mère qui n'ont de joie que de le voir comblé. Quant à *Lieve omaatje,* cet amour de vieille dame avec qui il ne communique que par sourires, le sien semble sculpté dans ses rides. On comprend rien qu'en la regardant ce que signifie inconditionnel.

Rue Saint-Louis, il est traité comme son fils, le petit Léon aux si fines attaches, aux drôles d'oreilles, au nez Manet mais, chut, il ne faut pas le dire non plus, il ne faut même pas que l'enfant le sache. Après sa naissance, Édouard tient conseil avec Oma, Suzanne, et Eugène, pour se mettre d'accord sur la version à adopter. Puisque Édouard ne peut ni le reconnaître ni épouser Suzanne, comment le présenter au monde ? Et plus tard, demain, que dire à cet enfant de l'amour ? Qu'il n'a pas de père ?

Mais comment le reconnaître sans tuer son père à lui ?

Faut-il laisser savoir à Léon qu'Édouard est son père en exigeant qu'il l'oublie ? Ne serait-ce pas encore plus injuste de le savoir sans pouvoir en jouir ?

« Mieux vaut qu'il me croie son parrain », tranche Édouard qui arrache l'assentiment du clan Leenhoff.

Quand il sera en âge de parler, Léon l'appellera Parrain. Peu importe qu'il ne soit pas encore baptisé, ça viendra, en son temps. On songe tous les jours à le faire oindre, mais comment s'y prendre ? Les Leenhoff et les Manet habitent le même quartier. L'affaire est si compliquée qu'on se débrouille pour l'oublier. Dans l'urgence perpétuelle de la toute petite enfance où il faut veiller sans trêve à maintenir la vie, l'empêcher de filer, l'oubli est aisé. La solution qui consiste à le faire passer au-dehors pour le fils de sa grand-mère, alors qu'à la maison il sait parfaitement qui est sa vraie mère, est déjà suffisamment compliquée à vivre pour ce pauvre gamin, on ne va pas en plus lui demander de garder un autre secret.

Parrain ? C'est très bien Parrain ! Et c'est le seul rôle dans lequel Édouard peut s'engager, car là, il sait qu'il tiendra sur la durée de sa vie. Alors que Père...

Il n'en a nul désir, il ne songe pas à s'en occuper, si on le lui met dans les bras, il ne sait qu'en faire, et cherche d'autres bras où le reposer. Non, père, ça ne le tente pas. Il l'aime bien mais n'imagine pas comment devenir son père, d'ailleurs, il ne le devient pas. Mais tant que toutes les femmes alentour et même le petit Rodolphe se pâment devant lui, personne ne s'en rend vraiment compte.

Le sournois bras de fer avec son père qu'Édouard a mené depuis la haute enfance l'a privé de l'imaginaire normal d'un petit garçon, et l'a endommagé au point qu'il ne s'est jamais projeté à la place de son propre père. Ni en mari ni en père. Il n'a jamais rêvé avoir un enfant, seulement devenir artiste. Et voilà qu'il doit troquer une clandestinité contre une autre et à nouveau dissimuler un secret à son père. Qui l'atteindrait plus encore s'il l'apprenait. D'où la nécessité de mettre sa mère dans la confidence, afin qu'elle fasse barrage de tout son corps, de toute son âme. Garder un secret ? Sa spécialité. Des années qu'elle sait Auguste malade. Ça ne se voit pas, mais elle ne peut l'ignorer depuis que la Faculté lui a ordonné de faire chambre à part. Officiellement, sa maladie s'appelle rhumatismes et va le faire souffrir de plus en plus jusqu'à la paralysie. Pour le moment elle le rend seulement colérique. On ne lui donnera jamais son véritable nom, trop infamant, qui le dénoncerait aux yeux du monde. Eugénie est une grande secrète, on peut tout lui dire : ça tombe dans un abîme.

En aimant Suzanne, Édouard, à sa façon, venge sa mère, de même qu'il défie son père sans que ce dernier sache de quelle manière.

Combien de temps, Édouard tient-il avant d'aller tout raconter à sa mère ? Deux mois après la naissance de Léon, il lui révèle pourquoi elle n'a plus de répétitrice de piano, et sa paternité. Eugénie, comme

Édouard aurait pu s'y attendre le blâme d'abord, mais pas trop. Aussitôt, elle planifie mentalement les vingt années à venir. Avant tout, ne rien dire.

« Personne ne sait.

— Personne ne doit savoir. Tu es trop jeune pour condamner ton avenir. Il me reste un peu d'argent de l'héritage Bernadotte que j'ai pu soustraire à ma dot. Mon mari n'est pas dépensier, plutôt pingre. Mais n'en dis jamais rien à personne, pas même à tes frères ? »

Édouard opine.

Elle vide sa cagnotte pour aider son petit. Soulagé, rasséréné, il court reprendre sa vie de jeune homme...

De plus en plus séduisant dans son « autre » vie, Édouard sait être follement gai, d'un humour saisissant. Sans qu'aucune des autres facettes de son personnage ne transpire. Le fils parfait, l'amoureux épris n'existent que dans leurs appartements respectifs. À l'atelier, au Louvre, dans les cafés éclatants, aux music-halls, dans les bons restaurants ou les auberges borgnes, on ne connaît que l'artiste élégant, frondeur dans l'âme, sinon dans le costume. Les apparences sont toujours sauves, toutes les apparences, mêmes les plus contradictoires. Avancer masqué est un jeu auquel Manet s'entend aussi bien qu'à croquer sur le motif.

Quand arrive l'été 1852, Édouard convie Eugène à voyager avec lui en Italie : il veut impérativement aller frotter son œil et ses guêtres à même le berceau de la peinture. Étudier les grands maîtres du passé sans les imiter, mais pour les comprendre il faut pourtant bien les copier. Pour ce voyage, Auguste

Manet à son tour casse sa tirelire et leur remet un gentil pécule, de quoi bien vivre en voyage ! Surprise. À force d'austérité, l'homme semblait rapiat. Et il offre généreusement à ses fils d'aller faire la vie en Italie ! Connaît-on jamais les siens ?

Cet été-là, Suzanne rentre en Hollande présenter l'enfant au reste de sa famille. Léon est encore au sein, sa mère, sa grand-mère et le petit Rodolphe accompagnent la fille mère dans sa ville natale. Suzanne a bien besoin du truchement de toutes ses mères pour amadouer son rigide paternel. La fille perdue qui revient au logis... Protestant rigoureux, il se montre néanmoins plus libéral que le père d'Édouard aurait pu l'être si l'on avait osé le mettre devant le fait accompli. Déjà appelé Opa par les deux petites de sa fille aînée, mariée aussi avec un rapin, un sculpteur d'origine française, à l'instant où Suzanne paraît son fils dans les bras, il la traite en enfant prodigue venue lui présenter le dernier héritier.

Tandis qu'en Italie, avec Eugène et deux amis d'enfance, Édouard se lance dans une vie d'aventures et de découvertes merveilleuses. Ils mènent la vie des vrais amateurs de toutes les beautés dont l'Italie regorge. C'est Édouard le plus libre, ses trois compagnons sont pourtant célibataires... Les Italiennes sont aussi belles dans les rues que sous les pinceaux des génies de la peinture.

Au retour, les retrouvailles sont échevelées. On dirait des amoureux que seule l'adversité a séparés. Édouard et Suzanne sont toujours incroyablement épris l'un de l'autre. Pour mieux donner le change, Oma est revenue à Paris avec ses deux fils, qui passent donc pour les frères aînés de Léon.

Rodolphe et Ferdinand veulent étudier les arts. Les deux amants parviennent encore souvent à s'échapper quelques jours dans la forêt de Fontainebleau. Où Manet croise les derniers barbizonniens sur le motif. Ceux-là, comme toute l'école qui porte ce nom, ne s'étaient retrouvés là que pour fuir le choléra qui a décimé les pauvres à Paris en 1849. Plus que du bon air, ils ont trouvé une vie partagée, des auberges généreuses, des paysages inspirants. Manet n'installe pourtant jamais son chevalet à côté d'eux, mais les regarde faire et prend des notes, quelques croquis. Il est vraiment un artiste d'intérieur. L'influence de Couture, toujours, en dépit d'incessantes brouilles et querelles, qui ne l'empêchent pas de piocher de quoi s'alimenter.

Édouard aime l'art mais la vie aussi passionnément. Et c'est là que le bât blesse. Couture, comme tous ses confrères affirment qu'il faut choisir : l'art ou la vie seraient inconciliables ! Manet cherche à concilier justement le style et la vie. Il veut peindre les choses et les gens comme il les voit. Comment rompre avec la tyrannie du passé quand Ingres, ce septuagénaire couvert d'honneurs tient le haut du pavé, et que Delacroix, la cinquantaine passée, occupe le reste de l'espace ? Leur rivalité est le conflit le plus commenté de toutes les querelles artistiques. Pourtant, enfermés dans leur superbe, aucun d'eux ne fait école. Daumier a élevé la caricature au rang d'un grand art, entre satire politique et critique sociale : plus de quatre mille lithos, qui hélas effacent son œuvre de peintre. Dommage, c'est un vrai grand, mais dans les ateliers, on l'érige en repoussoir. Courbet qui passe pour le fondateur du réalisme est beaucoup plus paysan qu'urbain, or

Manet est avant tout citadin. D'ailleurs il n'aime pas le bonhomme. Quant à Couture, il est de plus en plus académique.

La bande de Barbizon, qui techniquement devrait être la plus proche de Manet, fait une peinture trop imprégnée de sentimentalisme et d'anecdotes. Seul Corot s'en est libéré, mais le Salon le rejette systématiquement : aux yeux du jury, le paysage pur est « sans intérêt » !

Amoureux de sa ville, l'apprenti Manet n'aime que la peinture de personnages, et réprouve le genre dominant, la peinture d'histoire justement, dont même les conservateurs reconnaissent le piétinement. Ce fameux grand genre ne manie que des idées mortes, comme dit Théophile Gautier. Et Baudelaire de prophétiser : « La grande tradition s'est perdue, la nouvelle n'est pas encore fondée. »

L'atelier Couture est au rez-de-chaussée d'une grande maison rue de Laval, dont le maître habite les étages d'où il ne descend plus visiter ses élèves que deux fois la semaine, examinant leurs études d'un œil distrait, corrigeant selon son humeur avant de remonter en maugréant. Contestataire, Manet apprend surtout – hors un métier solide – à détester la lumière blafarde de cet atelier, ces copies en plâtre d'après moulages, et surtout les poses « héroïques » des modèles à l'antique, Manet veut du naturel, toujours plus de naturel. « Tout est faux ici, à commencer par la lumière qui fait des ombres de tombeau… »

Léon grandit en silence. Oh, il joue bien sûr mais sans jamais prendre le risque de déborder. On dirait qu'il sait. Il entre au jardin d'enfants d'une petite école située en face de chez lui. Externe d'abord, à 7 ans, il devient demi-pensionnaire puis pensionnaire les soirs de semaine. Il ne s'en plaint pas. Il ne se plaint de rien jamais que d'être éloigné de sa mère. Mais trois générations Leenhoff veillent à ne pas le laisser seul. Il n'aime pas l'école, seulement les compliments quand il est sage. Il devient terriblement sage. Mieux qu'une image comme celles que son Parrain fait de lui. Sa petite enfance se passe donc dans une étrange et tendre harmonie.

Et les années filent comme de la dentelle, avec ses jours de peinture et ses nuits d'amour, ses dents de lait et ses fatigues, 1853, 1854, 1855...

Les années d'étude chez Couture se succèdent, selon un cérémonial assez semblable, scandées par des vacances tout aussi régulières. Même si Édouard prend de plus en plus ses aises avec l'enseignement du maître, il continue d'être le premier à l'atelier. Et de travailler avec un acharnement que dément son apparence de dandy.

Il se fait de nouveaux amis, avec qui il déjeune chez Tortoni, avant de filer au Louvre retrouver d'autres nouveaux amis. Au passage, il s'arrête à l'Académie du père Suisse où il débauche d'autres amis, plus récents pour l'apéritif, dans d'autres cafés encore. Toujours en courant, il rentre jouer son rôle de bon fils au dîner chez ses parents. Et ce n'est pas fini. Quand il ne retrouve pas quelques amis au cabaret, il court étreindre Suzanne, même si ça ne dure pas toute la nuit : l'appartement de celle-ci est surpeuplé.

Il a souvent besoin de s'éloigner d'une si trépidante existence. Gennevilliers, berceau de la famille

Manet, est un havre possible mais sans Suzanne, alors que chez l'oncle Edmond, très vite mis dans la confidence, il peut amener ses Hollandais. L'oncle a beau vieillir, sa colère et son ressentiment envers son beau-frère sont intacts. Aussi se réjouit-il de la bonne blague qu'il lui fait en hébergeant l'enfant du péché, la concubine et sa tribu. Il est aussi moins xénophobe qu'Auguste Manet, comme quoi le Républicain est au fond plus frileux que le Royaliste, s'étonne toujours Édouard. À moins que ça ne tienne qu'à leur nature ?

Les vacances sont organisées avec ce sens de l'ordre qui prévaut chez les Manet, on loue une maison en bord de mer, sur la Côte d'Opale, à Boulogne le plus souvent. Tandis que dans le village d'à côté, Suzanne et son fils s'installent dans un petit hôtel où ils attendent le passage du « parrain ». Eugène et sa mère ménagent des trous dans l'emploi du temps d'Édouard afin que monsieur Père n'y voie que du feu. Quand Suzanne et Léon sont en Hollande, les trois garçons filent en voyage de découvertes, musées, paysages... Après l'Italie, les Pays-Bas, les musées y sont réputés... L'Allemagne puis encore l'Italie... On évite de penser aux autochtones du sexe qu'ils visitent aussi forcément. Si l'époque est légère, les apparences sont prudes. On peut envoyer Édouard deux mois à Florence copier, copier, copier, sans s'imaginer qu'il aura autant d'heures de nuit à remplir... Ah, ces Giotto de Santa Croce, il passe des journées à l'Annunciata à refaire de l'Andrea del Sarto.

Rue du Mont-Thabor, on parle à nouveau déménagement. Édouard plaide pour ce quartier neuf qu'Haussmann est en train d'édifier autour de la gare Saint-Lazare où sont peu à peu remplacées, en pierre cette fois, les précédentes baraques. Jusque-là, d'étroites rampes permettaient d'atteindre les voies depuis le pont de l'Europe, désormais, monumentale et fière s'affiche une façade moderne et rutilante.

De là, les voies du chemin de fer mènent au loin, au vert. Ah, ce chemin de fer, cette gare Saint-Lazare en train d'inventer un nouveau monde, de dessiner un monde qui change, qui va aller de plus en plus vite. Même la notion du temps en est toute bouleversée. En tout cas c'est par là que ça se passe, plaide Édouard qui ne veut pas retourner rive gauche où sont les bourgeois et les plus cossus des institutionnels.

Eugénie promet à ses fils qu'ils vont aller de ce côté-là.

« Ce serait tellement moins cher pour moi d'y avoir mon atelier. »

Elle en convainc son époux.

Ainsi à l'aube de l'été 1856, les deux familles d'Édouard vivent à moins de cinq cents mètres l'une de l'autre dans l'immense chantier des Batignolles. Au 69 rue de Clichy prend place l'honorable famille Manet alors que l'aléatoire famille Leenhoff réside rue Saint-Louis, rebaptisée par Haussmann la rue Nollet, laquelle est adossée à l'école de Léon, rue de l'Hôtel-de-Ville, alias rue des Batignolles. Partout où passe Haussmann, il change le nom des rues existantes, quand il n'en perce pas de nouvelles. Mais la croyance perdure que le meilleur air qu'on peut respirer à Paris c'est aux Batignolles qu'on le trouve, protégé des vents du nord par la butte Montmartre. Ce village sera intégré à Paris en 1860.

Voilà qui facilite les courses nocturnes d'Édouard, et permet à Suzanne de présenter en cachette Léon à madame Manet. Eugénie en rêvait. Elle doit pourtant se refuser de fondre pour ce petit bout tout blond, tout fin aux drôles d'oreilles. Elle aurait tant aimé être grand-mère mais elle n'y a pas droit. Elle ne peut transgresser ses propres règles, la convention est sa religion. Elle se contient. Elle résiste. Et résistera.

Léon ne l'en appelle pas moins Ma-nie. Il a tout seul de lui-même forgé ce Ma-nie, dû à la contraction d'Oma, grand-mère en Hollandais avec Eugénie.

Ça la trouble plus qu'elle n'ose l'avouer. Pour un peu, Léon serait un petit-fils normal, qui retrouverait au parc Monceau sa chère Ma-nie. Ça arrive parfois par hasard. Non, en réalité, de sa fenêtre, elle guette le moment où passe Suzanne emportant son petit bonhomme au tas de sable. Et oui, pour un peu, tout pourrait avoir l'air normal. Mais non, ça ne se peut pas ; ce n'est pas officiel.

Manet se doit toujours de paraître aux Jours de ses parents. Il saute souvent celui de son père qui ne reçoit que d'ennuyeux décorés. Parfois il se fait piéger. À un bâtonnier condescendant qui, le sachant peintre, lui demande : « Avez-vous du talent ? », l'assemblée entend le fils de la maison répondre au juriste couvert de décorations : « Et vous, vous en avez du talent ? »

Silence. Gêne.

Le père envoie son fils dans sa chambre où, après dîner, il vient le chapitrer.

« Ta réponse à une question naturelle était inconvenante. Il n'est pas nécessaire d'avoir du talent pour être magistrat, peintre si. Si tu avais fait ton droit, tu le saurais.

— Mais mon père, les magistrats peuvent néanmoins avoir de l'esprit. »

Ainsi toujours et partout Édouard fronde. C'est sa seconde nature. Fatal qu'il s'encanaille avec ce que le second Empire produit de subversif.

De tous ses amis, Édouard est le plus rieur. Paradoxalement ce trop jeune père est aussi celui qui affiche la plus belle insouciance. Joyeux, plein de fantaisies et d'initiatives, c'est un délicieux compagnon. On le recherche parce qu'il n'est pas poseur, et qu'il a de plus en plus de mal à se soumettre aux conventions de l'époque.

À force de se roidir contre tout académisme, pas à pas, Édouard commence à cerner la peinture, sinon qu'il aime, du moins qu'il veut faire. Il n'est pas ingrat : il chaparde au Louvre, chez Couture et même chez Delacroix de quoi faire sa tambouille, mais la recette lui est encore celée, pas encore mûr, il lui manque toujours quelques ingrédients. Il concocte, il cuisine, mais il ne sait trop quoi. Il cherche, il se cherche, tout seul, en puisant à toutes les sources. Pour faire sourdre le peintre en lui, les années chez Couture lui ont appris tout ce qu'il ne fera jamais, il doit encore découvrir, extirper de lui ce qu'il sent qu'il veut, qu'il peut, qu'il doit peindre. Au fond s'il devient peintre c'est qu'il est né peintre. Comme le tigre apprend à chasser, l'oiseau à voler, Manet apprend à peindre comme Manet. Par appropriations successives. Et rejets.

Parmi la foule des copistes qui hante le Louvre, il se fait un nouveau camarade. Un immense garçon très maigre, timide, très clair des cheveux à la peau en passant par le bleu des yeux, un certain Henri Fantin-Latour qui demande aussitôt à le portraiturer. Le premier il lui parle des œuvres de Delacroix, qui surpasse pour lui tout Ingres et même Courbet, avec qui pourtant il travaille et dont il dit assez drôlement « il fabrique des toiles comme un pommier donne des pommes », alors que Courbet dit de lui-même : « Je peins comme Dieu ! »

Tout cela est trop excessif pour Manet, peut-être que ce Courbet est génial, mais il est trop tapageur. « Faut voir », affirme Manet, qui, dans la semaine, débauche l'ami Proust pour l'accompagner à l'atelier du vieux maître sur les pentes de Montmartre. Quand les deux garçons frappent chez lui, il leur paraît vieux. Il a 56 ans. Puissant pourtant, nerveux et noir, d'œil et de cheveux, mais petit et maigre, ce solitaire distant et racé, sans se soucier de leurs goûts ou de leur désir, leur conseille exclusivement Rubens.

Manet lui demande la permission de copier sa *Barque de Dante*. Delacroix autorise. Aussitôt les deux garçons ressortent, bizarrement dégoûtés. Pas de l'œuvre, au contraire, si Manet était sensible au romantisme, il adorerait Delacroix. C'est l'homme qui déçoit. Il est glacial. C'est un homme froid. « Tout de même, réplique Proust, il a dit *le peintre qui n'est pas capable de dessiner un homme tombant du cinquième étage avant qu'il ne touche le sol, ne produira jamais d'œuvre monumentale*, c'est pas mal.

— Pas mal mais ça ne veut rien dire. C'est du romantisme. »

Édouard n'aime pas la peinture pour la peinture, pas plus que les œuvres bavardes détaillant mille anecdotes, mais il a beaucoup de mal à trouver des œuvres à son goût. Alors des hommes ! Aucun modèle à suivre, quelques rares œuvres, Vélasquez surtout. Alors que les femmes… Tant de femmes. Toutes les femmes ont quelque chose. Pour leur plaire, il raffine ses tenues. S'il ne trouve pas de peintres selon son cœur, en revanche il sait choisir ses tailleurs.

Tandis que l'empereur invente l'autobus à impériale qui permet de détailler les tenues des dames, Manet adopte le haut-de-forme, pour ne plus l'ôter.

Cette année qu'Édouard vit à toute allure avec la légèreté qui le caractérise est pourtant lourde de menaces politiques. De plus en plus, Gustave se radicalise et informe ses frères de l'état du pays.

Sous la pression de la famille Leenhoff, Édouard consent à faire baptiser Léon. Il espérait secrètement pouvoir le faire en tant que père. C'est comme parrain qu'il tient son fils sur les fonts baptismaux du temple réformé des Batignolles. Là encore, le secret est double.

Édouard n'a pas d'enfant. Et son fils ne peut évidemment pas être protestant. La famille Manet a beau être républicaine, elle n'en est pas moins catholique.

Chapitre IV

1857-1859

BAUDELAIRE, LE PENDU ET L'ESPAGNE...

... Je dus voyager, distraire les enchantements
assemblés sur mon cerveau.
Sur la mer que j'aimais comme si
elle eut dû me laver d'une souillure...

ARTHUR RIMBAUD

L'heure des ruptures a sonné. De toutes les ruptures ? Non, pas toutes, juste celles qui garantissent l'indépendance artistique. Manet ne trouve pas encore sa liberté de peindre, son ton de peintre. Ça vient lentement, il doit d'abord se débarrasser des influences insidieuses, invisibles, qu'il ignore subir, ces conventions et autres conformismes tétés si jeune que, pour un peu, il croirait siennes, issus de sa seule volonté. Sauf que, sur la toile, Manet discerne parfaitement ce qui, dans ses sujets, ses constructions, ses accords de couleurs, sa palette même, appartient à Couture, obéit à Couture, cherche à plaire à Couture... Ou pis, et bien malgré lui, aux vedettes du Salon.

Il voit avec retard certes mais, à la fin, il voit toujours, ce qu'il a peint pour être bien vu de son maître, et/ou accepté au saint des saints : le Salon.

Ce qui n'a pour but que de témoigner qu'il a bien digéré la leçon des Espagnols qu'il adore, et fait siens sans beaucoup de recul, celle des Italiens qu'il copie presque tous les étés, ou celle des Hollandais qu'il n'est pas loin de préférer à tout, en tout cas Rembrandt. Et même celle des Français les plus en vue. Eh oui, pourquoi ne pas plaire aussi à l'Académie tant qu'il y est ? Il est déterminé à se faire aimer. Décide-t-on jamais ce genre de choses ? Manet veut qu'on l'estime, qu'on l'apprécie, qu'on le reconnaisse, et, « pour le trancher net, il veut qu'on le distingue ».

Mais qui donc est ce « ON » dont il prise tant les suffrages, et lui fait peindre des choses qui lui déplaisent tant ?

À l'atelier, « ON » est évidemment Thomas Couture. Tous vivent sous le joug de ses idées, ses diktats, ses préceptes, ses critiques, ses corrections pourtant hebdomadaires, ses recommandations... C'est peu de dire que Manet n'y souscrit plus, il est chaque jour plus en désaccord. Il brûle de tout balancer et le maître avec.

Six ans qu'épisodiquement il claque la porte de l'atelier sous les bravos de ses compagnons plus indécis ou moins exigeants, mais tout aussi excédés des caprices et des contradictions du Patron. Manet l'a souvent claquée mais, il est toujours revenu, la tête basse, achever d'apprendre son art.

Mais Couture vieillit mal. Le succès l'a tué. Ou plus exactement, après un succès éclatant, il n'a pas résisté à son reflux. Le silence appelle le silence, il est retombé dans l'oubli, enfermé dans un isolement hautain, méprisant toujours davantage ceux qui ne l'idolâtrent pas. L'avènement de Napoléon III lui a fait perdre ses ultimes commandes, ultimes chances de revenir sur le devant. Aussi ne règne-t-il plus en despote absolu que sur ses élèves, malheureuse engeance sur qui il exerce son art de la rosserie cinglante, son humour bourru, braque et souvent féroce.

Un matin de printemps où l'atelier semble une prison après l'éblouissement de ces souverains levers de soleil sur Montmartre, Manet reprend Couture sur un point de sa correction.

« Jamais de tons clairs en fond !

— Même quand il fait grand bleu comme ce matin !

— Le plus simple quand on conteste la valeur de son professeur est d'en changer. »

Manet ne se le fait pas dire deux fois, enfin ça doit bien être la douzième, mais c'est la bonne. Depuis le temps qu'il en rêve ! Il ne met pas deux minutes à rassembler ses affaires et à claquer la porte en faisant le plus de bruit possible.

À nous deux, la liberté !

À l'atelier il a sympathisé avec un pas trop mauvais peintre, de peu son aîné, riche, aristo, provincial, amateur éclairé, peignant exclusivement des scènes de chasse à courre, régulièrement acceptées au Salon, toujours monoclé et tiré à quatre épingles, même pour manier le pinceau, au nom ronflant d'Albert de Balleroy. L'esclandre de Manet n'a pas mis la journée à faire le tour des ateliers avant d'arriver jusqu'à lui. Ébloui par son exploit, il propose à l'insubordonné de l'héberger dans un coin de son atelier. Ni glorieux ni grandiose, mais près de la Madeleine, c'est un vaste rez-de-chaussée donnant sur une grande cour. Outre l'avantage pécuniaire, Manet compte bien sur cette association pour lui ouvrir les portes du milieu aristocrato-chico-mondain.

Ce quartier est un chantier infini, c'est même une aventure d'y arriver, tant il faut enjamber de gravois. Haussmann s'y est attaqué. On commence à peine à mesurer l'étendue du saccage qu'a entrepris depuis quatre ans le terrible préfet de la Seine. Depuis la Rome antique ou au moins la Renaissance, le monde n'a pas connu de plus audacieux remaniement. Refaire à neuf une vieille capitale chargée d'histoire, la rendre moderne, pratique, plus aisée à vivre, en n'attaquant pas seulement son aspect extérieur mais, souterrainement, toutes ses infrastructures : de l'adduction d'eau dans les nouveaux immeubles, avant de raccorder ceux qui auront survécu à cette casse ; du tout-à-l'égout pour la ville intérieure à la création de nouveaux ponts... Sans oublier l'expulsion des classes pauvres-classes dangereuses, à la périphérie, mises au ban et à des lieues de Paris, en passant par l'éclairage systématique des rues. Jusque-là, on n'allumait les lampadaires que les soirs sans lune et sans vent ! Du coup, une vraie vie nocturne publique se met à bouillonner sous les réverbères. Surtout pour la classe moyenne qui ne songe soudain qu'à se divertir.

Georges Eugène baron Haussmann est en train de remplacer cinq cents kilomètres de ruelles anarchiques et souvent insalubres par cent trente kilomètres de voies larges, droites et bien dégagées : il s'agit de laisser la place aux canons pour tirer plus aisément sur la populace. Le souvenir des barricades de 1848 est encore brûlant. Ça ne doit pas se reproduire. L'empereur est déterminé à changer tout l'urbanisme de la ville, pour permettre un déploiement rapide de ses troupes. Pour faire bon poids, il offre aux Parisiens un nouvel Opéra, de nouveaux grands beaux boulevards, de nouvelles halles... En gros, il abat la moitié de Paris pour reconstruire l'autre. Au total, il parvient fièrement à douze mille maisons rasées, le Louvre raccordé au château des Tuileries, des galeries percées dans les quartiers neufs, reliant les snobs boulevards des Italiens aux populaires boulevards de Montmartre, Capucine, Bonne-Nouvelle... La modernité pénètre tout armée jusque la rue Laffitte où s'exposent des peintres illustrant cette même modernité dans les toutes premières galeries d'art privées.

À l'époque où s'achève le Louvre de Napoléon III, Paris compte plus d'un million d'habitants, intramuros. On renforce les fortifications d'hier, on ne sait jamais. Avec toute cette populace flouée qui s'y entasse et double en dix ans, la ville s'annexe les villages mitoyens de Montmartre et des Batignolles où se réfugient les artistes et les malandrins. Grâce à Haussmann, Paris est désormais interdit d'épidémie ! Le souvenir du choléra qui a fait seize mille victimes en 1849 ne s'efface pas. Interdit aussi d'insurrection, interdit de criminalité. Un utopiste à sa façon, le baron !

L'*Enrichissez-vous* du ministre Guizot a fabriqué une nouvelle classe de millionnaires « bourgeois aimant l'argent pour l'argent », tandis qu'à côté, tout près, prolifèrent les sans-abri qui campent aux lisières, creusant visiblement la fracture entre riches et pauvres. Pour les mêmes raisons de pauvreté galopante, la petite vérole dévaste l'Europe.

Aussi Haussmann ajoute bon nombre d'hôpitaux, de ponts, de gares de chemin de fer. Comme il mène tous ses chantiers de front, on ne réalise pas l'étendue des bouleversements accomplis.

Longtemps Manet se contente de contempler son propre quartier, de l'Europe aux Batignolles, de Montmartre à la Madeleine, du boulevard des Italiens au faubourg Montmartre... Pur produit d'Haussmann, il habite la modernité, il en fait partie. Citadin, citoyen, c'est lui l'homme neuf né des gravats, l'homme double, décadent et progressiste, attaché aux formes anciennes et aspirant aux nouvelles. L'idéal de Baudelaire en somme. Un être transitoire, fugitif et contingent, dont l'autre moitié est éternelle et immuable.

Avoir entre 20 et 30 ans en ces années-là, c'est se reconnaître dans la silhouette follement élégante, mélancolique et pourtant gaie que se dessine Manet. En art, cette rupture avec le passé atteint aux fondements traditionnels des mœurs, du goût et de la moralité, les héritiers en sont bouleversés.

Quand en 1857 paraissent *Les Fleurs du mal*, Manet à qui rien n'échappe des avant-gardes se jette dessus. Il se sent tellement en accord avec ce poète, il partage la même colère, le même chagrin. Il n'a de cesse de le rencontrer mais, à sa façon désinvolte, sans en avoir l'air. Jamais il ne se montre impatient, il évite toutes les situations où il aurait l'air en demande.

Dans le salon de sa mère, parade le commandant Lejosne, de la garde impériale s'il vous plaît. Il porte la moustache en pinceau et la barbe de Napoléon III qu'en dépit de ses fonctions il voue aux gémonies, alors qu'il présente une réelle ressemblance avec lui. Militaire et républicain donc ! Son idole est Hugo, ce qui, par les temps qui courent, n'est pas original, mais parfois périlleux. Son amour pour la poésie est si sincère qu'il reçoit tous les poètes. C'est dans son salon, avenue Trudaine, qu'il présente Manet à son neveu, un grand escogriffe frais débarqué de Montpellier, qui se voit peintre et n'a pas tort, il est doué à n'y pas croire, le jeune Frédéric Bazille ; il va d'ailleurs arrêter ses études de médecine pour aller étudier chez Gleyre. Se pressent aussi chez Lejosne, le comte Balleroy et Barbey d'Aurevilly, Nadar et Bracquemond, Constantin Guys et Paul Meurice l'intime d'Hugo, *l'exilé considérable*.

C'est là aussi qu'un soir il a la joie de rencontrer Baudelaire. Impossible de ne pas le voir, même au milieu des artistes les moins conformistes, il fait tache. Masque glabre, lèvres maussades, yeux très noirs, brûlants, enfiévrés d'éther ou d'opium, Charles Baudelaire fait sensation partout, et même dans le salon du Commandant. Fardé comme une femme de mauvaise vie, petites mains manucurées, corps pris dans une tunique bleue à boutons d'or, la tenue des guillotinés avec le grand col blanc cravaté de noir... Manet est subjugué. Malgré leur différence d'âge, le poète a 37 ans, Manet 26, leur entente est immédiate. Ils se reconnaissent frères. N'ont-ils pas tous deux commencé leur vie par une fuite sur l'océan, comme pilotins avant de découvrir qu'ils n'aimaient que la ville et ses plaisirs frelatés ? D'avoir tâté de l'ivresse de ces paysages marins les jettent dans les bras l'un de l'autre, émus d'une même nostalgie pour les embruns.

« Il en tient une couche, dit Proust en sortant, à propos de son maquillage !

— Mais quel génie sous cette couche ! » rétorque Manet, conquis.

Dès le lendemain, le poète se rend rue Lavoisier où son œil de voyant discerne tout de suite ce que peut devenir Manet, pourvu qu'il consente à une modernité plus radicale. Il aime l'œuvre et l'homme, jamais vulgaire, toujours joyeux et pourtant lucide...

Son élégance plus que tout le rassure, Baudelaire redoute le débraillé bohème, se sentant toujours près d'y succomber. La pauvreté lui fait horreur qui, sans trêve, l'aspire, de même qu'il fuit la vulgarité des hommes ivres, alors qu'il l'est sans discontinuer...

Il déchiffre la sensibilité de Manet dans ses rares œuvres non détruites. Lentement, celui-ci cesse de copier les grands anciens pour entreprendre son œuvre. En découvrant ses premières toiles à peine sèches, Baudelaire se sent en famille, celle des romantiques ! Ça suffit pour déclencher une amitié à la vie à la mort. À la mort surtout. Baudelaire est sur la pente fatale d'une autodestruction, entrecoupée de quelques sursauts de vivacité exaltée. Manet lui tend la main sans restriction, le soutient, l'aide tant qu'il peut. Souvent Baudelaire s'en saisit. Toutes ces années où il demeure à Paris, il passe régulièrement prendre Manet à l'atelier quand la soif se fait sentir pour l'entraîner dans leurs cafés préférés du boulevard des Italiens, chez Tortoni ou au café de Bade. Aux beaux jours, les buvettes des Tuileries les accueillent au milieu de la société à la mode. Pour le petit frisson de se mêler à la cour de cet empereur de pacotille... autour de cette nouveauté qui essaime dans tous les jardins publics, des kiosques ouverts gratuitement aux musiciens qui viennent réjouir leurs contemporains d'airs qui, du coup, se diffusent à la vitesse du vent.

Manet détruit encore beaucoup, l'essentiel de sa production de ces mois-là passe à la trappe. Si son *Portrait de l'ami Proust en pied* survit, c'est que Proust le lui a confisqué et l'a emporté chez lui.

Au Louvre, il croise souvent un personnage étrange, intrigant. Grand bonhomme déconfit, à la mine défaite, aux cernes extravagants, l'air d'un ivrogne doublé d'un chiffonnier, ferrailleur à ses heures, il se nomme Colardet. Très cérémonieusement, Manet l'aborde d'un « vous plairait-il monsieur que je fisse votre portrait ? ».

Ignorant si c'est du lard ou du cochon, Colardet consent mais s'évapore aussitôt. Par ces hasards que Paris multiplie, plusieurs mois après Manet le croise dans la rue et s'étonne qu'il ne vienne plus se réchauffer au Louvre.

« C'est que le Louvre refuse désormais de laisser entrer des messieurs en talma... »

Sûr que sa vieille pèlerine est usée jusqu'à la corde.

Au début de l'hiver 1858/1859, ça y est, c'est décidé, il a assez attendu : Manet est prêt à concourir au Salon. Son premier Salon ! Il doit y être sacré, consacré parmi les siens. Outre qu'il n'y a pas d'autre lieu pour se faire voir, c'est là que sévit l'art d'État. Manet doit y accéder. En outre c'est l'événement mondain qui lance la saison. Des mois à l'avance les artistes fourbissent leurs œuvres, comme les femmes du monde se font couper des toilettes pour s'exposer dans les travées du palais de l'Industrie. L'occasion est si belle qu'on y mène les filles à marier. Les rosettes de la Légion d'honneur, sous les huit-reflets éclosent aux bras d'épouses croulant de bijoux ! Manet a beau dire qu'on y voit encore le prix, c'est un grand concours d'élégance.

Le dépôt des œuvres est fixé au 15 avril. Plus une minute à perdre, tous les jours Colardet vient poser à l'atelier, on l'abreuve en suffisance de liquide vert, les heures de pose se multiplient, la toile évolue, se fait de plus en plus inquiétante, comme si l'artiste hissait l'ivresse du modèle au rang des beaux-arts ! L'ombre du vice grandit sur le mur, noircit tout alentour. Baudelaire est niché dans un recoin du cerveau de Manet et tient quelques fois son pinceau. Du *Vin des chiffonniers* de l'ami fardé, il tire son *Buveur d'absinthe*. De sa déchéance naît le tableau de la misère répulsive d'une bohème qu'il aime et redoute à la fois.

Si heureux de venir poser chez ce généreux commensal où l'absinthe coule à flots, où on le nourrit aussi, Colardet se révèle vite un hôte importun, trop présent.

Il faut pourtant achever. Pour accorder toute son importance à l'humanité cachée sous les haillons, Manet l'inscrit dans la lignée de Ménippe et d'Ésope, philosophes chez Vélasquez, peints comme des rebuts sociaux de la grande Espagne. Manet peint une bouteille renversée aux pieds de son buveur : référence à Vélasquez qui n'oublie jamais l'attribut de ses personnages.

D'œuvre en œuvre, une touche de jaune acidulé commence à s'apparenter à une marque de fabrique. D'abord sans y penser, Manet la sème de-ci de-là, sous forme de mouchoir, de citron, de reliure, de tache de lumière, ce jaune lui est indispensable pour considérer sa toile finie.

Devant son *Buveur* achevé, pour la première fois de sa vie d'artiste, il est content de lui, il le montre à tout le monde ! Il convoite surtout le regard de son ancien maître à l'estime de qui il tient toujours. S'il appréhende son jugement, il ne s'attend pas à déclencher pareil esclandre.

« Il n'y a qu'un buveur d'absinthe ici, et c'est le peintre qui a fait une pareille insanité. » Sur ces mots, Couture sort de son atelier et de sa vie.

Fou de rage, Manet regrette même de lui avoir concédé le fond de la toile suivant sa recette de sauce brune. Plus que vexé, meurtri, Manet conclut : « Fini ! Je me recampe sur mes pattes. » Jamais plus il ne le sollicitera. Son *Buveur d'absinthe* vient de tuer ce second père choisi, et de mettre un terme à toute quête de père de substitution.

Le choix d'un thème aussi moderne que ce *Buveur*, à qui il a donné les dimensions d'une toile de salon, un mètre sur un mètre vingt, quoique truffé de références à l'art des musées, marque une rupture avec ce qui se fait conventionnellement. Ce thème trop réaliste ajouté à une désinvolture de touche, au format salon, il aurait pu s'attendre à choquer ? D'autant qu'il y ajoute le quatrain de Baudelaire si mal en cour depuis la condamnation de son petit recueil des *Fleurs du mal*. Le poète l'a spontanément offert à Manet pour accompagner cette toile :

Pour noyer la rancœur et bercer l'indolence
De tous ces vieux maudits qui meurent en silence
Dieu touché de remords avait fait le sommeil
L'homme ajoute le vin fils sacré du soleil.

On ne peut pas dire qu'il a mis toutes les chances de son côté. Au moins est-il en accord avec lui-même.

Ses amis du Louvre et des troquets considèrent cette première œuvre comme terriblement novatrice, digne de Manet, l'inscrivant dans son époque. D'abord, ça se passe en ville : Colardet est un personnage exclusivement urbain. C'est aussi une image du moment actuel mais rendue avec les moyens universels des anciens maîtres. Avant d'être vilipendé par son maître, avant d'être violemment rejeté par le jury, ce *Buveur* est d'abord l'emblème de Manet.

Bien sûr le Salon le refoule. Aussitôt, on regarde Manet sinon en iconoclaste, au moins en artiste bizarre, hors norme. Le Salon refuse toujours plus d'artistes qu'il n'en accepte, mais on ne sait pourquoi, le refus de Manet les scandalise tous. Sans doute misaient-ils sur sa personnalité pour leur entrouvrir la porte du Salon.

Réunis à l'atelier trois jours après ce refus douloureux, Baudelaire et Proust tentent de le réconforter. Manet est très atteint.

« En conclusion, dit Baudelaire, il faut toujours plus être soi-même.

— Mais ne l'étais-je pas avec mon *Buveur* ? »

Pressentant l'hypersensibilité de son jeune ami, Baudelaire botte en touche. Il ne veut pas le blesser davantage mais n'en pense pas moins.

« Même Baudelaire me lâche », s'attriste-t-il alors.

Il est effectivement à fleur de peau.

Baudelaire lui apprend que la seule voix obtenue par son *Buveur* est celle de Delacroix. Tout de même,

Delacroix en personne l'a défendu et s'est battu pour lui. Ce n'est pas rien !

« J'ai fait un type de Paris, étudié à Paris, avec la naïveté du métier trouvée chez Vélasquez. On ne me comprend pas. Et si je faisais un type espagnol, me comprendrait-on mieux ? »

Il retourne sans cesse au Luxembourg où sont accrochés les derniers tableaux espagnols de la collection Louis-Philippe. Il ne s'en lasse pas. À son tour, il entreprend quelques espagnoleries. Il profite du grand atelier de Belleroy pour se lancer en grand format. Pour le prochain Salon. Il ne désarme pas.

Entre 1856 et 1859, il s'essaie à plusieurs compositions ambitieuses, dont un *Moïse sauvé des eaux*, dont il ne conserve qu'un morceau, une *Nymphe surprise*. L'esquisse laisse deviner sous la grande composition l'étude d'un nu couché, Suzanne, toujours. Las, sa majestueuse baigneuse reste inachevée, il dessine en grand format ses rêves d'avenir.

Soudain Balleroy liquide l'atelier de la rue Lavoisier pour rentrer dans ses terres normandes. En catastrophe Manet doit emménager rue de Douai dans un local plus modeste. Un gosse de la rue lui donne un coup de main. Il s'appelle Alexandre, c'est un de ces gamins misérables qui poussent dans les taudis adossés à Saint-Lazare en travaux. Ce gamin est touchant, si seul, livré à lui-même. Manet le prend pour assistant, le charge du ménage, de sortir les ordures, d'entretenir ses brosses et pinceaux. Négligé par sa mère, le gamin dort parfois à l'atelier, où il chaparde bien un peu. Manet est naturellement indulgent. Il songe à son malheureux fils, si tendrement dorloté par sa mère, mais si peu et si mal par lui-même.

Quand vient la saison des fruits rouges, il le prend pour modèle et le fait poser en train d'engloutir des paniers de cerises, souriant d'espièglerie et de gourmandise. L'enfant lui est assez attaché, c'est donc tout naturellement que Manet le gronde un jour qu'il le trouve ivre à l'atelier. En le menaçant de le rendre à sa mère s'il recommençait, il ne pensait pas à mal. Pour lui, une mère est ce qu'il y a de mieux au monde, son plus sûr abri.

Il ne le grondera plus jamais.

En rentrant du café où, comme chaque soir, il a pris l'apéritif avec ses amis, il trouve l'enfant pendu au milieu de l'atelier. La corde, une ficelle plutôt, attachée à un clou du plafond, un sucre d'orge entre les dents. Horrifié, il court comme un perdu chercher de l'aide au café. Champfleury le raccompagne. À eux deux, ils dépendent l'enfant, si léger pourtant et l'étendent sur le canapé, seul meuble de l'atelier.

Accablé, Manet s'agenouille devant lui et minutieusement entreprend de dégager la ficelle du cou du petit mort, terriblement enfoncée dans la chair. Puis s'écroule.

Quand Baudelaire arrive, c'est son heure, il prend Manet dans ses bras et récite quelques poèmes telles des prières au-dessus de l'enfant mort. La nuit commence à tomber, personne ne songe à allumer : tous trois veillent le malheureux enfant, si petit, pas dix ans.

Qui va s'occuper de le faire enterrer ? Manet tient à lui offrir des funérailles dignes de sa tendresse. Et de son remords.

Alertée par la concierge, la mère échevelée paraît. Recueillis près du corps gisant du petit mort, les trois amis l'accueillent dans la pénombre de l'atelier, prêts à la consoler, à la récupérer dans leurs bras. Tout de même, c'est son tout petit qui s'est pendu...

Manet va pour la consoler quand elle l'interrompt avec l'autorité des harengères.

« Où est la corde ? »

Elle ne regarde pas le petit cadavre, vérifie juste d'un coup d'œil que la corde n'est plus là. Elle ne l'embrasse ni ne l'étreint. Elle réclame son bien : la corde.

« Quelle corde ?

— Ben, avec quoi il s'est...

— Oh ! Je ne sais pas, j'ai dû la jeter.

— Malheureux ! Mais je peux en tirer une fortune, moi, en la vendant morceaux par morceaux. Elle était longue comment ? interroge-t-elle, en fouillant la poubelle que son petit n'ira plus vider. Plus elle est longue, plus je touche, comprenez... »

Éberlués, les trois amis la regardent faire avec l'énergie incompréhensible de qui a perdu une chose vitale, ce bout de ficelle si précautionneusement dégagé par l'artiste. Elle fouille, fouille, fouille. Et le trouve.

« C'est bien ça, oui ? »

Manet hoche la tête, incapable d'émettre un son.

Elle en apprécie la longueur, prend grand soin de sa trouvaille, se rengorge et s'en va. Sans un geste, à peine un regard pour le petit cadavre. Que Baudelaire et Manet veillent toute la nuit en priant des poèmes.

Le lendemain, un grand nombre de lettres de voisins ayant appris le drame, l'implore de leur donner quelques morceaux de cette même corde. Alors il comprend. La corde de pendu est un porte-bonheur et c'est apparemment une croyance bien établie. Sa surprise se double de découvrir parmi les superstitieux macabres, pas seulement les pauvres du voisinage : la béatification morbide touche même les grands de ce monde.

Manet suit seul l'enterrement au cimetière de Montmartre, à quelques pas de l'atelier. On est en juin, la ville étincelle d'un été affolant, Manet sanglote.

Impossible de retourner à l'atelier. En hâte, il en visite d'autres, ses familles veulent partir en vacances. Il doit redéménager avant.

Place de Clichy, il trouve l'emplacement idéal, juste entre ses parents et Suzanne. Pendant la visite, il avise un clou bizarrement planté.

« Qui s'est pendu ici », demande-t-il au concierge ?

Lequel pris de court lui répond :

« Mais qui a bien pu vous le dire ? »

Manet s'enfuit. Il loue le premier atelier qu'il trouve, pas trop excentré de ses bases, y fait déposer son déménagement et file se remettre de cette éprouvante année au bord de la mer.

Boulogne encore, où il est plus aisé que l'an dernier d'organiser ses deux existences. L'été se passe dans la lecture à voix haute des *Contemplations* du grand Exilé national.

Monsieur Père ne sort plus. Malade ou mélancolique, ses fils n'en savent rien, et leur mère est muette sur ce point. Elle virevolte au bras de ses garçons, réclame d'aller passer quelques après-midi dans le village voisin où Léon batifole dans l'eau à longueur de journée. Depuis qu'il sait nager il ne cesse de rouler dans les vagues. Pendant que

Suzanne et Édouard s'étreignent énamourés à l'hôtel, Eugénie garde, surveille, sèche, admire et profite clandestinement de cet enfant qui ne sera jamais son petit-fils officiel, mais, tout de même, le fils de son premier fils, sa passion absolue.

À la rentrée de septembre tandis que les parents d'Édouard prennent leurs quartiers à Gennevilliers, meurt la bonne grand-mère de Suzanne. Qui ne l'avait plus quittée. Édouard ne peut pas laisser sa femme seule. Alors il emménage « presque » rue de l'Hôtel-de-Ville, face à la majestueuse mairie des Batignolles, récemment rattachée à Paris. Grande innovation d'Haussmann, ces nouveaux arrondissements reçoivent des numéros ! Désormais Manet demeure dans le 18e !

Voir la mairie sous ses fenêtres entretient l'idée de mariage dans l'esprit de Suzanne. Seule avec son fils, elle ne sait comment justifier les passages de plus en plus fréquents de son amant ? En dépit de sa passion pour Manet, à son tour les convenances la rattrapent.

À l'adresse de son nouvel atelier, au retour de l'été un cadeau de bienvenue attend Manet. L'ami Baudelaire, qui essaie de se refaire une santé chez sa mère à Honfleur, n'a rien oublié. Il envoie un poème en prose dédié à Manet, nommé *La Corde*, qui romance cliniquement le suicide du petit Alexandre. Manet lit, pleure de l'évocation, remercie d'un mot hâtif, mais se promet de l'oublier au plus vite.

Il entreprend deux toiles pour le prochain Salon de 1861 : un Espagnol jouant de la guitare, appelé

Chanteur espagnol et un grand *Portrait de ses parents* qui bizarrement n'avance pas. En peignant son père, il comprend à cause du regard clinique qui fouille chaque détail pendant la pose, que ce dernier est en train de perdre non seulement l'usage de ses jambes, mais de son esprit. Malade, oui, mais qu'est-ce donc que cette maladie ? Sa mère refuse de répondre.

N'empêche, il faut finir, l'année s'avance, et la nouvelle décennie sera la décennie Manet. Il se le promet. Ça n'est pas possible autrement. Le grand écart entre ses rêves et sa tristesse, ses ambitions et ses échecs, son amour pour une femme qui élève seule son enfant qu'il ne peut reconnaître, ni élever en Manet, ce qui le navre et le soulage à la fois..., tous ces paradoxes qui s'entrechoquent en lui doivent impérativement s'apaiser. Dans la décennie de ses trente ans, il doit accéder à la sérénité. Et à la gloire. En dépit des promesses de Baudelaire qui lui prédit qu'il ira, au contraire, toujours plus mal, parce que précisément il est un véritable artiste.

Est-ce à dire que Baudelaire le comprend mieux que lui-même ? Manet condescend à le lui laisser croire mais n'en pense pas moins. Sa soumission, son ironique docilité est à la base de ses relations avec le poète. Tout en cherchant à lui donner tort par des succès éclatants : enfin ramasser d'officielles reconnaissances, des commandes de l'État et son rond de serviette au Salon. Sans cesser de faire la peinture qu'il croit devoir faire et qui, Manet ne s'explique toujours pas, a l'air de sentir le soufre. Chacune des œuvres qu'il montre déclenche des réactions qui lui paraissent excessives, à tout le moins, et surtout incompréhensibles. Baudelaire l'en félicite :

« Au moins, tu ne laisses personne indifférent, c'est ça qui serait le pire.

— Tu veux tout et son contraire », lui explique Eugène.

Avec qui il partage tout. De plus en plus, il est dans le secret de ses chimères, et le seul à tout savoir de ses vrais soucis, de ses vies clandestines. Sa mère aussi, mais moins, il ne lui dit pas tout. Sa mère, son véritable amour, au moins, le plus grand, le premier. Bien sûr, il y a Suzanne. Il l'aime toujours énormément et, chaque fois qu'elle se met au piano, il la désire à nouveau comme au premier jour. Sitôt qu'elle joue, il en est fou.

Seule, elle a arrangé la partition de *L'Or du Rhin* pour piano, l'a apprise par cœur pour la jouer sans interruption. Elle lui fait aimer Wagner quasi de force ! Un exploit. Elle travaille aussi les derniers préludes que Liszt lui a envoyés. Édouard l'admire, l'adore. Ça ne l'empêche pas de faire la cour à plein d'autres femmes de toutes conditions. La bigarrure sociale lui paraît une garantie de fidélité. Cocodettes ou grandes dames, toutes l'attirent. Il les convoite avec une ingénuité qui n'est bizarrement pas son genre. Il bande pour toutes les femmes sans la moindre culpabilité : Suzanne l'aime et le comprend, mais ne le juge ni ne le blâme ! Comme sa mère, elle le prend tel qu'il se donne. Et n'en réclame pas davantage. Il ne peut trouver d'épouse de peintre plus docile. Oui, c'est sûr, il l'épousera... bientôt.

Dans l'état où est son père en cette rentrée, même ses deux frères pensent qu'il n'en a plus pour longtemps. Autant le ménager jusqu'à la fin.

Il promet d'épouser Suzanne quand monsieur Père sera mort. Elle le croit.

Tous les hommes de son milieu et de ses espérances l'auraient expédiée aux enfers des filles mères dès le début de sa grossesse, aussi Suzanne éprouve-t-elle une infinie gratitude pour cet homme qui, depuis près de dix ans, la fait vivre avec son fils et prend soin d'eux. Son amour débutant n'en doutait pas, l'exceptionnel est qu'il ait tenu la distance.

« Et Léon ?

— Quoi, Léon ?

— Léon va bien, non ?

— On ne change rien. »

En attendant, Édouard rentre chez sa mère. Il vient de décider que le *Portrait de ses parents* serait le chef-d'œuvre du Salon.

Pour être prêt, il n'est que temps.

Chapitre V

1860-1862

UNE BANDE DE JEUNES RAPINS PASSIONNÉS

Quand ça y est, ça y est.

ÉDOUARD MANET

« J'ai horreur de ce qui est inutile. Mais le chiendent est de ne voir que ce qui est utile », confie Manet à Proust pendant l'une de leurs marches quotidiennes à travers la ville. Ce dernier renchérit.

« Mais qui nous délivrera du tarabiscotage, et comment s'y prendre ?

— Il n'y a qu'une chose vraie : faire du premier coup ce qu'on voit. Quand ça y est, ça y est. Quand ça n'y est pas, on recommence. Tout le reste, c'est de la blague.

— Plus facile à dire qu'à faire ! »

Pour le moment, malgré lui, Édouard peine à sortir des sentiers battus et peint encore sous influence, des influences pas forcément conscientes ni volontaires. En premier, il doit lutter contre sa propre habileté, et c'est vrai qu'il a des facilités inouïes ! Il peint comme il respire sauf que c'est après que commence le travail.

Comment peindre ce qu'il voit sans tenir compte de ce qu'on lui a appris depuis des années ? Mieux, en oubliant ce que chacun prêche. Il passe un temps fou au Louvre, ce mausolée de la tradition : comment se détacher de l'imprégnation des anciens ? Et d'ailleurs, le faut-il ?

L'an dernier, Manet a noué une solide amitié avec deux garçons que tout oppose mais qui ont beaucoup en partage avec lui. Le premier l'a souvent croisé, cet Henri Fantin-Latour, blond, timide, dégingandé, est à l'opposé de l'autre : aussi noir de cheveux que de regard, élégant, sûr de soi comme quelqu'un qui possède à fond l'art de choisir ses cravates, en quoi il ressemble beaucoup à Manet. Il s'appelle Edgar de Gas.

Très vite, ils deviennent inséparables. Les trois amis perçoivent de la même manière le monde de l'art, ses mutations et ses incertitudes. Ils ont vu Courbet contraint de faire construire à ses frais un pavillon à l'Alma pour exposer des œuvres que le Salon lui avait refusées. Ils ont grandi pendant la querelle entre Ingres et Delacroix. Ils aiment à copier les mêmes génies du passé. D'ailleurs c'est devant un Vélasquez, que de Gas grave directement sur cuivre, que Manet l'apostrophe : « Ça alors, quel toupet, mon gaillard, vous aurez de la chance si vous vous en tirez sans aucun dessin préalable, moi je n'oserais pas ! »

Avec Fantin, c'est plus silencieux mais Manet ne peut rester insensible à son admiration. Et leur jumelle passion pour la musique les unit dans la concentration de l'écoute.

Les décennies précédentes ont connu tant de révolutions que plus personne ne sait à quel saint se vouer. Eux trois sont au moins d'accord sur ce qu'ils refusent ! Restent à picorer dans la Révolution

Romantique avec ses hérauts, Géricault, Delacroix… qui, sans les influencer, les épatent encore ; la Réaliste avec son chef de file, un tantinet repoussoir pour Manet, ce fort en gueule de Courbet. Fantin qui a travaillé avec lui trouve que parler d'école à son endroit est un peu abusif. La Naturaliste ou École de Barbizon, aux hérauts les plus connus, Daubigny, Rousseau, Troyon, mais le seul avec qui les trois compères pourraient s'entendre, c'est Corot, et ils sont trop urbains. Quand ces trois petits jeunes le découvrent, ils jugent Corot moderne, une figure de précurseur, excellant dans le paysage. Pourtant Manet n'aime pas les paysages. En partie grâce à l'influence des paysagistes britanniques, Bonington, Constable et Turner, le paysage est réellement en train de devenir un nouveau genre à part entière, même dans la peinture française, si corsetée dans ses hiérarchies. Corot en est le plus illustre représentant avec Eugène Boudin qu'à Paris on connaît encore mal, il ne quitte pas sa Normandie natale. Si, pour l'amateur, Courbet, Corot et Delacroix fleurent toujours l'avant-garde, pour Manet, de Gas ou Fantin, ce sont des vieux, qui ont cessé de les bluffer même s'ils ont encore de quoi les alimenter.

Le second Empire marque une si grande rupture entre art officiel et art indépendant que l'amateur peine à s'y retrouver. L'Empire est tombé amoureux du style *pompier*, qui lui va si bien, représenté par Meissonnier, Winterhalter, Cabanel et Bouguereau. Non contents de crouler sous les honneurs, ils président aux destinées de l'Académie des beaux-arts. Ils font la loi. Et la font mal. Ils décident qui est autorisé à exposer au Salon, ont en main l'existence des futurs artistes. Comment les supporter ? Leurs œuvres semblent sorties du grenier des familles. Même quand ils ont du talent, vu le pouvoir qu'ils exercent de façon plus qu'inique, comment ces jeunes gens spoliés pourraient-ils leur en trouver ?

Cette opposition ancien-moderne est évidemment inspirée du clivage politique. La plupart des peintres dits « symbolistes », « naturalistes » ou « modernes » se proclament républicains. En gros, opposés au coup d'État de Napoléon III.

Les plus jeunes détestent les « grandes machines » historiques ou mythologiques qui encombrent le Salon. Ils souhaitent exprimer les beautés de la nature simplement, ou rendre compte de la vie de leurs contemporains les plus humbles.

Ils veulent tremper leur pinceau dans ce monde où le progrès s'accélère, où les modes de vie évoluent à toute vitesse. C'est en affichant ces idées-là que Manet a séduit Fantin. Ce naïf au visage d'enfant sage est conquis par l'homme, ses raisonnements sur l'art et surtout ses premières œuvres. S'il partage ses vues, il n'en a pas la véhémence, il reste en retrait. S'il a participé à l'éphémère expérience du groupe autour de Gustave Courbet en 1859, c'est avec Manet qu'il est de plain-pied. Comme lui, son premier envoi au Salon, un discret *Autoportrait*, l'an dernier a été écarté. Repoussé n'ose-t-il dire. Il ne se plaint jamais. Comme Manet, il brigue la reconnaissance de l'Institution et l'a mal vécu. Mais pour l'heure, outre copier les maîtres Titien, Véronèse, Van Dyck et Watteau, il peint des fleurs ! Et ne s'autorise que deux autres formes d'expression : ses incomparables natures mortes et des compositions poétiques. Les fleurs sont un gagne-pain, il a un circuit pour les écouler à bon prix. Alors que ses natures mortes témoignent d'un fort sentiment réaliste qu'il s'attache à rendre d'un pinceau minutieux, serrant leur forme dans une lumière claire et subtile.

Il partage la même passion irrationnelle que Manet pour la musique. Son engouement pour l'opéra lui inspire une série de lithographies, dédiées à Berlioz et à Wagner. Mais comme il n'est pas riche, il doit gagner sa vie en exécutant des copies des aînés, d'où sa présence constante au Louvre. De là naît sa forte amitié silencieuse.

Issu de deux lignages d'expatriés français, faux aristocrates mais vrais banquiers, Edgar de Gas est à l'opposé de Fantin. Après de bonnes études à Henri-IV, il se choisit peintre et en a les moyens. Passionné de primitifs italiens, qu'il a découvert enfant chez les collectionneurs où son père l'amenait faire des affaires, son goût le porte d'abord au dessin. Pour muscler son trait, il entre aux Beaux-Arts. Peu de temps, il s'y ennuie. Alors il file en Italie dans sa famille, où entre Naples, Rome, Venise et Florence, il apprend mieux qu'à l'école et s'exerce aux mondanités en jouant les chevaliers servants de ses tantes, la baronne Bellelli à Rome, la duchesse Morbelli à Naples. Il y gagne un vernis mondain, et surtout de la morgue.

En Italie, il rencontre Gustave Moreau, petit, barbu, chétif qui tout de suite se prend pour le mentor de ce cadet de huit ans si doué : de Gas dessine comme il respire, il peut recopier des Raphaël supérieurs à Raphaël. Moreau lui offre sa science et lui fait découvrir Delacroix, Ingres, qu'Edgar, contrairement à tous ses condisciples, n'oppose pas. Au contraire, il rêve de les synthétiser sur sa toile. Il s'y emploie. Bref, il se cherche une façon à lui. Jusqu'au jour où, se jugeant maître du trait, il bascule corps et biens dans la couleur. Paradoxalement, c'est à propos d'histoire qu'achoppent ses relations avec Moreau. La peinture d'histoire, qui tient le haut du pavé, règne sans partage dans la tête de l'étrange Gustave Moreau. Edgar de Gas s'y essaie, s'y ennuie, abandonne. Lui aussi met un temps fou à se trouver. Il cherche, il hésite, du moins est-ce ainsi que jugent ceux qui n'entendent rien à l'art. Pour lui, comme pour ses congénères, ces tâtonnements sont simplement ses années de formation.

Après avoir fait le tour de la couleur, son obsession se fixe sur le mouvement. Il en introduit partout jusqu'à animer ses portraits, et s'éprendre d'une peinture du quotidien et du banal. Son refus de l'Héroïsme le rapproche de Fantin et de Manet à l'heure où ils se rencontrent. À une sempiternelle mort de César, de Gas préfère croquer l'essayage d'un chapeau d'une petite blondinette chez sa modiste. À *La Mort de Sardanapale*, il choisit de surprendre une belle sortant de son tub.

Il étudie la photographie et, grâce à son obsession de choper la seconde exacte, il devient excellent photographe. La musique et la danse lui fournissent à profusion de quoi s'exercer. Après ses portraits de musiciens en train de jouer depuis la fosse, il grimpe sur scène pour croquer les danseuses dans l'envol de leur grâce. Plus âpres, moins séduisantes, mais plus vraies, il les épingle en justaucorps de travail s'exerçant à la barre, sous la gouverne d'épouvantables tyrans. Il leur vole l'instant suspendu d'un bâillement intempestif entre deux entrechats, d'un étirement épuisé.

Il cherche le secret de la vie. Il n'est pas le premier

mais avec sa technique et ses idées, il est unique. Il est convaincu que rien en art ne doit ressembler à un accident même le mouvement. Froid, pointilleux, distant mais tellement drôle ! Avec lui, Manet a trouvé son double pour l'humour, le cynisme, et même cette ironie un peu cruelle où ils rivalisent. Méchants parfois, ils vont où les mène leur persiflage, se suivent, se précèdent, se dépassent et s'en réjouissent. Incapables de renoncer à un bon mot, leurs piques peuvent blesser. Ils vont s'aimer aussi pour ça.

Yeux de glace, bouche sensuelle, Edgar de Gas est le premier artiste que Manet juge son égal en tout. Culture, milieu, élégance, humour et talent, du même âge à deux ans près, leurs interrogations sur l'art en sont au même point. Imprégné de Renaissance italienne, de Gas a les mêmes difficultés que Manet pour affronter la réalité moderne. Il cherche. D'une rare intelligence mais aussi d'une sensibilité à fleur de peau, de palette et de pinceau, il souffre énormément dans ses relations, ou plutôt dans son absence de relation avec les femmes. Sa mère est morte quand il avait 14 ans, d'où, pense-t-il, ses difficultés avec l'autre sexe. Il avoue n'y comprendre rien à Manet qui en fait lui son sujet préféré. Son regard sur les femmes l'oppose absolument à son nouvel ami qui ne vit que pour les séduire. N'empêche, quand ils sympathisent au Louvre, tout est permis : ils sont entre hommes.

Sitôt amis, sitôt intimes, ils se voient tous les jours et, bien sûr, ce dandy de Manet les attire dans ses cafés-refuges pour refaire le monde et l'art. Taiseux, Fantin boit tout ce qui s'échange. De Gas se met au diapason, l'un et l'autre sont séduits et horrifiés par l'ami intime de Manet, qui ne le laisse jamais déjeuner seul ni boire surtout sans l'accompagner, ce Charles Baudelaire qui n'aime rien que s'enivrer, fumer l'opium et vitupérer l'époque. Sa radicalité les épouvante. Aucun d'eux ne dit jamais rien sur sa vie privée, alors que lui se répand en calomnies sur sa vieille maîtresse, la méchante créole qu'il décrit dans ses détails intimes, bien qu'il la traite de « camarade avec des hanches », dont il ne peut se priver. Pour preuve, il la montre photographiée par un de ses meilleurs amis, Tournachon, alias Nadar. Belle ? Non, étrange.

Aussitôt prononcé ce nom de Nadar, Edgar ne se tient plus, il veut le rencontrer toute affaires cessantes. Assez obsessionnel, il a besoin de maîtriser l'art photographique pour sa peinture. Baudelaire l'amène mais tellement ivre qu'en arrivant chez Nadar il lui fait une scène de jalousie. À propos de tout, de rien...

« Ton regard pétillant d'intelligence et de gaîté, le mien est déjà mort, sinistre, brûlant et terne à la fois. Perçants et mornes, mes yeux... »

Ni Nadar ni de Gas ne sauraient dire si le poète est en train de versifier ou s'il laisse débonder son âme...

« Tu es trop doué pour le bonheur, moi pour le malheur. Toi, tu as une femme, un fils... Tu sais les aimer simplement, moi je n'ai même plus de cheveux, je suis décharné et je ressemble à un oiseau de proie... », persiste à se lamenter Baudelaire.

Tous sont encore célibataires :

« C'est indispensable pour devenir artiste », tranche de Gas.

Personne, pas même les meilleurs amis de Manet, ne se doute de l'existence de Suzanne et Léon.

La dépendance de Baudelaire à la drogue est totale, et terrorise de Gas. Mais le fascine aussi. Fantin préfère s'éloigner, il en a peur. Il n'arrive pas à ne pas le juger, et ça le contrarie, il se voudrait plus ouvert, plus tolérant, mais cette autodestruction le met dans tous ses états. Manet a le soupçon que Fantin est peut-être simplement un bon chrétien.

Manet, Nadar et quelques autres deviennent des banquiers privés, intermittents, pour le poète en perdition, à qui plus personne ne fait crédit, même pas sa mère. Ça n'empêche nullement Baudelaire de brailler sa haine des bourgeois, dont l'arrogance et la médiocrité en font à ses yeux des Barbares. Barbares qui le nourrissent ! Trois à cinq fois la semaine, Baudelaire cueille Manet à l'atelier pour l'entraîner où il aime parler, boire et rencontrer ses admirateurs. Manet l'invite toujours et, chaque fois que Baudelaire est par trop démuni, il lui avance des sous qu'il sait ne jamais récupérer. Sa présence régulière, le charme vénéneux de sa conversation, ses avis tranchés sur l'art et la peinture, sa connaissance désespérée du cœur humain sont pour le jeune peintre un ingrédient indispensable, comme si, près de lui, il achevait sa formation.

D'autres prennent l'habitude de se retrouver autour de Manet en ses cafés choisis, dont il est l'hôte privilégié. Il règle l'addition souvent en cachette afin que le poète se sente toujours aussi admiré. À quoi servirait l'argent sinon ? Après la peinture, sa vie amicale est au moins aussi importante que sa vie amoureuse et familiale, Manet refuse de rien sacrifier. Pas le temps. S'il demeure un homme affable, il est en revanche de plus en plus pressé.

Toujours aussi épris de Suzanne, et s'il lui fait l'amour comme au premier jour, désormais, après qu'elle s'est endormie, Manet la dessine pendant des heures. Rubens offre à la sculpturale Hollandaise un cadre à sa mesure. Nue et souriante, elle pose, et c'est chaque fois une déclaration d'amour renouvelée. Il l'aime de plus en plus au point de se peindre à ses côtés. Cette toile est sa demande en mariage. Là encore, il emprunte son décor à Rubens : un arc-en-ciel et un lévrier encadrent le couple qu'il forme avec Suzanne. Ils sont tous deux vêtus de costumes flamands du dix-huitième siècle. Il appelle ce tableau *La Pêche* car, au loin, sur l'autre rive, Léon pêche aux côtés de son chien chéri. Étrange vision de sa famille. Remords, repentir ?

Une autre nymphe, surprise celle-là, descend en droite ligne de la *Suzanne au bain* du même Rubens. Pour représenter son amante, il revient toujours aux Hollandais. Mécontent de lui, il l'abandonne pour s'attaquer à son fils qu'il croque dans ce *Gamin au chien* qui lui fait monter les larmes aux yeux tant, malgré lui, il a capté le désarroi de l'enfant.

L'absence d'atelier confortable ces mois-là le contraint à s'inspirer des siens et à les croquer dans leurs appartements où, du coup, il séjourne davantage qu'à l'accoutumée. Il se sent mal dans ce nouvel atelier, trop hâtivement choisi pour fuir l'image du petit pendu. Il y achève les œuvres commencées dans l'une de ses deux maisons. Plusieurs fois son fils, plusieurs fois sa femme, et enfin, le grand tableau de ses parents… D'autres Léon encore comme *L'Enfant à l'épée*, à croire qu'il se fait pardonner son incapacité à le reconnaître en le peignant sans cesse. Léon adore poser à l'atelier dans le silence de sa concentration. Quand « Parrain » le scrute intensément pour le reproduire, il se sent aimé, vu vraiment. Ensuite, il aime se reconnaître et débusquer les légères dissemblances.

Le Portrait de ses parents, il l'achève chez eux : son père est paralysé. Figé sur place, il ne peut plus travailler. Sa femme a dû rédiger sa lettre de démission. Depuis le vieux monsieur peine à trouver ses mots, il hésite, bégaie, use d'un mot pour un autre, et parfois cet homme si poli lâche, sans qu'on s'y attende, un terme ordurier.

Pour ne pas imposer ça à ses fils, Eugénie s'en occupe seule. Il ne marche plus, ne dirige plus ses bras ni ses mains, elle le soigne comme un enfant malade. L'ataxie s'ajoute à l'aphasie, monsieur Père ne fait plus peur à personne. Pitié plutôt. Seuls ses yeux parlent, mais alors beaucoup. Au point que Manet ne peut soutenir son regard. Ce qu'il a ressenti sa vie entière est enclos dans ce regard, un regard qui, enfant, le faisait rentrer sous terre. Aujourd'hui ? Il y déchiffre la panique, le désespoir et de la haine. Édouard ne veut pas le reproduire. Alors il lui fait les yeux baissés. Incapable de trahir ce sentiment d'impuissance qui le rive à sa chaise et qui, muet, hurle : *Pourquoi déjà ?* Du désespoir sans fioritures. Terrible regard... Manet ignorait son père si peu, si mal croyant en Dieu ou dans la vie éternelle.

Père sait-il pour Suzanne et Léon ? A-t-il jamais su ? Il ne parlera plus, Édouard n'en saura jamais rien.

Sa mère aussi a les yeux tristes, au diapason du climat de la maison. Son fils ne peut divulguer ce que ce regard révélerait. Mère et fils savent garder un secret, ils se le sont prouvé. Elle aussi aura les yeux baissés.

Étonnant que pour leur unique portrait, ses parents soient privés de regard. La seule note gaie de l'œuvre repose au fond d'un panier de couture aux couleurs pimpantes, parfaite nature morte, seule chose vivante en ces lieux. Tout alentour témoigne de cette austérité d'acajou et de bon aloi dans laquelle se drapent les bourgeois républicains. Sinistre, l'univers de son enfance. Manet sait-il seulement tout ce qui s'est immiscé dans cette toile, toute l'oppression de l'enfance et le climat de chagrin de sa jeunesse ? Suzanne nue le venge de tout. Son amour l'enveloppe jusqu'à oublier le passé. Peindre Léon lui permet de troquer son amour contre son remords, en y laissant entrevoir la vérité de leurs liens.

Pour faire bonne mesure, il achève en un temps record sa vision de l'Espagne sous la forme d'un *Guitarrero*. L'Espagne est assez à la mode pour auréoler de gloire un *Chanteur espagnol* qui l'envoie au Salon accompagner le *Portrait de ses parents*.

Quasi à demeure rue des Batignolles, dans un trois-pièces avec balcon, chez Suzanne et Léon, sa vie se recentre place de Clichy. Un grand piano autour duquel Suzanne reçoit ses amis, un lit-cage qu'on ouvre les soirs où Léon y dort, la chambre du couple et leur salle à manger. Les parents et les frères de Manet demeurent en haut de la rue. Aussi prend-il ses quartiers dans un nouveau café, le Guerbois, au 9 de l'avenue de Clichy qui les accueille à bras ouverts, lui et sa bande d'heureux rapins, sans que Manet renonce aux cafés riches du boulevard des Italiens. Tous les soirs, ils refont le monde de l'art au Guerbois qui n'est encore qu'un bouchon de banlieue, pourvu d'un jardin et d'une tonnelle voués aux noces et banquets dans un décor Empire, aux vieilles tournures. Une vaste pièce au fond s'ouvre sur un jardin après une prairie de billards, des vitrages au plafond dessinent des jours glissants. Manet préfère rester en vitrine où, à l'entrée de la salle blanche et dorée, couverte de miroirs et de lumières vives, il a sa table. Degas, Sisley et Fantin l'y rejoignent chaque soir, le vendredi ils sont au complet, même ceux qui crèchent en province s'y retrouvent. Parmi les piliers plus ou moins permanents, Tournachon-Nadar, Desboutin, Cabaner, un pauvre en chemise de soie, Duranty qu'on prétend fils de Mérimée, Charles Cros quand il n'est pas amoureux, le docteur Gachet qui se croit peintre alors qu'il est médecin pour la Compagnie des chemins de fer du Nord et ne manque de rien mais ne paie jamais le coup. Courbet y fait parfois des incursions bruyantes assenant ses conseils à chacun, ce que Manet supporte mal. Plus aléatoires, Pissarro, Stevens, Gervex, Whistler, Guillemet, un pompier sur la toile mais au bistrot un vrai frangin. Tous regroupés autour de Manet.

Juste à côté, sous de belles céramiques colorées se trouve la boutique d'Hennequin, le meilleur marchand de couleurs de la rive droite. Tous les artistes y font provision de pigments. Il s'y échange des recettes de mixtures pour lier, enduire, provoquer les plus belles transparences. Les premiers tubes font leur apparition. L'influence de Couture interdit à Manet de les essayer.

Dans ce nouveau Paris en cours d'édification où les rapins affluent de partout, Hennequin devient le fournisseur, souvent à tempérament, des artistes qui se rassemblent autour de Manet, de plus en plus nombreux à l'apprécier, lui ou son portefeuille.

À de Gas, Fantin, et Baudelaire, qui pourtant n'aime pas s'aventurer loin de la Seine, s'ajoutent désormais de nouveaux venus, pêchés chez Gleyre, comme ce dénommé Renoir, ou Bazille, neveu de Lejosne, qui sous le charme de Manet et de sa conception de l'art s'en rapproche géographiquement en louant un grand atelier rue La Condamine, qu'il partage assez vite avec Renoir et Sisley. D'autres nouveaux, rencontrés le mois dernier chez le Suisse, comme ce type nommé Monet. Chatouilleux, Manet refuse de croire que c'est son vrai nom et pas la moqueuse déformation du sien. Mais le partage des mêmes aspirations et des mêmes embûches les lient plus vite qu'il n'est d'usage, avant tout une fraternité de corps et de combat les unit. Ainsi souvent des opprimés. Ce Gleyre est un maître unique en son genre, seul à préconiser l'ébauche rapide et l'étude en plein air. Ses élèves ont en partage d'être conspués de toutes parts. Sinon leurs aspirations, au moins leurs premières réalisations ont en commun, quelque chose d'intentionnel qui les rapproche : le plein air, le refus du modelé, la banalité du sujet, la palette qui va s'éclaircissant, la vitesse, la sûreté de geste, la liberté de pinceau, le mouvement et le *non finito*... Belle démonstration du « qui se ressemble s'assemble », ajouté à une fraternité d'armes : celle du pinceau.

En 1861, le Salon est encore, hélas, l'unique lieu où montrer ses œuvres au public. Et pour un peintre, se montrer c'est exister. Ne pas mourir. Vendre aussi, vendre est indispensable pour beaucoup. La question vitale pour Manet, c'est exposer, se faire voir, repérer, remarquer. Pour les autres, c'est vendre pour manger et payer son loyer...

Pour l'heure, ils se contentent de partager leurs ateliers. Ce Gleyre dont beaucoup continuent de suivre l'enseignement essentiellement pour jouir d'un toit et du matériel, apprendre à se servir de toutes les techniques, s'il ne leur a pas enseigné beaucoup de choses, les a au moins laissés tranquilles.

Les liens serrés de la nécessité les obligent souvent à vivre ensemble, à partir en vacances en groupe, sur les traces des barbizonniens, afin de profiter de la forêt et des auberges bon marché. Instantanément ils développent un art de la fête exempte des grossièretés des Beaux-Arts. Chaque mois ils s'offrent un bal, une fête costumée, une comédie qu'ils jouent eux-mêmes. Bazille interprète *La Tour de Nesle*. Baudelaire, Champfleury, Duranty, leurs amis de plume, assistent à un *Macbeth* à hurler de rire monté par cette bande de joyeux rapins...

Aux beaux jours, on s'éparpille, on ose s'éloigner des rues et des fontaines de Paris, pour investiguer cette campagne rendue proche par l'ouverture de la ligne Paris-Saint-Germain. Grâce à elle, les bords de Seine sont à eux, ils y festoient avec l'argent de la Masse, cette commune mise au pot pour acheter le matériel d'atelier. Contrairement aux Beaux-Arts, pas de bizutage chez Gleyre où, pour presque rien, de huit heures du matin à six heures du soir, on dispose de modèles vivants. Des hommes, les trois premières semaines du mois, une femme nue, la quatrième. Cette semaine-là, ils sont bizarrement beaucoup plus nombreux. Débarquent alors Cézanne, Guillaumin et Pissarro, qui les accompagnent aux cafés et aux fêtes. Ils sont sur la même longueur d'onde avec le bonheur de pouvoir parler boutique, s'avouer comme ils peinent, comme ils se battent avec la matière, la lumière, comme ils aiment ces bagarres avec leurs matériaux, toiles, châssis, pigments, térébinthes, brosses, pinceaux, couteaux... À les écouter, les petites pierreuses ont le sentiment qu'ils s'échangent des recettes de cuisine.

Monet est le plus taiseux. Seul Renoir avoue, gêné, ne jamais avoir l'ombre d'une difficulté, peindre lui est aussi naturel que respirer. Il développe sa théorie du bouchon : se laisser flotter au gré du vent ou des vagues, ne jamais essayer de lutter contre le courant...

Pissarro est le plus gentil, le plus naturellement porté vers les autres, partageux au sens primitif. Même s'il est le plus pauvre, il est celui sur qui tous savent pouvoir compter. Attentif et généreux, le vrai bon Samaritain. Il supporte sa misère qui est parfois grande en recueillant tous les chiens perdus, en plus de sa mère, et de son frère et de sa demi-douzaine d'enfants et de financer le journal anarchiste de Jean Grave *La Révolte*...

Leurs conversations relèvent aussi d'une foire d'empoigne de potaches. Degas et Manet y tiennent le haut du pavé, animent les discussions, leurs avis dominent la troupe, eux seuls possèdent ce niveau de rosserie et d'ironie, perfidie et rouerie. Ça vole parfois assez bas, mais l'estime entre eux est réelle et mutuelle.

À pareille camaraderie, quelques exceptions : au premier regard, Paul Cézanne a détesté Manet. Son élégance, sa distinction de Parisien accompli le complexent plus qu'il ne peut dire. Il ne lui adresse que des grossièretés à bout portant. En arrivant au Guerbois, il serre la main de chacun, et ostensiblement évite celle de Manet : « Je ne vous la serre pas, je ne l'ai pas lavée depuis 8 jours. Ça vous saloperait ! »

Et quand, avec une amabilité extrême, celui-ci lui demande ce qu'il prépare, Cézanne de répondre haut et fort : « Un pot de merde. » Par principe, Manet refuse de s'emporter. S'il ne parvient pas à se lier avec Cézanne, paranoïaque trop exalté, il reconnaît que sa peinture « c'est quelqu'un ! ».

Aussi flambeur que Manet, Claude Monet couche souvent avec la misère. Rien n'est assez beau pour lui quand il a trois sous, mais il ne les a pas souvent. Heureusement il suscite toujours l'indulgence, il est tellement séduisant ! La générosité de Manet reste secrète, discrète mais constante.

Auguste Renoir issu d'une famille d'artisans, luimême peintre de vaisselle sur porcelaine, puis sur stores pour la survie, ne manque jamais de rien, il torche un bouquet sur un store, la décoration d'une enseigne de café. S'il a toujours assuré sa vie matérielle, c'est surtout parce qu'il n'a aucun besoin, il vit d'un sac de haricots offert par l'épicier en échange du portrait de sa dame. Il conserve longtemps ce gagne-pain de portraitiste de fortune, même s'il troque peu à peu la femme de l'épicier contre les dames de la haute.

L'intransigeant Degas suscite toujours la controverse. Avec Manet, ils adorent s'engueuler sur des sujets aussi fondamentaux que la mode des dames ou la forme des chapeaux. Ils ont beau se fâcher souvent, toujours ils se réconcilient. Manet l'appelle l'autoritaire commandant, mais ne peut se passer d'aucun de ses compagnons, même si à tous il préfère les femmes, l'inconnue qui passe et qu'il peut suivre sans y songer. *À une passante* lui est allée droit au cœur. « Ô toi que j'eusse aimée, ô toi qui le savais ! »

À force d'essuyer les mêmes refus au Salon, leurs liens se resserrent, l'ostracisme où les tient l'Académie les flatte et les unit d'être sur tous répandu. D'autant plus solidaires qu'il fait d'eux des rebelles. Ce qu'ils n'ont pas forcément désiré. Ce mépris les désespère et les laisse crever de faim.

Les portes du Salon s'ouvrent enfin pour Manet en 1861 pour laisser entrer ses *Parents* et son *Guitarrero*.

Baudelaire a beau lui faire remarquer que ce guitariste joue de la main gauche sur un instrument pour droitier, Manet refuse de corriger. Ou ça n'est qu'un détail, ou la preuve qu'il s'agit exclusivement de peinture ! Maintenant qu'on l'accepte au Salon, ça y est. Il en est. Il s'y croit ! Son heure est arrivée. Le Salon lui donne raison en lui accordant même une Mention Honorable ! Une médaille pour ses parents. Enfin ! Le fils ingrat peut rendre à son père…

Hélas non, monsieur Père n'est plus en état de s'en réjouir. Trop tard pour lui. Mais pas pour Édouard dont la joie est grande ! Il régale tous les siens et même les autres. Le Guerbois ne désemplit plus, Manet n'a pas fini de se rengorger : il n'a pas 30 ans, et le voilà peintre officiellement. Tant pis, ou tant mieux, si les premières critiques qu'on lui consacre le vouent aux gémonies. Peu importe, tant qu'on en parle.

« … Il foule aux pieds les liens les plus sacrés… »,

« Les parents de l'artiste ont dû le maudire plusieurs fois d'avoir pris un pinceau... »

« La solitude des sujets que seuls le noir de leurs vêtements relie est le vrai sujet de la toile. Solitude, absence d'entente entre eux ; ils sont sur la même toile mais séparés... » Ça n'est pas faux...

Sa première bonne critique est signée de Théophile Gautier. Le dédicataire des *Fleurs du mal* adore son *Guitarrero*. Il l'adoube premier des jeunes réalistes devant Fantin, Whistler et Carolus.

Las, pendant que Manet exulte, l'ami Baudelaire broie du noir. L'Académie française vient de lui signifier violemment son refus. Ils ont été scandalisés qu'un voyou tel que lui ose prétendre intégrer si illustre assemblée.

Les ânes ! Le poète ne sera jamais immortel. Mais, grands dieux, pourquoi s'est-il mis en tête de le devenir, se demandent ses amis, qui lui ont conseillé de ne pas solliciter, tous, sauf Manet qui comprend tellement ce besoin d'être adoubé par ses pairs. Et soutient l'ami fragile qui ne s'en remet pas. Mais de quoi se remet-il jamais ? Tout l'affecte et l'oppresse au plus haut point. Manet en est encore à le consoler de cet ostracisme que Baudelaire s'angoisse déjà pour autre chose. Il vient d'avoir une *petite crise cérébrale* : « J'ai senti passer sur moi le vent de l'aile de l'imbécillité », reconnaît-il, fou de terreur.

Suzanne, qui a réussi à faire apprécier Wagner à son amour, se voit offrir deux places pour la générale de *Tannhäuser*. Sitôt qu'elle connaît l'état de Baudelaire, elle propose de lui céder la sienne. Elle ne le connaît qu'au travers des sentiments de Manet pour lui, en haut du piédestal de ses admirations. Si ça peut le consoler ? Manet entraîne donc son ami à l'Opéra. Las, effet du vin ou de l'opium, aux premières mesures, le poète s'est endormi.

Degas, qui conchie autant critiques que marchands et qui, par chance, n'a pas besoin de vendre ses œuvres pour vivre, décide pourtant de s'amputer de sa particule. « Dans les Salons, ça la fiche mal », décrète-t-il. Il vit seul avec sa gouvernante qui lui prépare tous ses repas, même quand il les prend dehors avec ses camarades. S'il est riche, il l'ignore encore. La confrontation avec la pauvreté de ses pairs lui a jusqu'ici été épargnée. Quand Pissarro lui ouvre les yeux, il a du mal à y croire, alors que Manet, issu des mêmes milieux, a grandi dans un républicanisme assez ardent pour ne pas ignorer les défavorisés. Puis il a voyagé dans des pays comme le Brésil où l'échelle qui permet de comparer les niveaux de vie est détraquée. En voyant les nègres d'Amérique latine et comme on les traitait, il a compris que tout le monde n'avait pas sa chance. En Italie, Degas n'en a pas vu autant. N'empêche qu'il en a marre d'être traité d'*aristocrate à la lanterne*, bourgeois suffira ! En liant sa particule à son patronyme, en se faisant Degas d'un seul tenant, il se distingue en outre de la banque de sa famille.

Avant les vacances, se présentent chez Manet, timides et follement gais, quelques jeunes gens subjugués par son *Guitarrero*. Ils l'ont vu au Salon et sont venus en délégation lui dire à quel point il est le peintre que leur cœur attendait : leur peintre. C'est une visite d'admiration pour celui qui ose supprimer les demi-tons ! Envoûtés littéralement par ce *Guitarrero* si beau, si juste, si fort et obtenu de cette étrange manière.

C'est Baudelaire qui les a menés chez Manet, content de lui rendre un peu de ses bienfaits. Cette reconnaissance de ses pairs lui fait moins plaisir qu'elle ne devrait. Il n'a pas envie d'être perçu en révolutionnaire. Or, ils lui ont clairement dit que sa peinture l'était... Zut, ce qu'il guigne, lui, c'est la vraie reconnaissance, l'institutionnelle. Eux ne sont que de jeunes bohèmes. Certes Fantin s'est joint à eux, et deux amis de Baudelaire aussi, mais le besoin d'argent les fait s'acoquiner avec n'importe qui. Ce Duranty n'est pas nul, mais si polyvalent qu'on ne sait dans quel art le situer. Quant à Champfleury, il est charmant, talentueux, mais si négligé. Bracquemond lui plairait davantage s'il ne posait au rapin désabusé. Alphonse Legros, qui vit en peignant des intérieurs d'église, a l'œil loustic et le chapeau déformé ! Quant au plus chic de tous, Carolus-Duran, lui, oui, c'est un bon peintre, mais comme Fantin, trop inféodé à l'ogre Courbet. Jusqu'à découvrir Manet au dernier Salon, c'était Courbet leur dieu. Ils passaient chaque jour à la brasserie des Martyrs, où Dieu tient table ouverte et surtout le crachoir. Courbet est une terrible grande gueule, il tempête et vitupère si fort que personne ne peut rivaliser avec son timbre. La délégation supplie Manet de les y accompagner. *Holà ?* Manet ne quitte ni ses amis ni ses cafés du boulevard des Italiens pour un lieu enfumé, bruyant, poussiéreux et misérable. Chez Courbet, tous les rapins de la ville boivent gratis, les bohèmes essaient de placer un poème ou une toile, tandis que des petites pierreuses, filles faciles en cheveux mais sans bas, qu'elles s'appellent Nini, Titine ou Les-œufs-au-plat, cherchent le client pour dormir au chaud. Non merci.

Manet décline chaleureusement leur proposition. Ni révolutionnaire ni patron. Il a entendu l'ogre tonitruer qu'il « peignait pour être refusé, qu'il aimait le scandale, preuve qu'il dérangeait le monde ». Manet aimerait seulement faire son portrait parce qu'il le trouve très beau mais il boit et mange trop, s'empâte vite. Et Manet n'aura jamais le courage de l'écouter pérorer. Son exhibitionnisme nuit à son talent pense Manet qui le traite quand même de « Raphaël du pavé et des pauvres »...

L'été qui suit est heureux. Auguste, son père, le passe à Gennevilliers, soigné par leur mère. Après une embellie de quelques mois, où il a un peu recouvré l'usage de ses jambes, une nouvelle crise lui a définitivement ôté mobilité et parole.

Les trois garçons ont besoin d'air, et de s'éloigner de cet homme muet par la force des choses mais dont les yeux hurlent. Alors ils s'échappent avec Suzanne et Léon sur la Côte d'Opale : vacances entre jeunes ! L'entente entre Léon et Eugène est totale, Édouard peint sans trêve, Gustave court le guilledou : il vient de décrocher son diplôme d'avocat. Suzanne dorlote ses quatre garçons. Puis elle file en Hollande avec Léon, tandis que les trois frères visitent les splendeurs de l'Autriche-Hongrie.

À la rentrée, Manet s'installe dans un nouvel atelier, plus excentré de la place de Clichy où se déroule sa vie entière. De chez Suzanne à chez ses parents, du Guerbois aux ateliers des amis du quartier, jamais plus de cinq cents mètres. La vie de Manet tourne autour des Batignolles. Alors la rue Guyot, près de Villiers, c'est presque l'étranger. C'est un chantier, pis que Clichy, beaucoup de terres en friche où Manet apprivoise de jeunes chats, et promène la nouvelle passion de Léon, ses chiens, ses meilleurs amis, et peut-être les seuls. Un immense amour pour les animaux cimente cette famille. De Suzanne à Léon, sans oublier Manet, aucun ne saurait se passer de bêtes.

Rue Guyot, Manet peint tout de suite à plein régime. Quelque chose s'est débridé en lui, il fonce, il ne sait vers quoi, mais il y va en courant, avec l'élan que le Salon et sa médaille lui ont donné.

L'ami qui lui a procuré ce lieu est un vieux peintre du Salon, Joseph Gall. La première fois qu'il y a exposé, c'était en 1842, mais depuis il n'a plus aucun succès. Pauvre, très pauvre, il est toujours à la limite. Sans un mot, Manet glisse en cachette des billets dans les poches de sa vareuse quand il n'y est pas, et le fait poser pour *Le Liseur*. Lui est contraint d'habiter rue Guyot, alors que Manet se contente d'y peindre, et dispose de deux autres foyers plus chauds, cossus et même luxueux, dont son vieux confrère ne saura rien. De toute façon, à part sa mère, Eugène et Proust, personne ne sait rien de sa seconde famille.

Rue Guyot, il n'ose d'abord pas recevoir ses amis, c'est plus humble, plus petit, plutôt pauvre, mais la lumière y est idéale.

Il se met au travail comme un fou. Il va exposer dans une galerie privée : grande nouveauté ! En plus, il laisse en dépôt deux, trois toiles, chez un marchand de couleurs qui veut faire plaisir à un bon client.

Quant au dénommé Louis Martinet, mondain connu du Tout-Paris, ancien peintre qu'une maladie des yeux a forcé de renoncer à la palette, il s'est insurgé qu'il n'existe pas d'autre lieu que le Salon, et encore un an sur deux, pour montrer l'art en train de s'inventer au public. Aussi ouvre-t-il une galerie 26 boulevard des Italiens qu'il appelle *La Vie moderne*, et fait paraître un bimensuel du même nom afin d'y soutenir ceux qu'il expose. Il y donne aussi des concerts, histoire de faire passer ce qu'il accroche. Innovant et combatif, Martinet les expose hors du Salon, alors qu'il appartient à l'administration des Beaux-Arts ! Il convie Manet sur ses murs à côté de Courbet et de Daubigny. Il accroche d'abord son *Liseur* et son *Gamin aux cerises*, qu'il remplace un mois plus tard par son *Guitarrero*. En vitrine, sa *Nymphe surprise* étonne mais plaît assez pour que le père Goupil jusque-là vendeur d'estampes, et pingre comme pas deux, s'ouvre à son tour au commerce de tableaux, boulevard de Montmartre. Exposer hors du Salon, et même vendre, c'est inespéré. Ça se fête au moins chez Dinochau ! Le plus convoité des traiteurs du quartier rue Navarin, chez qui Manet régale ses amis.

Heureux à l'atelier mais, tout de même, sitôt que pâlit le jour, Manet s'enfuit dans « les cafés tapageurs aux lustres éclatants ». Chez Tortoni, le café riche, où à l'étage il déjeune avec Baudelaire pas loin de cinq jours sur sept. Bien qu'en total désaccord politique, Manet est républicain, Baudelaire monarchiste. Baudelaire professe une misogynie virulente, Manet est définitivement l'amoureux délicat de toutes les femmes. À l'un la femme fait horreur, pis que la démocratie, à l'autre elle est indispensable, vitale et toujours supérieure. Ça n'empêche pas l'estime réciproque de se déployer entre eux.

Au café de Bade aussi, où les habitués d'hier s'appelaient Musset, Talleyrand, Rossini ou Gautier, la diplomatie et les arts trinquent toujours en chœur. Ses amis l'y saluent désormais comme leur chef, idem dans les sombres tavernes de Clichy. Manet rayonne en ses cafés.

Depuis qu'il est rue Guyot, Manet peint sans repos ni répit ; après *L'Enfant à l'épée* au printemps, il repeint Léon. Son filleul, son fils aussi. Après tout, ce savant montage familial, cet extravagant camouflage à la mode victorienne convient à tout le monde sans que personne ne se soit jamais soucié de ce que Léon en pense. Il pousse correctement ? Il va bien ? Pourquoi se bistourner l'esprit en s'acharnant à lui dire la vérité, cette version convient aux adultes ? Pour la suite, on verra plus tard.

Il aime s'attarder où ses amis des cafés italiens n'oseraient s'aventurer, dans le quartier de la Petite Pologne par exemple. Survit là, pouilleux, mal famé, misérable, tout un peuple de malandrins. Dans l'ordure et la dignité, un *no man's land* de pauvres, cette nouvelle classe dangereuse de l'Empire !

Terrains vagues, baraques de chantier, moulins, masures sordides, bouges branlants, où Manet pioche des modèles, qu'il rassemble sur une très grande toile (1,88 × 2,48 m) autour d'un vieux juif à violon. Ce *Vieux Musicien*, comme il l'appelle, se rêve machine à Salon, machine à médaille. S'y côtoient sans se voir, son *Buveur d'absinthe*, une fillette en haillons, des garçonnets, sosies du *Gilles* de Watteau, un *Oriental enrubanné*, isolés les uns des autres par la misère. À la différence de la *Musique aux Tuileries* en train de s'échafauder dans sa tête et dans ses carnets, les personnages du *Vieux Musi-*

cien sont assemblés mais solitaires, sans contacts les uns les autres. Des laissés-pour-compte, éjectés des taudis qu'Haussmann fait raser dans ce quartier en recomposition où justement Manet s'est installé. Des vagabonds aux existences flottantes, des frères de bohème...

Pour le Salon, il se soumet aux codes formels : l'exécution, le format, tout y est. Sauf le sujet et son approche. De fait, le Salon n'en veut pas. Refusé, à nouveau ! Interdit d'exposer. Vexé, furieux, dire qu'il s'y croyait. De dépit, Manet se met à l'eau-forte avec deux de ses nouveaux amis : Whistler, un Américain excentrique, maniéré, sarcastique et rieur, et Alphonse Legros. Ensemble, ils fondent la société des aquafortistes ! Le mot vient d'être inventé ! Et Cadart ouvre une galerie au 66 rue Richelieu pour n'exposer que des eaux-fortes. Il imprime un livre qui y est consacré. Il n'en vend aucun mais ne se décourage pas pour autant, fanatique, il croit en ce nouveau médium. Quant à Manet, il pense toujours que la gloire est pour demain. D'ailleurs Cadart le met en vitrine, et même Baudelaire relate l'événement dans sa *Revue anecdotique* ! C'est dire si elle est lue.

À force de croiser et recroiser une créature d'une vingtaine d'années, fille des rues, mais si belle, il n'y tient plus, et l'aborde en place publique. Elle n'est pas son genre mais, justement, sa détermination opère, Manet est prêt à la supplier, à déployer la palette de ses talents pour la convaincre de poser. Inutile, elle a déjà dit oui. Des yeux. Encore des traces d'enfance mal nourrie, sans passé ni avenir, elle est d'une présence bouleversante. Incarnation du présent.

Pierreuse, lorette ou biche ? Rien n'est encore joué pour elle. Cocodette ou grenouillère demain peut-être, mais pas encore aujourd'hui. Elle-même n'est pas fixée. Elle ferait bien du théâtre, du chant, de la danse… Alors, poser ? Mais elle n'attendait que ça. Elle n'attendait que lui. Elle croit en sa destinée ! Et sa destinée s'appelle Manet. Elle, c'est Victorine Meurant, le modèle de ses rêves, l'air franc de qui n'a pas froid aux yeux, l'allure décidée, une beauté crue, toute nue. Même habillée, on sent sa nudité, petite, ferme, mince, tonique, élastique. Ses cheveux tirent du blond au roux, ses yeux du brun au noir, sa peau laiteuse, pâle, ses fines attaches, et pourtant lourdes, son sourire gourmand, cet air de promesse et de défi… Manet n'en peut plus de lui trouver quelque chose. Beaucoup de choses.

Très vite, elle prend ses aises rues Guyot, elle y est chez elle, et parfois elle y dort. Elle installe une famille de chats qui deviennent vite les amis du peintre. Ses modèles, aussi, souvent. Gris ou noir, ils occupent l'espace et, malgré les chiens de Léon, Manet amène chez Suzanne une belle tigrée, qui va bientôt mettre bas. Il les trouve incroyablement décoratifs, beau comme du Vélasquez. Suzanne craque à son tour, et les chiens de Léon adoptent les chatons. Les chats deviennent la figure emblématique de la liberté et s'ajoutent à celle des chiens. De sa liberté artistique. Et peu à peu son avatar. Quand Manet ne veut pas se représenter, il met un chat à sa place.

À Victorine Meurant comme aux chats, Manet ne demande pas de compte, il les peint. Ils vont et viennent où bon leur semble pourvu qu'il puisse les peindre. Il peint Victorine avec une sorte de fièvre qui lui fait presque oublier ses autres chantiers. Heureusement Baudelaire a souvent soif, et Manet l'invite à déjeuner presque chaque jour. Ensuite ils se promènent aux Tuileries : Baudelaire parle, Manet dessine, prend des notes pour un futur tableau. Son rêve de grande machine à épater le Salon, il tourne autour d'un sujet sur les Tuileries qu'il élabore dans ses carnets mais, comme dès l'aube, il est à nouveau sur Victorine, il oublie.

Après les Tuileries, une halte aux cafés des Italiens, il retourne rue Guyot l'après-midi, où il est sûr de retrouver son modèle. En l'attendant, elle balaie l'atelier comme si elle tenait sa maison. Comme si c'était chez elle. Elle l'accueille à demi nue, elle l'enlace, elle l'entraîne sur le canapé, il n'est autorisé à la peindre qu'après l'avoir « fait heureuse », comme elle dit. Elle n'a aucun mal à le convaincre qu'il peint mieux après le plaisir. Quand elle ne pose pas, elle se rend indispensable, le seconde idéalement, prépare la toile, nettoie brosses et pinceaux, elle est l'ordre dans l'atelier. Elle peut aussi poser vêtue en homme ou en dame chic… Elle a un talent certain pour le transformisme. Elle pose en garçon, en jouant de la guitare, chaque nouvelle tenue inspire un tableau à Manet, il en commence mille, n'a pas le temps de tous les achever. Il joue avec elle qui prend si bien la lumière, elle joue avec lui qui prend si bien ses baisers, mais ne se joue pas de lui. C'est lui qu'elle attendait, dit-elle, il décide de la prendre au mot. Elle a toutes les qualités du parfait modèle, à ce titre lui aussi l'attendait. Naturelle en diable, elle se plie de bonne grâce à ses caprices qui flattent ses ambitions de comédienne, pour l'heure à l'état de rêve. Pourvue d'une solide patience, elle pose avec une compréhension innée, voire anticipée, des besoins de son artiste.

Des amis de ses parents lui commandent le portrait d'une jeune femme, madame Brunet. Elle vient poser rue Guyot, il la fait comme il la voit, sans complaisance. Il ne songe pas une seconde à l'embellir, ne met son art qu'au service de la vérité ! En se voyant finie, elle pousse un cri d'effroi et sanglote de se trouver si laide. Son époux doit l'emporter loin de ce fou de Manet qu'il ne paiera jamais. Bah, Manet, qui n'est pas si mécontent de son travail, conserve ce portrait, et l'expose même chez Charpentier. Les Brunet d'en conclure : « Pouah, ce fils Manet, dieu qu'il peint vulgaire ! » La vérité est souvent vulgaire.

Sans regret, il retourne à Victorine Meurant. Qui le passionne autant sur la toile que dans les draps. Bien sûr qu'elle est sa maîtresse, mais l'essentiel est qu'elle soit ce modèle-là, irremplaçable, unique. Qui l'inspire comme jamais.

Suzanne n'en saura rien, elle ne vient jamais à l'atelier, et Manet est l'homme le plus secret du monde. D'ailleurs, ça ne compte pas. Ce qui se passe sur la toile est tellement plus fort que toute étreinte. Si Manet ne peut résister à séduire toutes les femmes, ne serait-ce que pour le plaisir du flirt, celle-là lui est indispensable comme modèle.

Le mariage de l'empereur a relancé la mode de l'Espagne. Les cabarets, les expositions, les chapeaux, les chiffons, tout s'espagnolise. Pourquoi pas Manet ? Vélasquez le titille depuis assez longtemps. Le théâtre royal de Madrid réjouit Paris avec Flore de Séville et sa troupe andalouse.

Le chef de troupe accepte de laisser peindre ses danseurs et danseuses en costume et situation. Il y a parmi eux la fameuse Lola de Valence qui fait se pâmer le Tout-Paris. Trop nombreux pour tenir rue Guyot, Alfred Stevens un gros peintre flamand, deux fois médaillé au Salon mais qui se veut plus parisien que quiconque, propose son atelier pour les recevoir. L'artiste a un côté Gervex mais pas seulement, une large palette aussi et un grand sens de l'amitié. Pétri d'admiration pour Manet, il est trop content de lui rendre service. Il en profite pour poser son chevalet à côté et croquer ces magnifiques créatures si joyeuses qui se costument et dansent rien que pour eux. D'où leur rapidité d'exécution. On ne va pas au café ces jours-là, leurs amis les rejoignent à l'atelier où les belles Espagnoles dansent avec tout un chacun. Il y a toujours des musiciens parmi elles ! L'on boit et l'on trinque. Manet régale, Manet qui peint comme un fou pour être sec à temps. Selon les heures, le 18 rue Taitbout se transforme en annexe de l'Opéra, ou en taverne borgne, on y peint la troupe en mouvement l'après-midi et à l'heure de l'apéritif, tous, rapins, amateurs d'art, beaux garçons et surtout belles filles s'entassent chez Stevens. La troupe qui n'est pas bégueule s'y amuse bien davantage que dans les salons de l'empereur.

Après quelques semaines d'espagnolades comme on dit rigolades, Manet remporte rue Guyot huit œuvres, dont sa *Muleta*, deux portraits : un *Mariano* et une *Lola* que Baudelaire met aussitôt en rimes. Il est fou de cette inspiration hispanique, il en parle à tout le monde et commence (enfin) à louanger Manet comme le génie des temps à venir. Lequel, pour la première fois se sent défendu, sinon compris au moins apprécié. Quoiqu'il ait découvert que les goûts du poète en matière de peinture commençaient à Delacroix pour s'achever à Constantin Guy ! Oh, il est charmant Constantin Guys mais ce n'est pas un peintre, un journaliste plutôt !

Las, en dépit de leur différence d'âge Baudelaire est son meilleur ami. Et surtout le plus grand poète vivant à ses yeux. Et bientôt Manet sera le plus grand peintre, il n'en doute plus. La gloire approche. Pour eux deux.

Un après-midi d'hiver, Baudelaire fait gravir péniblement à sa Jeanne les volées de marches qui mènent à l'atelier. Elle peut à peine marcher, il la hisse presque sur le canapé. Inutile de la présenter : il suffit qu'il la nomme « mon tourment, mon délice, ma prêtresse de débauches », en la regardant, Manet reconnaît les vers de son ami. Et ses émois de jeune homme à Rio, déniaisé par les capiteuses mulâtresses, expertes en plaisirs très raffinés.

Il se rue sur la toile. Tel est le désir de son ami. Un portrait de sa maîtresse avant que la déchéance la rende irreprésentable. En une séance, Manet l'achève. Un exploit pour lui qui reprend chaque jour sa toile de zéro et demande à ses modèles la patience d'innombrables séances de pose... Baudelaire, qui reste auprès de sa Jeanne pendant la pose, contemple le résultat dont Manet est plutôt satisfait et, sans dire un mot, emmène son âme damnée loin d'ici. Il ne fait même pas mine de vouloir le tableau. Il ne lui en reparle jamais, comme s'il n'avait pas existé. Elle est bien trop vraie sur la toile. Baudelaire préfère l'idée qu'il s'est forgée d'une fausse Jeanne. Du coup, Manet conserve le tableau. Baudelaire lui racontera que lorsqu'il a mené Jeanne, alors plus en forme chez Courbet pour le même motif, à peine installée pour la pose, quelqu'un est arrivé essoufflé leur annoncer qu'on avait retrouvé Nerval pendu rue de la Vieille-Lanterne. Jeanne modèle égale mauvais souvenir !

Il n'a toujours pas fait le choix de sa machine de (guerre au) Salon. On lui conseille un nu. Ah ! Ils veulent du nu ? Il fait un clin d'œil à Victorine Meurant et l'entraîne au Louvre. Elle s'arrête devant le *Concert champêtre* de Giorgione. La petite pierreuse n'a pas mauvais goût.

« Tu vas prendre exactement cette pose-là, lui indique-t-il, retiens-la par cœur. Quoique ce Giorgione ait commis quelques fautes de construction. »

Manet fouille de-ci de-là jusqu'à tomber sur une eau-forte de Raimondi représentant *Le Jugement de Paris* de Raphaël. Il va mêler les deux pour composer son grand nu. Qui n'est donc qu'une transposition du *Jugement de Paris* de Raphaël et du *Concert champêtre* de Giorgione.

« Il y a là toutes les attitudes dont j'ai besoin pour ma partie de campagne ! »

Manet va jeter quatre personnages dans une clairière comme s'ils pique-niquaient.

« Regarde, si on va leur en donner du nu. »

Manet prévoit d'habiller ses garçons en tenue contemporaine, en revanche, puisqu'on veut du nu, on en aura, Victorine Meurant sera très très nue. Une autre jeune femme sortira de l'eau, un peu nue, dans le fond...

« Un bain ?

— Pourquoi pas, mais pas un tub, un vrai bain de

clairière, de plein air. Et je peindrai la nature toute de transparences… »

Dans sa tête, sa machine prend forme.

Les espagnolades rangées, Manet s'attaque à sa *Partie carrée* comme il nomme par dérision-provocation cette rencontre de nus en rase campagne. Dans une frénésie alimentée par Victorine encore plus nue, il se jette sur la toile où elle le provoque. Vêtue en *jeune Majo*, elle complète les espagnolades, tandis que Gustave, son frère pose en Sévillan. Elle se transforme en tout ce qu'il lui plaît d'inventer.

Infatigable, Manet peint. Baudelaire l'encense. Victorine l'aime au moins une fois par jour. Sa mère le nourrit le soir et la nuit, Suzanne l'adore et l'apaise. Entre-temps, il approfondit son art et son sens de l'amitié. Peut-on rêver plus belle jeunesse ? Il exulte et sa toile restitue son bonheur de vivre. La lumière y sourd de l'intérieur.

Quand le 25 septembre 1862, monsieur Père s'éteint sans mot dire, personne ne s'étonne, sauf Édouard, de se trouver si plein de chagrin. Dire qu'il croyait ne plus l'aimer ! Sûr de triompher au prochain Salon, quasiment dans le seul but de l'épater. L'épater, enfin ! Sa mort lui coupe l'herbe sous les pieds, il ne l'épatera plus jamais. Et il ne rachètera plus son passé de petit garçon rebelle, rétif à tous les projets de son père, par un triomphe éclatant. Il n'engloutira jamais leur passé de disputes autour du bulletin scolaire par une médaille d'honneur à l'Académie des beaux-arts. Aphasique et paralysé, son père n'a déjà pas pu le féliciter pour sa médaille de Salon ! La terreur de son enfance s'est éteinte sans avoir connu son petit-fils, ni rien su de son existence. Sa mère disait qu'il mourrait de l'apprendre. Il est mort quand même en l'ignorant.

Son héritage laisse à ses fils de quoi vivre sans avoir à gagner leur vie. Manet en profite de façon éhontée : il claque littéralement son héritage. Il aime à dépenser, la prodigalité est dans ses gènes, il adore gâter les siens, et assortir guêtres et cravates mais, à ce train ! Quatre-vingt mille francs-or en quatre ans, quand même ! Son élégance vestimentaire reflète celle de son cœur, prêche-t-il pour en justifier les frais.

Pour le restreindre madame Mère exige que Jules Dejouy, le cousin juriste se charge de la gestion de leurs biens à tous, secondé par un jeune avocat frais émoulu du barreau, qu'il amène souvent à souper, et présente comme son associé, un dénommé Léon Gambetta que Gustave adore.

Manet a remarqué l'effet que produit Victorine en peinture comme dans la vie. Ne l'aime-t-il pas aussi pour ça ? Sa *Chanteuse des rues*, l'héroïne de son *Bain*, la même *costumée en espada* brandissant une épée de corrida... Chaque fois qu'il l'a peinte, ça déclenche des tollés, une clameur qui masque les ronronnements qu'elle lui tire. Avant de paraître au Salon, son *Bain* suscite une rumeur surprenante. Victorine ne cesse de le remercier de la lancer si vite et si fort dans ce métier de modèle.

Car du jour au lendemain, ce n'est pas célèbre qu'elle devient, c'est populaire, comme ça, d'un coup de pinceau qui fait scandale. Elle en est très fière et très reconnaissante. Tous les matins, rue Guyot, elle l'accueille en retrouvant la pose de la veille avec une précision méticuleuse. Il la peint toujours. Après *Le Bain* il enchaîne avec elle, toujours nue. Si naturelle quand elle est nue, bien davantage que vêtue, où elle semble apprêtée. Édouard se remet de la mort de son père en dévoilant ses formes impures. En peignant Victorine, il se libère de ses soumissions inconscientes. Il ne peut plus arrêter. Sa sensualité touche tout ce qu'il copie, envahit, sature, l'espace de l'atelier.

Si la mort de son père le retarde, au moins présage-t-elle son mariage. Catholique, il ne peut se marier à Paris sans déclencher un scandale. Or s'il épouse la femme aimée, c'est pour lui faire plaisir, autant se marier dans son pays natal et dans sa famille, qui ne s'encombre pas des préjugés qui handicapent le bonheur de la sienne. Pas avant le délai légal qu'impose le devoir de deuil. Mais il promet à Suzanne de l'épouser avant la fin de l'année, un an après la mort de son père.

Il fait part de ses admirations pour les travaux de ses amis refusés, qui, du coup, le considèrent comme leur aîné, même Pissarro, pourtant plus âgé. L'autorité naturelle de cette figure de mode lui confère de l'ascendant sur sa bande, Whistler, Bracquemond, Jongkind, Pissarro, Stevens, Fantin-Latour, Renoir, Monet, Degas... dont il sait si intelligemment analyser le travail.

Devant ce qu'il admire, Manet ne peut s'empêcher de claquer la langue, sorte de tic, ou de réflexe. Que ce soit devant la mer ou face au corps offert de Victorine, sa langue claque d'abord comme si la beauté le débordait. Ou l'admiration. Après il trouve des mots pour le dire et surtout des couleurs. Devant les travaux de ses amis, il sait toujours discerner le profond du futile, le novateur de l'habileté.

Maintenant que monsieur Père n'est plus, la question de sa liberté se repose pleine et entière. Savoir qu'il ne l'épatera plus, même s'il s'en veut, lui ôte un poids. Il peut se surprendre lui-même, sans crainte de son jugement. Du coup, quelle œuvre pour affronter le prochain Salon ? Victorine lui déclenche toujours des pulsions picturales irrépressibles et d'autres… Allez, c'est décidé, il va achever sa *Partie carrée*. Il débauche Gustave et Ferdinand, le petit frère de Suzanne devenu grand, les habille de ses propres vêtements, pour qu'ils figurent des élégants en goguette. Victorine occupe le premier plan, à côté des restes du pique-nique et de ses frusques éparpillées. Nue, elle toise Manet, donc le public, droit dans les yeux. Sans ciller. Dans la lumière au fond de la clairière, verte et bleue comme le printemps, une autre femme moins déshabillée cherche à se baigner. Ou sort de l'eau.

Zut, il les a installés sur un trop petit format !

Dans l'urgence, il le reporte en plus grand, beaucoup plus grand ; 2,14 × 2,10 m ! Il n'a jamais travaillé d'aussi grandes surfaces, il a peur, et il adore ça. Il ne sera jamais prêt pour le Salon. La vraie innovation c'est de faire grandeur nature des gens ordinaires, contemporains. Jusqu'ici on réservait ce format aux tableaux d'histoire religieux ou mythologiques. Pour paraître grandeur nature il faut au moins être romain.

Dès qu'ils sont seuls, Victorine évolue nue dans l'atelier et fait naître chez lui toutes les audaces.

Elle l'aide à se dépasser, l'incite à se débarrasser des procédés anciens, des peintures léchées jusqu'à la guimauve, des modèles artificiels et du fatras d'anecdotes qui encombrent les toiles du Salon, au point de peindre quatre personnages qui n'ont strictement rien à se dire. Ils sont là parce qu'ils y sont, simples prétextes à peindre, point. Purs supports de couleurs, ils ne communiquent ni entre eux ni avec le spectateur. Ils font accéder au terrible silence de la création, à la grande solitude de la nature.

Ce n'est que de la peinture ? Eh oui, mais toute la peinture, sans effets ni histoire à raconter, sans flaflas ni chichis. Peinture de la vérité ? Peinture en vérité. Trop simple pour être honnête.

Avant Victorine, il a surtout peint des portraits, si on excepte ses copies, et à part *La Pêche*, sa demande en mariage, et ses tableaux de groupe. Son *Vieux Musicien*, et l'autre, qu'il est en train d'achever : *La Musique aux Tuileries*. Sans renoncer à Victorine, il doit l'avancer. Comme toujours, la toile est truffée de citations, pétrie de gratitude, Manet n'oublie jamais de payer ses dettes aux anciens, même si la modernité de son traitement empêche de s'en rendre compte. Mais, entre artistes, ça fait clin d'œil.

Encore la *Musique* ? Et oui, il n'est pas amoureux d'une pianiste par hasard. Comment mieux dire le rôle de la musique dans sa vie. Son *Vieux Musicien*, autre tableau choral, s'apitoyait sur les nouveaux sans-logis, alors que *La Musique aux Tuileries* évolue dans le grand monde, dans le jardin de l'empereur.

Cette toile est emplie de personnages notoires, dans ce paysage choisi, parce qu'il compte sur un succès mondain : ces personnes fixées sur la toile ne sont rien moins qu'anonymes. On y reconnaît Manet et son frère Eugène, Fantin et l'ami Balleroy, l'ancien compagnon d'atelier, à ses côtés Théophile Gautier, au faîte de sa carrière, Champfleury, journaliste à ses heures que Manet aime bien. Ça peut servir... Pour les mêmes raisons, un autre journaliste, Aurélien Scholl, qui sévit au *Figaro* ; Zacharie Astruc, critique, poète, peintre et délicieux ami, presque son jumeau ; le baron Taylor, spécialiste de peinture espagnole que tous prisent plus que tout. Jacques Offenbach qui commence à percer : en 1858 son *Orphée* a fait scandale. Assise devant lui, sa femme qu'il ne quitte jamais. Près de son époux, madame Lejosne, la tante de Bazille. Puis de profil, Baudelaire, son meilleur ami.

Le cadre de cette réunion mondaine est le jardin de l'empereur où se régale sa cour. S'y déroule une vie luxueuse, des concerts ont lieu dans le parc deux fois la semaine, on y a disposé plusieurs kiosques pour abriter les instruments, les élégants y paradent, Manet y plante son chevalet un grand nombre d'heures au début de ces après-midi de printemps. Le résultat lui semble assez détonnant pour faire pendant au *Bain*.

Peut-être Baudelaire le soutiendra-t-il enfin puisqu'il l'a vu peindre ? Le soupçon n'effleure pas Manet que, comme la gentille petite madame Brunet hurlant de se trouver si laide sur sa toile, le poète égocentrique ne s'aime pas en peinture. Trop caricatural. Quand Delacroix, son premier dieu, s'inspirait des anciens, Baudelaire s'insurgeait, sans comprendre. Persuadé que citer les anciens c'est plagier. En poésie, peut-être pas en peinture, tente de lui expliquer Manet en vain. Le passé, ça s'exploite, dit Manet. Tandis que, faute de pouvoir l'oublier, Baudelaire ne rêve que de le mépriser, ce passé qui s'attache à ses basques comme l'odeur du malheur.

Qu'en dit Martinet, le seul « marchand » qui l'expose régulièrement et dont Manet apprécie le jugement ? Il aime tellement sa *Musique* qu'il la met en vitrine illico. Las, il ne s'écoule pas deux heures qu'un visiteur menace de s'en prendre violemment *à la chose* si on ne la fait pas disparaître !

Étrange cette violence ! D'abord Martinet n'en tient pas compte, un mauvais coucheur, rien de plus. Il y a des fous partout.

Manet sait bien que sa *Musique* est chargée d'une certaine dose de provocation, issue de sa facture plus que de son sujet, après tout banal quoique contemporain.

Mais comment s'attendre à l'indignation qui l'accueille en mars 63 ? Ça ne s'est jamais produit. Les jours suivants, sa seule présence en vitrine déclenche une mêlée qui aurait tourné à l'émeute si Martinet ne l'avait retirée en vitesse, pour l'exposer plus haut, plus loin et surtout au fond de la galerie. Agressive, dit-on de sa toile, que l'artiste croyait simplement moderne.

« Plus vulgaire que Courbet qui, au moins, peint le peuple », dit-on aussi, ce qui le blesse plus que tout parce que vraiment, Courbet… il a du mal.

De chez Martinet, l'on ressort convaincu que ce peintre-là cherche le scandale. Manet, le scandale ? Lui qui ne rêve que d'honneurs, de considération et d'être enfin reconnu comme un peintre dans le lignage de ceux qu'il aime, Vélasquez par exemple.

Sa consternation est compensée par le regard de ses pairs : eux savent déchiffrer son travail et lui dire leur admiration. À cette heure de l'année, tous ont déposé leurs trois œuvres au Salon. Tous sont dans l'expectative. Comme les autres, Manet guette la moindre rumeur sur les délibérations !

Même s'il a été très surpris par les réactions du public trié sur le volet de la galerie de Martinet, il ne s'en soucie plus, obsédés qu'ils sont tous des résultats de leur envoi.

Aussi quand sa *Musique* revient à l'atelier, Manet la reprend, la regarde, et… oui, malgré les hourvaris qu'elle a déclenchés, il en est content. Qu'en pense Baudelaire, lui qui fait toujours des réserves sur ses travaux, qu'il ne juge jamais assez modernes, c'est son mot ? Ça exaspère, Manet, de paraître moins moderne que ce Constantin Guys dont le poète s'est entiché, charmant certes, gentil mais si mièvre, et pas novateur pour deux sous. Alors, sa *Musique* ? On ne peut pas dire qu'elle est antiquisante, ni classique comme ces petits marquis à la mode, ces Bouguereau, Meissonnier, Cabanel… ?

« Ta *Musique* fait-elle naître un nouveau mythe ? »

Un critique lui a reproché de traiter ses amis comme de nouveaux dieux ! Donc il a peint une œuvre mythologique à sa façon ? Parisienne façon. Il a dégagé de la mode sa poésie, et tiré l'éternel du transitoire. Ne touche-t-il pas au but convoité ? Non, hélas, seulement au scandale. Ça, il ne l'envisage jamais. Ne songeant qu'à rendre sa vérité à la couleur et à la lumière. Et dans la *Musique*, il se sent proche du but.

Baudelaire n'est hélas plus en état de s'en rendre compte, il va mal, très mal. Il n'est plus jamais à jeun, il a encore rompu avec Jeanne, pour plaire à sa mère qui a quand même refusé de le recevoir, il ne sait plus à quel saint se vouer. Le jeune Manet a beau le nourrir plus souvent qu'à son tour, c'est insuffisant. Pour l'alimenter, il lui faut des mets plus épicés. Il porte son enfer sur lui. Pour le fuir, il doit partir !

« Plonger au fond du gouffre, enfer ou ciel qu'importe au fond de l'inconnu pour trouver du nouveau. » Il en menace ses amis sans trêve mais sans destination non plus.

S'il soutient Manet, c'est à sa façon, intermittente, mitigée. Et en espérant qu'il plonge avec lui.

Chapitre VI

1863

LA BOMBE !

Vaincu mais non dompté, exilé mais vivant...

PAUL VERLAINE

Refusé ! Au Salon de 1863, Manet est refusé. Pas un seul de ses tableaux n'est accepté ! Après avoir tant travaillé, tant rêvé d'entrer là en conquérant, deux ans après son premier Salon, sa première mention, celui-là devait le consacrer. Refusé ! Impossible ! Tout s'effondre.

Refusé ! Mais pas tout seul ! Ils sont un si grand nombre à l'être que ça devrait le rassurer. Mais non, ça ne le rassure pas. La claque est trop violente, elle l'atteint au-delà de son orgueil, de sa vanité, de ses ambitions, elle l'atteint là où il s'est cru une patrie, un pays, une légitimité.

Ils sont si nombreux, si furieux qu'une gigantesque colère se met à enfler, à faire tant de bruit qu'elle parvient au sommet de l'État. Le jour où sont signifiés ces refus, une pétition se couvre de signatures à la vitesse d'une charge de cavalerie. La grogne des rapins atteint Napoléon III ! Du jamais-vu ! Ces individualistes patentés, incapables de s'organiser, ont réussi à alerter l'empereur en personne, jusqu'à l'obliger à se pencher sur leur sort. La piétaille, la lie des artistes, gronde si fort que tout l'édifice académique en est ébranlé. Le Salon n'a lieu que tous les deux ans, son règlement a réduit à trois le nombre d'œuvres que chacun peut soumettre au jury, il est administré par des fonctionnaires-artistes pour lesquels les postulants, acceptés ou refusés, éprouvent moins que de l'estime, et le nombre des élus décroît tous les deux ans... Alors là, ce brillant jury est allé trop loin ! Sur les trois mille artistes qui ont présenté plus de 5 000 œuvres, le jury n'en a retenu que deux mille ! Par comparaison, au précédent Salon, douze cent quatre-vingt-dix-neuf peintres ont été accueillis. Cette année, neuf cent quatre-vingt-huit. On peut conclure à une vengeance personnelle des jurés envers les artistes qui ont osé prendre des initiatives hors l'art officiel, comme exposer chez Martinet ou chez Cadart. Aucun aquafortiste n'a été accepté. Même Bracquemond avec son *Érasme d'après Holbein*, pourtant on ne peut plus classique. Parmi les Refusés, on trouve des Harpignies, des Jongkind..., artistes qui ont déjà eu les honneurs du Salon, artistes que Manet juge classiques, voire supérieurs à ceux qui les ont évincés. Au mieux, une seule de leurs œuvres a été acceptée, les autres rejetées. Seul Stevens a été accepté mais pour ses mignardises. Manet se retrouve dans le même tas de fumier que les meilleurs. Le jury ne protège pas l'art en soi mais sa coterie. Sa sélection doit refléter cette bourgeoisie triomphale qui exige en outre de se retrouver, en plus brillant si possible, dans les œuvres exposées.

Le Salon est incapable de considérer les amis de Manet tels Bazille, Renoir, Monet, Cézanne comme des leurs, alors qu'il commence à les croire effectivement de sa famille. Dans les cafés où ils se réunissent, la fronde s'organise. Bruyamment. Une houle inonde bientôt les allées du pouvoir, le plus immense scandale dont aucun peintre n'a jamais osé rêver.

Parmi les plus calmes des furieux, Manet et Gustave Doré sont cooptés par leurs pairs pour porter leur plainte à l'administration française en délégation. Ils remettent solennellement leur pétition au comte Walewski, ministre des Beaux-Arts, « qui les reçoit avec la plus grande affabilité » comme le rapportent les gazettes, c'est bien le moins. Il se contente de les écouter avant de les éconduire.

Walewski est convoqué avec le comte de Nieuwerkerke, directeur général des Musées, par l'empereur pour l'informer des doléances de ces enragés. Ils défendent leur point de vue. Où irait-on si l'on exposait tout le monde ?

Quoique peu amateur d'art, mais assez fin politique, Napoléon III entrevoit le parti à tirer de cette fronde artistique. À cet instant de son règne, il se pique de libéralisme, or rien n'est plus inoffensif que le libéralisme artistique.

Comprenant que les artistes ne se résigneront pas à perdre deux ans de travail, accompagné de son aide de camp, il parcourt au pas de charge le palais de l'Industrie où s'entassent refusées et acceptées. Distraitement, en passant, il retourne quelques toiles. Rien qui diffère des acceptées régulièrement exposées, rien qui le change de ce qu'il a l'habitude de voir. Elles se valent toutes, non ?

Oui. Aussi fait-il annoncer qu'une exposition des « non-admis » ouvrira à côté de l'Officielle. Pour accabler le jury, il sauve la mise des Refusés. En dépit des protestations des jurés qui fulminent de stupeur et d'indignation, il ne cède que sur la date. Son *Salon des Vaincus* – comme on le nomme méchamment, ou à voix plus basse *Salon de l'empereur* – n'ouvrira pas le même jour, mais le même mois. Les conditions d'exposition seront les mêmes qu'à côté. Ainsi le public jugera.

En repêchant leurs rebuts, l'empereur fait la nique à l'Institut chargé du Salon qui représente un foyer d'opposition à son règne.

Ils ont gagné ! La liesse qui s'empare des ateliers est indescriptible. On rit, on pleure, on s'embrasse… Certains s'alarment : exposer en tant que « refusé » n'est-ce pas encourir les foudres d'un jury bafoué, prêter au public des verges pour se faire fouetter ? Mais y renoncer, c'est donner raison à ceux qui les ont éliminés, qui ont jugé leurs œuvres trop faibles ? Une note paraît dans la *Gazette* autorisant « les artistes ne désirant pas y figurer à récupérer leurs œuvres entreposées au palais de l'Industrie avant le 7 mai, passé ce délai, les objets non retirés seront exposés ». Les officiels les y incitent « afin de n'être pas noyés dans le flot des nullités ». Quelques dizaines, non, quelques centaines s'y faufilent à des heures tardives ou très matinales afin de reprendre leurs œuvres en catimini. Histoire de ne pas entacher leur avenir et n'être pas confondus avec les brebis galeuses, ces « indépendants ». Manet rit de leur dérobade, persuadé qu'il vaut toujours mieux se montrer, s'exposer, en appeler au public là où il se déplace.

Sur deux mille huit cents Refusés, mille deux cents

se risquent à braver les Académiques offensés. Nonobstant les mauvais bruits qui circulent depuis qu'il s'est montré chez Charpentier, Manet croit toujours en sa bonne étoile, et dans le jugement du plus grand nombre. Il ne doute pas de son travail. C'est trop injuste d'être chassé du Salon, il faut se venger, et là, ils y sont presque.

Lors de l'accrochage, prérogative laissée aux Officiels, ils ont placé les pires croûtes aux meilleures places et inversement. On l'appelle d'ailleurs à l'avance le *Salon des croûtes*. N'empêche qu'on ne parle que de lui et que l'Officiel en pâtit ; l'événement mondain de la saison ne fait même pas le plein, on se réserve pour l'autre.

Le 15 mai, les Indépendants sont enfin visibles. Tandis que le livret représentant leurs œuvres est victime d'une série de sabotages d'une administration qui ne décolère pas. Elle refuse d'abord d'établir le catalogue de ce qu'elle appelle des *déchets*, ensuite quand un mécène en assume les frais, elle fournit une liste incomplète. Oh, par mégarde, évidemment, un simple oubli, un papier égaré. On n'annonce donc que six cent quatre-vingt-trois œuvres.

L'en-tête du catalogue annonce : « Salon annexe des ouvrages refusés par le jury de 1863 et exposés par décision de Sa Majesté l'Empereur, palais des Champs-Élysées » afin qu'on ne s'y trompe pas. Tiens donc, pourquoi ? La confusion serait permise ? Et un huissier en interdit la vente au sein du vrai Salon. Selon la volonté de l'empereur, les deux Salons se tiennent à la même adresse, ne sont séparés que par un tourniquet.

Sept mille visiteurs le premier jour aux non-admis ! C'est la ruée, le brouhaha, l'attroupement.

Jusqu'ici la peinture n'attirait que des amateurs, lettrés ou gens du monde, qui y comparaient hauts-de-forme et tailles de guêpe. Aux Refusés, le tout-venant se précipite, n'ayant parfois jamais vu de peinture, n'y connaissant rien, aussi, tout de suite c'est la curée. Dès le seuil, on est saisi par un boucan formidable, des hurlements, des rires de colère, des exclamations scandalisées se renouvellent et se succèdent tous les cinq mètres. Devant tant d'horreurs chacun y va de son cri d'orfraie. On ne parle pas d'art, on se tient les côtes. Le cruel instinct des foules ne s'y trompe pas qui donne libre cours à sa haine convulsive, hystérique, déchaînée. Comme elles sont accrochées à touche-touche, il y en a pour tout le monde. Au Salon des parias, on vient pour haïr, rire de haine. Quelle joie de s'effaroucher en chœur ! Quel bonheur de communier dans l'exécration et l'outrage ! Quelle incroyable foire d'empoigne que ces premières journées aux Refusés.

Les œuvres des artistes indépendants font un tel scandale qu'ils en sont les premiers étonnés. Comment, depuis le silence de l'atelier, auraient-ils pu envisager que leurs malheureux coups de pinceau, leurs difficiles élaborations de paysages ou de visages, attireraient un jour tant de haine et/ou d'hilarité ? Impensable la veille, ces cris d'épouvante, ces hordes mauvaises de populace choquée ou horrifiée qui envahissent le Salon des Refusés, en font un événement sans précédent. Aucun artiste ne pouvait l'anticiper : on n'a réellement jamais vu ça.

Toute la classe dominante rejette en bloc les œuvres de ses enfants... Une haine qui va jusqu'à armer le bras des plus hargneux, et menacer les œuvres de déprédation. Les organisateurs sont contraints de revoir leur accrochage pour mettre à l'abri, plus en hauteur, hors d'atteinte de possibles saccages, les œuvres les plus controversées. Dire que les malheureux Whistler, Cézanne, Manet, Pissarro, Guillaumin, Fantin ont rêvé que le public leur rendrait justice en les voyant ! Quelle erreur ! C'est le contraire qui se produit. Une rage jusque-là inconnue s'empare des spectateurs. Plus que quiconque, Manet et Whistler déclenchent les pires chahuts. *La Jeune Fille en blanc* de Whistler provoque des gorges chaudes, paradoxalement davantage pour son titre que sa facture ! Cézanne voit les gens se pousser du coude et se tordre de rire en déchiffrant son titre. Mais plus que personne, Manet fait les frais du scandale, et plus que tout, son *Bain* est l'objet d'une concentration de huées. Présenté comme le clou, le pire des Refusés, seul tableau à voir pour participer au plus grand fou rire du monde. *Aller aux Refusés* est l'attraction comique de l'heure.

Bien sûr, la critique marche devant, ou selon sa complaisance au qu'en-dira-t-on, emboîte le pas des rieurs. Pour l'essentiel, elle est à l'origine de la cabale incitant le public à haïr sans retenue ni prendre la peine de regarder. Il se fait ici grande concurrence de crachats. Histoire de n'être pas en reste, le public populaire imite les élites jusqu'à l'outrance, voire l'outrage. En matière de peinture, les goûts sont tranchés comme des guillotines, et assassinent aussi sûrement.

Ce qui se passe à l'occasion de ce Salon est réellement invraisemblable, inédit. Cette exhibition des Refusés fait l'effet d'une bombe. D'ailleurs, c'en est une.

Comme sous l'effet d'une vraie bombe, tous en ressentent le choc. Puis tout ce bruit, cette exaltation à haïr se concentrent, se focalisent sur un seul peintre, un seul tableau : ce fameux nu de Manet appelé officiellement *Le Bain*. Ses amis se souviennent qu'il l'appelait sa *Partie carrée* tandis qu'il le peignait, mais c'était pour rire. Là, on ne rit plus. Cristallisant la haine générale, *Le Bain* fait hurler une France qui ne s'est jamais intéressée à la peinture.

Un Révolutionnaire est né.

Le voilà célèbre du jour au lendemain !

Du fond de la dernière salle des Refusés, *Le Bain* déclenche le plus extraordinaire tumulte jamais suscité par une œuvre d'art. Dire qu'il y voyait une machine à médaille ! Dès l'ouverture, cette œuvre ameute les foules, et son auteur suscite toutes les haines, toute l'incompréhension venimeuse du public.

Il est pourtant encadré par deux *Fantaisies espagnoles* bien dans l'air du temps, mais l'air est vicié par son *Bain* qui déteint sur tout alentour, et détourne l'attention qu'on devrait porter à son *Jeune Homme en costume de Majo* et sa *Demoiselle V en costume d'espada*. Il y a pourtant osé des travestissements des plus culottés, sans jeu de mots. Mais c'est son *Bain* qui choque le monde.

Est-ce dû au thème ? Une femme nue au milieu de deux hommes vêtus ! Si encore Victorine ne toisait pas le public droit dans les yeux. Ou si elle portait le péplum, ou des cothurnes ! Les musées sont pleins d'œuvres similaires à commencer par celles de Raphaël, Giorgione ou Titien qui l'ont inspirée. Alors serait-ce la faute à sa manière de peindre ? La mode veut des fonds baignant dans un jus noirâtre, buvant toute la lumière, et Manet a osé un fond clair. Cela suffit-il à justifier pareil scandale ? Cela vient-il du côté un peu esquissé, de la fraîcheur, de la vivacité des couleurs qui tranchent sur le bitumeux qui s'étale aujourd'hui partout ? Ou est-ce d'avoir résolument rompu avec l'anecdote, renoncé aux détails sentimentaux ? Pourtant entre ses deux fantaisies espagnoles, *Le Bain* paraît de facture classique. Les trois autres personnages tombés de chez Raphaël et Giorgione ne manquent que d'être vêtus à l'ancienne, ne choquent-ils que de porter les mêmes vêtements que le public qui, du coup, s'époumone de rire en les voyant. Qu'a donc de si drôle l'accoutrement d'aujourd'hui ?

Le plus scandaleux : sa femme nue est vraiment nue. Et elle vient juste d'ôter ses vêtements, on les voit éparpillés dans l'herbe à côté d'elle avec les restes du déjeuner. *Le Concert* de Giorgione ne montre pas autre chose, mais c'est Giorgione (en réalité, Titien). En tout cas, le « Titien » de Manet est bâclé. Voilà, le mot est lâché : bâclé ! On va le reprendre *ad nauseam*. Manet n'a pas fini son travail, pareil aspect esquissé ne peut être intentionnel, ou ce peintre-là est par trop désinvolte. Ni fait ni à faire ! Il faut châtier ce j'-m'en-foutiste. Le vrai scandale est là.

Si la populace crie à l'indécence à la vue d'une femme nue entourée d'étudiants en goguette, les connaisseurs savent que le scandale vient de sa façon de peindre. Impardonnable. La question du sujet est importante mais ce qui reste déterminant, c'est sa facture. Manet ne peut imaginer que ce n'est pas ce qu'il peint, mais ce que ça provoque, qui le rend célèbre comme jamais peintre avant lui ? Il n'a pas mesuré la puissance exorbitante de l'effet. Ne donne-t-il pas à penser que la scène n'a pas jailli d'une imagination surchauffée mais qu'elle a été vue, vécue, en vrai telle qu'elle est donnée à voir ? Le peintre a donc assisté au déshabillage de son modèle ! Il exhibe donc ses propres mœurs ! Autant dire ses turpitudes. Comme Courbet, grand faiseur de nus en pleine nature, Manet veut se mesurer à ses contemporains plus qu'aux gloires académiques d'à côté.

L'empereur, que ses goûts n'honorent pas, achète le clou du Salon, la grosse machine de Cabanel, un derrière blanc lisse et sucré qu'il ose nommer *Naissance de Vénus*, dont tout l'éros s'est évaporé au profit d'un dégueulis de crème pas fraîche.

Mais ce n'est pas ce qu'on retient. Pour l'heure, c'est son souffle qu'on retient. Jamais aucun tableau, aucun peintre n'a déclenché pareille polémique, si on peut appeler polémique un grabuge de ce calibre, une si unanime condamnation à mort. De la haine à l'état brut. Et personne pour défendre l'accusé. Fors les siens, ses amis ou des qui le deviennent d'avoir pris le risque inouï de ne pas crier à mort avec la foule. Et la déflagration ne fait que commencer. Tous ces Nadar, Bazille, Pissarro, Monet, de Nittis, Renoir, Degas, Fantin font corps autour de lui, d'autant plus soudés qu'ils ont subi le même refus et les mêmes crachats, ils sont tous unis sous l'oriflamme du *Bain*, autour de Manet comme si c'était leur chef. Mais alors le plus haï des chefs de tous les temps. Quel fameux titre de gloire !

Ce que Manet ne peut mesurer, et pour cause, rien n'est plus inattendu, c'est que désormais on le reconnaît dans la rue, on le montre du doigt au café, à l'Opéra, chacun renifle l'odeur de scandale qu'il traîne après lui. *Le Bain* le rend célèbre en dépit qu'il en ait. Ses œuvres ne se voient plus qu'à travers ce prisme, ô combien aveuglant.

Jusque-là, il était peu ou prou classé malgré lui chez les réalistes à la Courbet, *Le Bain* oblige à inventer une nouvelle catégorie. Manet prend effectivement la tête d'un mouvement regroupant ses amis sous le nom de *naturalistes*, ou *modernes*. À côté, Courbet fait bien moins révolutionnaire. Le subversif, désormais c'est Manet. À son corps défendant, cet élégant bourgeois fait dorénavant plus peur que le gros rouleur de mécaniques anarchiste.

Dire qu'il rêvait que le public connaisse son nom ! Maintenant qu'il est sur toutes les lèvres, il vit un cauchemar. Être connu, dans ces infamantes conditions, non. Voir son nom craché comme une insulte, sincèrement, non. Plus célèbre que s'il avait décroché toutes les médailles d'un coup, il est hué partout.

En prime, ceux qui le conspuent le décrivent comme un charretier, un rustre, un ignare… Manet ne comprend pas, il appelle ses amis au secours, qu'on lui dise où il a péché. Mais eux, à l'inverse, sont enchantés par ce tohu-bohu, ils rêvent que cette onde leur parvienne, certes atténuée, mais les atteigne tous. Ignorant son état d'angoisse, ses amis le fêtent. Proust, le plus ancien d'entre eux, pour qui il n'a pas de secrets, organise un dîner-banquet chez Dinochau avec les anciens de l'atelier Couture, fiers du bruit que fait l'un des leurs. Là où Manet cherche une explication au scandale qu'il sème sous ses pas, ses amis l'en félicitent, s'en gargarisent. Il apprend que l'empereur et sa femme, passant devant son *Bain*, ont laissé tomber l'infamante épithète : « Indécente ! » Et allez, une tournée pour l'indécence ! Et une autre pour l'inculture considérable de ceux qui nous gouvernent. L'indécence, c'est la laideur, la bêtise.

Quand il y pense, ses petites ambitions de médailles au Salon ou son envie de Légion d'honneur semblent grotesques en regard de ce que déclenchent ses œuvres. Il ne comprend pas où se situe le divorce, ce fossé entre ses aspirations à une simple et honnête reconnaissance, et la tempête d'invectives, de sarcasmes et de haine qui l'accueille.

Le commandant Lejosne, grand amateur d'art, lui fait l'honneur de lui dédier une de ses soirées artistiques. Manet lui offre la première version du *Bain*, trop petite pour le Salon. On y retrouve en concentré le côté décisif, tranché, sobre et énergique de la toile à scandale. Tous ses amis défilent devant pour l'honorer et s'inclinent, se découvrent même. Ça n'explique toujours pas ce qui a pu se passer à l'ouverture des Refusés, quand le premier spectateur s'est mis à hurler au scandale en se tenant les côtes.

Manet est convaincu d'être victime d'un terrible malentendu. On l'a mal vu, mal compris, il va dissiper cette erreur demain, bientôt, tout de suite.

On dit son *Bain* indécent, mais Raphaël, Titien, Giorgione, ses modèles ?

L'amitié toujours le réconforte, il reprend les pinceaux. L'amour aussi, Victorine est là. Son nu n'a pas plu ? Très bien. Il va faire pire. Un nu sans homme, même vêtu. Un nu pour un nu, un nu tout seul. En gros plan. Il peint par pur plaisir visuel. Quand on pense au succès de Cabanel avec sa dégoûtante *Naissance de Vénus* bien plus impudique, pas difficile de faire mieux !

Heureusement, les Espagnols sont de retour. Reprennent de plus belle leurs parties de danses, chants et beuveries, ponctuées d'espagnolades peintes. Chez Stevens, *un combat de Torero* se déroule. Une *cuadrilla de toreros* pose pour les deux amis. Ils s'entraident, ils s'entraînent, côte à côte. Stevens brosse sa future « machine à médaille », lui qui les collectionne.

Le temps presse, la fatigue, l'épuisement le rattrapent, la tristesse s'en mêle, l'une alimentant l'autre. Son fond de neurasthénie est toujours tapi là, prêt à tout envahir. L'été s'avance, n'est-il pas temps de s'évader de Paris ? Manet n'est pas loin de craquer après ce concours de haine. Interdit de s'effondrer, il a tenu, tenu, tenu, il ne tient plus. Il doit impérativement partir se reposer, ordonne le docteur Siredey, l'ancien comparse de la petite école de Vaugirard, devenu médecin et demeurant aujourd'hui place de Clichy.

Comment le consoler de sa peine, de son dépit, de ses vexations en chaîne ? Comment se remettre de pareille aventure ? Peut-il quitter Paris sans avoir l'air de fuir ?

Suzanne, sa mère, Léon et Eugène l'entraînent à Gennevilliers où Jules Dejouy, le cousin, achève d'administrer la succession. Ensemble, ils s'entendent pour le consoler sinon le distraire. À l'unisson, quand Édouard se sent frappé d'infamie par toute une profession, tout un public, son pays quoi.

« Oui, mais tu es jeune, trente et un ans, tu n'as pas dit ton dernier mot », rivalisent Suzanne et Eugénie. Ses deux femmes parlent d'une même voix, elles communient visiblement dans l'amour qu'elles portent à leur Édouard, piétiné, à terre.

« Après l'échec du *Buveur d'absinthe*, tu as eu ta médaille pour le *Guitarrero !* »

On n'évoque jamais, en famille, le fameux *Portrait de ses parents*.

« D'ailleurs la presse annonce que l'empereur, non content de ne pas reconnaître que ses Refusés ont été un échec, va changer les règles du jeu du Salon. Tout n'est donc pas perdu », annonce Gustave qui, comme son père, après son droit s'est jeté dans la chose publique.

« À nouveau le Salon sera annuel. Le comte Walewski n'est plus ministre des Beaux-Arts, on l'expédie dans une surintendance inoffensive. L'empereur ôte à l'Institut son privilège. Les conditions d'admission et la composition du prochain jury feront l'objet d'un nouveau règlement, confirme Eugène.

À partir de l'an prochain, les médaillés éliront eux-mêmes les trois quarts du jury. Le choix du tiers restant à l'administration. Plus incroyable : le Salon des non-admis sera maintenu. »

Après cette annonce, les rapins se ruent devant l'Institut en agitant une immense croix noire : « *Ci-gît le jury de l'Institut* ». Ils chantent et dansent autour de marionnettes de carnaval. Leur joie est belle et belles leurs farandoles autour d'une potence d'où pend un mannequin en habit vert ! Manet n'y est pas, toujours au repos sur les bords de Seine.

Quand le 13 août, à 7 heures du matin, place Fürstenberg, s'éteint Eugène Delacroix, Manet rentre de Gennevilliers pour suivre son enterrement et épauler l'ami Baudelaire effondré. Le 17, lors des funérailles,

Fantin décide de faire un « tableau d'hommage au plus grand d'entre nous ».

« Dommage qu'on ne lui a pas dit de son vivant, grommelle Baudelaire. Savez-vous qu'il n'a jamais eu de prix ou de médaille. Alors cessez de vous désoler. »

Ceci à l'adresse de Manet.

« Une époque se termine, conclut Fantin...

— Une autre commence », claironne Manet en grimpant, allègre, vers les hauteurs du Père-Lachaise. Comment oublier l'article de Delacroix ? Il le sait par cœur : « Parmi les Refusés les neuf dixièmes l'ont été simplement parce qu'ils sont ridicules... Une demi-douzaine rappelle la fougue d'autrefois. Ce sont avant tout les trois toiles de Manet ! Monsieur Manet a les qualités qu'il faut pour être refusé à l'unanimité par tous les jurys du monde. Son coloris aigre entre dans les yeux comme une scie d'acier, ses personnages se découpent à l'emporte-pièce avec une crudité qu'aucun compromis n'adoucit. Il a toute l'âpreté de ces fruits verts qui ne doivent jamais mûrir. »

Ému, Manet a le cœur gonflé de gratitude envers le seul artiste qui a osé voter pour son *Buveur d'absinthe*. Ils sont si peu à l'accompagner en terre ! C'est en redescendant vers Paris après sa pompeuse et sinistre mise au tombeau qu'ils partagent un fou rire nerveux en voyant les croque-morts courir comme des fous après la famille endeuillée, agitant dans l'air, tels des marchands d'habits, le costume d'académicien dont ils avaient affublé l'artiste pour la cérémonie. Ils avaient oublié de le rendre. Des fois que ça puisse resservir ! Rires mais honte aussi. Manet explose, vanités et bassesses, Baudelaire crie à l'indignité. Si peu de monde pour suivre ce grand mort. Fantin promet une revanche. Il va faire son plus beau tableau en son honneur. *Au plus vivant d'entre nous*.

Autour d'un autoportrait de Delacroix, il installe ses amis. Manet, Whistler, Bracquemond, Legros, Cordier et Balleroy pour les peintres, Baudelaire, Champfleury, Duranty, côté écrivains.

Puisqu'il est rentré à Paris, Manet reprend son nu. Mais rue Guyot, Victorine a disparu. Joseph Gall, le voisin qui en son absence nourrit sa famille de chats, ignore où elle est passée. Comme un fou, Manet écume les bouges. Personne ne l'a vue. Il a besoin d'elle, de la peindre.

Il veut peindre Victorine sur le modèle et la structure de la *Vénus d'Urbino* de Titien, copiée jadis aux Offices. Le chien dormant à ses pieds sera son chat, et une belle servante noire lui portera des fleurs ! Il n'a rien oublié du sort des esclaves au Brésil, il lui donnera le plus beau de ses noirs. Et les fleurs sèmeront toute la couleur dont il a besoin pour éclairer sa toile. Passe aussi sur sa rétine le souvenir de la *Maya desnuda* de Goya. Quand elle reviendra, il peindra Victorine entre l'ambre clair et l'opaline sur un fond sombre. Il attaque le fond en rongeant son frein. Ça démarre au quart de tour. Il ne manque que la dame pour occuper le centre du tableau mais le reste vient si bien qu'il ne doute pas que le jour où Victorine réapparaîtra, elle s'y glissera comme le Jésus dans la crèche. Il avance vite, pressé, impétueux, le pinceau sûr va où il doit. Manet se laisse mener par son désir et une sorte de fièvre qui ne le quitte que lorsque Victorine pousse la porte de l'atelier. Ils se tombent dans les bras, ils s'aiment. Ils se sont tant manqués. Elle était partie, dit-elle, pour toute explication. Elle est revenue. Voilà.

Elle est là, et tout va bien. Il ne passe plus au café, à peine rentre-t-il dormir chez sa femme, Victorine nue le requiert corps et âme.

Son corps nerveux, ses lèvres minces, ce cou tranché d'un filet noir, le bracelet de sa mère qu'il lui a solennellement passé au poignet, ses mules aux pieds jouent avec ses nerfs, tandis qu'étendue elle le toise. Comme demain elle toisera les hargneux hystériques, imbéciles et hurleurs de Salon.

La joie des retrouvailles retombe au fur et à mesure que la toile avance et qu'une énorme clameur envahit son crâne : et si l'accueil était pire pour cette toile-là ?

Dépouillée de toute anecdote, cette Vénus est toute de vérité tendue. Manet peut être content, il est d'ailleurs satisfait du résultat, et même assez fier. C'est criant de vérité, de nudité. Il a usé des ressources les plus vivantes de sa palette. N'est-il pas moderne ? Qu'en dira Baudelaire ?

Un étrange silence sourd de la toile achevée. Une inquiétante nudité. D'avance, il croit entendre les cris de la foule. Il prend peur. En dépit des caprices de Victorine qui se voit déjà reine au prochain Salon, malgré Baudelaire qui daigne juger l'œuvre « pas mal », Manet recule. Il n'ose l'envoyer au Salon. Tant qu'il ne comprend pas ce que contient sa toile de si infamant, il la conserve à l'atelier au grand dam de sa maîtresse qui, en représailles, se refuse à lui.

Tant pis. Il va se marier.

Homme de parole, Manet a promis, il tient. Il a

dit qu'il réparerait, il répare. Il y a presque un an que son père est mort, il peut donc convoler avec la femme qu'il déshonore depuis près de quinze ans.

Dans l'après-midi du 6 octobre, on retire Léon de son école pour assister aux épousailles de « Parrain et Moetge ». La cérémonie civile a lieu à la mairie juste en face de l'école, en présence, côté Manet, de sa mère et ses deux frères, côté Leenhoff, du frère de Suzanne, Ferdinand, de sa sœur Marthe et son mari le peintre Jules Vibert.

Sur les papiers officiels, il est écrit que Suzanne demeure chez son père en Hollande. Est aussi précisée l'avance sur héritage de Manet alors que le partage entre ses frères n'a pas eu lieu. Comme il s'agit de grosses sommes, une clause spécieuse stipule que madame veuve, en sacrifiant une partie de sa dot par avancement d'hoirie à son fils, se réserve un droit de retour si ce dernier décède avant elle sans descendant. C'est assez dire que Léon n'est ni reconnu ni reconnaissable. Pourtant il tient la main de sa mère pendant tout son mariage avec « Parrain ».

Madame veuve a exigé cette clause « en punition du crime de Suzanne, il faut qu'elle le subisse ». A-t-elle espéré que la noce n'aurait pas lieu, ou au contraire que les époux se décideraient à reconnaître l'enfant ? Bien sûr, Édouard a évoqué avec Suzanne la possibilité de profiter de leur mariage pour reconnaître sa paternité mais le tohu-bohu du dernier Salon l'a fait reculer. Assez de scandales pour un seul homme. Si les gens qui se sont déchaînés contre lui et son *Bain* découvraient qu'il a maintenu et dissimulé une pauvre femme dans le péché avec son fils de onze ans ?

Inutile de faire retomber sur ce malheureux enfant qui n'a rien demandé un autre scandale. Ce serait trop cruel pour Léon. Mieux vaut ne rien changer à une situation à laquelle il est fait, où il se sent aimé, où il a trouvé sa place. Manet ne veut plus être objet d'infamie. De même qu'il renonce à exposer sa *Vénus*, il renonce à rien dire à son fils et persiste dans le secret. Léon demeure le fils d'un Koëlla qui n'a jamais existé.

Non content de ne pas reconnaître son fils, il fait croire à ses amis qu'il part chercher sa fiancée aux Pays-Bas pour la ramener dans la capitale !

Ainsi ce 6 octobre, estomaqué, Baudelaire écrit à Carjat : « Manet vient de m'annoncer la nouvelle la plus inattendue ; il part ce soir pour la Hollande d'où il ramènera sa femme... Il a quelques excuses car il paraît qu'elle est belle, très bonne et très grande artiste. Tant de trésors en une seule personne femelle n'est-ce pas monstrueux ? »

À Zaltbommel, la veille de ses 34 ans, Suzanne Leenhoff épouse Édouard Manet sous les vivats exclusifs de sa famille à elle. Édouard a pris sur lui de se marier suivant le rite protestant au temple où son futur beau-père dirige la musique. Autant que ça ne s'ébruite pas. Seul Proust connaissait sa vie secrète, désormais elle ne le sera plus, ni seconde, il va présenter son épouse à ses amis.

L'aime-t-il ? Il ne se pose pas la question. Il l'a follement aimée. Il lui a fait un enfant et l'a contrainte de l'élever depuis onze ans dans la clandestinité et le péché, il lui a promis de l'épouser, il n'est jamais revenu là-dessus.

Comme il a bien gardé son secret ! L'expansif, le

libre Manet est moins transparent que ne le croient ses proches.

Les nouveaux mariés restent un mois loin de Paris, le spectacle de la mer apaise tant Manet qu'il retarde leur retour. Sans nostalgie, et avec ferveur, il chérit la mer comme son ami le poète qui, lui aussi, a débuté sur un bateau. Ils en ont conservé l'un comme l'autre un amour pour la vague, la houle d'embruns salés, les étendues vertes ou grises infinies, ces baves d'écumes aux crêtes de dentelles… Il se gorge de mer…

Au retour, il déménage et s'installe avec son épouse, sa mère, Léon, et Eugène au 34 boulevard des Batignolles avant de trouver mieux. Puisque c'est officiel, ils peuvent enfin vivre tous ensemble.

Riche, il a reçu la meilleure part de la succession, il a aussi une plus grande facilité à la dépense que ses frères. S'il peut vivre sans travailler, il ne peut se passer de peindre. S'il n'a pas la nécessité de vendre ses œuvres pour manger, il en a besoin comme signe de reconnaissance.

Le retour à Paris est joyeux. Quelques jours après, Baudelaire est convié dans le nouvel appartement où son ami vit au milieu de ses femmes qui se disputent le droit de l'aimer et de l'admirer. Il ne voit qu'une mère aimante et une épouse au piano, un rêve absolu pour ce solitaire malheureux.

Régénéré par le mariage et la mer, Manet reprend le chemin de l'atelier. Il a trop peu peint cette année. Et comme il refuse toujours – plus encore maintenant qu'il le revoit – d'exposer son nu, il lui faut fourbir autre chose, vite. Comment percer au Salon, et cette fois sans scandale ? En gommant ce qui a déclenché les précédents ? Mais qu'était-ce, bon sang ?

S'il le savait.

Chapitre VII

1864-1865

LA SAISON DES PIVOINES S'ACHÈVE EN JUILLET

Et la Mère, fermant le livre du devoir,
S'en allait satisfaite et très fière, sans voir
Dans les yeux bleus et sous le front plein d'éminences,
L'âme de son enfant livrée aux répugnances.

ARTHUR RIMBAUD

Depuis que sa mère est mariée, Léon ne va pas bien. À leur retour, Suzanne est dûment convoquée à l'école. En tant que parrain, Édouard exige de l'accompagner.

Le directeur leur montre notes et appréciations : aucune de ses notes ne dépasse 2 sur 10. « L'enfant est très perturbé. Il n'a jamais l'air concerné par ce qui se passe à l'école. »

C'est l'effarement ! Jusque-là, il travaillait comme un ange, jamais un cri, pas un mot qui dépasse, ni une vraie grosse bêtise. Un ange, répétaient en chœur ses mère et grand-mère si fières...

« S'il persiste, je ne pourrai pas le garder, continue le directeur...

— Mais il n'a pas 12 ans ! »

Manet n'a rien oublié de l'état de son père à l'arrivée de chacun de ses bulletins, de la guerre à la maison, des drames, de sa mère en pleurs qui se tordait les mains, des longues semaines où monsieur Père ne lui adressait plus la parole... Édouard se promet de ne jamais faire subir le même sort à son fils-filleul.

« ... Rien de l'école ne l'intéresse. Incapable de se concentrer, il ne peut continuer ses études, il devient enragé quand on le contraint au travail...

— Oh, moi aussi j'étais comme ça. Et on m'a mené à l'abattoir tous les jours de mon enfance pendant seize ans. C'était l'horreur. Jamais je ne lui infligerai ce que j'ai vécu. Il a fallu que je m'engage dans la marine, que je passe de longs mois en haute mer au risque de ma vie tout de même, pour que mon père comprenne que je ne me plierais pas à ses diktats. J'ai été jusqu'au Brésil pour qu'on me laisse tranquille. Après seulement, j'ai pu quitter l'école ! C'était ça ou devenir fou. Je m'en souviens comme si c'était hier ! On n'obligera Léon en rien. Je m'y oppose. Vous ne le chassez pas. Nous le retirons.

— Mais, s'inquiète Suzanne, aussi catastrophée par ce qu'elle découvre de son fils que par la détermination de son mari à le laisser tout abandonner, que faire d'un enfant de même pas 12 ans et qui ne sait rien ? »

Eugène se tait quand, le soir au dîner, Édouard dévoile cette histoire. Maintenant qu'il est marié, Suzanne et son fils sont admis à la table familiale que préside madame Mère. Ici, tout le monde aime Léon, on le traite comme un familier sans statut particulier. Chacun sait tout, personne ne dit rien. Et Léon est soigneusement maintenu dans l'ignorance du nom de son père, de l'identité réelle de son géniteur.

Après le dîner, les frères d'Édouard le prennent à part. Laisser Léon quitter l'école avant le certificat d'études est inique. Aucun Manet digne de ce nom n'aurait été abandonné à pareille inculture. Gustave, qui a brillamment réalisé le rêve de son père, plaide pour son neveu de la main gauche, et raisonne Édouard.

« Tu ne traites pas mon neveu comme ton fils, c'est injuste. C'est à toi de le guider dans la vie. Tu ne peux le laisser en friche. Un Manet se doit de faire de bonnes études pour avoir une situation qui le pose dans le monde. Ce que tu fais confine à l'abandon.

— Je ne veux pas le faire souffrir. »

Manet est incapable de contraindre Léon à étudier. C'est lui qui décide, même si devant ses beaux-frères, Suzanne s'inquiète de son avenir. Il suffit que lui, Édouard, ne s'alarme pas.

« N'ai-je pas toujours été là pour lui ? Pour toi ? Ne serai-je pas toujours là pour vous ? »

Tous de s'incliner.

Jusqu'ici Léon a vécu enfermé entre la maison de sa mère et l'école où il était pensionnaire, il ne connaît pas Paris. En lui montrant deux ou trois chantiers spectaculaires, l'Opéra, la gare Saint-Lazare, il s'est aperçu que le gamin était incapable de s'orienter seul dans la ville. Alors maintenant qu'il se baguenaude toute la journée, il risque de se perdre, s'alarme sa mère.

À l'occasion, au Louvre, tandis qu'ils copient côte à côte quelques chefs-d'œuvre anciens, Édouard demande à Degas si la banque de sa famille n'embaucherait pas son filleul comme saute-ruisseau, ce genre de coursier à tout faire qu'on trouve aujourd'hui partout. S'il a du mal à exprimer ses sentiments, Edgar Degas sait donner des preuves d'amitié. Un boulot pour Léon ? Tout de suite. Dans sa famille, on ne refuse jamais rien au plus grincheux des de Gas.

Léon est ravi. Enfin un endroit où s'épanouir loin de sa mère et de ses frères hollandais, et surtout, loin des Manet qu'il commence à trouver snobs. Il va se dégourdir les jambes, prendre son autonomie et se déniaiser à vive allure.

À l'aune de sa propre vie, Édouard se persuade que ce garçon sur qui personne ne s'est jamais projeté va réussir tout seul à devenir un homme. À se découvrir une carrière !

C'est à lui que la question du « grand homme » se pose avec une particulière acuité. Ceux qui, dans son milieu défraient la chronique sont à ses yeux de misérables bandits. Quant aux célébrités du moment ? Manet sait de quelle imposture ils sont le fruit ! « À l'heure où sortir sans chapeau peut valoir la gloire à celui qui l'ose. » Comment, en dépit des scandales successifs, démontrer le sérieux et la profondeur de son travail ?

Et voilà Léon qui musarde sur des chemins de traverse ! C'est de son âge, c'est encore un enfant, il a bien le temps de s'éparpiller, demain, plus tard il se trouvera bien une ambition.

Les proches comme Degas ou Fantin, ignorant que Léon est son fils, donnent mille fois raison à Manet. De l'école, se soucient-ils seulement ? Fantin n'y a jamais été, il a étudié le dessin sous les ordres d'un père peintre qui les faisait vivre de son art, d'où très tôt pour le petit Henri la nécessité de l'aider à achever ses œuvres puis les multiplier pour gagner davantage.

Quant à Degas l'aristocrate, il a accompli ses humanités au lycée Henri-IV sans s'en apercevoir jusqu'au jour où il a décidé d'entrer aux Beaux-Arts, rien qu'en poussant la porte. Là, il s'est tant ennuyé qu'il a filé en Italie, apprendre par ses sens.

Ah ça, ils sont bien placés pour conseiller Manet de laisser la bride sur le cou à son filleul. Ce que regrette secrètement Suzanne. Mais à qui se plaindre ? Manet assure leur quotidien, les traite tous deux avec la délicate générosité qui le caractérise. Elle redouble de tendresses pour son petit garçon qui se trouve dans l'impossible situation de ne pouvoir être le fils de son père. Suzanne ne s'en prend jamais qu'à elle-même. Aux yeux de la société, comme aux siens, elle seule a fauté. Que reprocher à l'homme qu'elle aime et qui, enceinte, ne l'a pas rejetée comme font tous ceux de son milieu ? Elle est si pleine de gratitude pour lui qu'une seule vie ne suffira pas à le lui témoigner.

Si Léon souffre, elle le console. Lui aussi, à sa semblance, adore et vénère son parrain. Et il est vrai que hors de l'école il semble heureux. Ôtons l'école, donc…

Ce syndrome de l'école haïe n'est pas forcément la conséquence d'une absence de père, insiste Manet. Quoique.

Parmi les amis de longue date, l'abbé Hurel est resté un intime. Il vient d'être nommé curé de la Madeleine, au milieu des bordels de luxe, paroisse assez proche pour lui permettre de passer souvent causer à l'atelier, histoire de continuer la conversation entamée depuis plus de 15 ans. Il ne le rejoint pas au café, tout de même, non, il porte soutane. Quand Manet se plaint de l'accueil réservé à ses œuvres, Hurel lui fait valoir qu'un sujet religieux le mettrait à l'abri des critiques. Ils en parlent longuement.

Dans l'affolement du scandale du *Bain*, Manet a peu travaillé, il pense envoyer son *Combat de taureaux* qui ne lui plaît toujours pas, qu'il s'escrime à corriger encore, pas content mais il n'a plus le choix, le temps presse. Alors plutôt que de montrer sa *Vénus* toujours couchée à l'atelier, sur les conseils de l'abbé, il brosse hâtivement un *Christ mort avec des anges*.

Dans le même temps, il pose chez Fantin-Latour. Leur intimité est de plus en plus grande, Henri est aussi silencieux qu'Édouard expansif, aussi mélancolique que Manet est allègre et joyeux. Ces séances de pose sont un enchantement pour les deux. Par chance, mais pas par hasard, ils sont proches aussi géographiquement. Fantin demeure au 79 de la rue Saint-Lazare. Ces années-là voient tous les rapins se rapprocher de ce quartier bon marché, où pullulent pauvres, malandrins, et désormais artistes.

Seul Manet parvient à faire rire et sourire l'ami Fantin, à lui donner envie ou audace d'aller chez les filles. Il est si timide. Fantin l'admire, il est fier d'afficher son amitié « avec cette tête de Gaulois » qu'il met en place d'honneur dans son *Hommage à Delacroix*.

Ses deux envois, le *Christ* et la *Tauromachie*, sont comme d'habitude jugés exécrables mais acceptés :

« Écarter Manet ? Non. Lui moins qu'un autre. Il ne faut en aucun cas que cet excentrique tire bénéfice et succès de nos refus, et surtout pas lui fournir l'occasion d'un autre scandale. »

De même que son *Guitarrero* était un faux gaucher, Manet a inversé sans le savoir la plaie du Christ sur sa poitrine, plaie longuement détaillée par les Évangiles. Et ce n'est pas Hurel, mais Baudelaire, monomaniaque de la précision historique qui l'invite à rectifier. « Changez la blessure de place avant l'ouverture, sinon prenez garde de prêter à rire aux malveillants. »

Non, non et non. Manet ne changera rien, c'est de la peinture qu'il fait. Pas de l'histoire !

Baudelaire a cependant intrigué auprès d'amis haut placés pour que ses toiles et celles de Fantin bénéficient d'un bon emplacement. Accrochage qu'il ne voit pas : juste avant l'ouverture, Baudelaire quitte la France comme on se sauve. Perclus de dettes, il a emprunté plus de quinze cents francs à Manet. Combien aux autres ? Sans éditeur, accablé de l'intérieur par un mal qui le ronge, n'écrivant plus que par intermittence, précocement vieilli, à 43 ans il est déjà tout gris, maussade et plein d'amertumes, il va tenter d'exister ailleurs. Au choix et au plus près, en Belgique.

Après six ans d'intimité quotidienne, cette fuite peine Manet, qui s'est senti constamment soutenu par le poète qui n'a pourtant jamais écrit une ligne louangeuse sur son travail, lui fait remarquer son clan.

Et alors ? Il l'aime pour lui-même. C'est sa présence, sa finesse de vue qui vont le plus lui manquer. Il espère qu'il reviendra vite en France. Ça fait déjà longtemps qu'il n'écrit plus sur la peinture, ne traite plus des Salons. À ses yeux, Manet recherche trop la notoriété, ce qu'il juge « un défaut de jeunesse » qui lui passera. Dans son ultime chronique sur les aquafortistes, en 1862 il n'a parlé que de Manet et de Legros dont les envois étaient à son goût.

Dès l'ouverture du Salon, on croirait que le public a rendez-vous avec Manet ! Comme l'accrochage est fait en suivant l'ordre alphabétique, la ruée sur la lettre « M » est générale. Il redevient instantanément la cible de toutes les insultes. L'épisode du *Combat de taureaux* comme du *Christ mort* déclenche hilarité, moqueries, quolibets, et bien sûr déchaînement de la critique.

Son *Christ* heurte de plein fouet le puritanisme philistin des classes moyennes. Pourtant il est assez frère de Mantegna ou de Philippe de Champaigne, on parle même du Greco à son propos, mais c'est une injure. L'hostilité est générale. Qui l'a vraiment regardé ? Puisque personne n'a remarqué que la blessure du Christ était du mauvais côté !

Est-ce par solidarité avec Baudelaire que Gautier, devenu un notable respectable, se mouille en prenant sa défense ?

Autrement, on juge qu'il « peint avec une brosse à cirage », et c'est le moins méchant des jugements. « Ce *Combat de taureaux* abolit toute notion de perspective, quant à son *Christ*, il a l'air d'un pauvre hère. C'en est un blasphème. » Pourtant, au sortir du tombeau, on est rarement en meilleur état !

Même Courbet l'apostrophe : « Tu as déjà vu des anges, toi, pour savoir s'ils ont un cul ? » Si les peintres prétendument révolutionnaires se moquent de lui, pourquoi les officiels hésiteraient à l'assassiner ?

La curée habituelle. Que reste-t-il à Manet sinon la fuite ? Non. Il tient bon. Ses amis aussi sont maltraités, quoique jamais autant que lui. C'est incompréhensible. Une haine si unanime au vu de ses tableaux ne saurait s'expliquer. Moins rationnel que lui croirait à un complot. On peut ne pas apprécier mais ces gorges chaudes, ces glapissements haineux si disproportionnés, relèvent de l'acharnement.

Avant l'ouverture du Salon, un nouveau scandale a pourtant détrôné son *Bain*. Un livre, une *Vie de Jésus* qui plus est, celle d'Ernest Renan. On en a conclu que Renan inspirait ce *Christ mort*. L'abbé Hurel, amateur de peinture et ami de Manet l'inspire bien davantage que ce livre. Il lui est un interlocuteur de première main théologique. Certes Manet tente de donner une version humaine de Dieu. Humaniser le bon Dieu, quelle honte ! Résultat : Manet défraie encore la chronique. Tout le monde a lu, lit ou lira ce Renan, perçu comme une atteinte à l'autorité de Napoléon III. Renan porte sur l'histoire pieuse le même regard que Manet sur la peinture, éprouve le même souci de vérité. Comme Manet il tâche de montrer ce qu'on voit et non ce qui plaît aux autres de voir et qui n'est pas. « L'historien n'a qu'un souci, l'art et la vérité, professe Renan. On est de son siècle et de sa race même quand on conteste son siècle et sa race. » Il se trouve que donner vie aux Évangiles plaît aux gens mais déplaît aux puissants, Manet et Renan ne sont d'ailleurs pas si isolés. Un regard nouveau sur ce monde en train de changer s'insinue sous la grosse machinerie lancée à fond de train par l'Empire. Manet, qui veut sincèrement être de son temps, n'est pas loin de Renan. Au service de la vérité.

En regard du vacarme déclenché par son *Christ*, que n'a-t-il montré sa *Vénus*, comme l'y incitait Baudelaire ? Il s'en veut. Il doute, se trouve tous les défauts du monde. Pas de talent. Si les gazettes et ses détracteurs le serinent à plaisir, Manet se dit qu'il y a forcément du vrai.

C'est d'autant plus navrant que, grâce à l'*Hommage à Delacroix* de Fantin, Manet passe pour un type plutôt sympathique, pas si dangereux qu'on s'acharne à le dire. Par sa présence dans le Fantin, on pourrait le voir sous un meilleur jour, mais la presse et les faiseurs d'opinion n'ont pas jeté un œil au tableau de Fantin. À peine mort, Delacroix est oublié ! Que de jeunes rapins s'en fassent un étendard nuit aussi à sa postérité.

Encore raté !

Manet est désolé de faire de l'ombre à ses meilleurs amis. En revanche, via la toile de Fantin, il est propulsé malgré lui au centre de l'avant-garde. Quasi seul sous les yeux de Delacroix, auprès d'amis qui y ont cru et mené croisade pour des sujets modernes, il représente une vision débarbouillée, un nouveau monde.

Pour Baudelaire, être marqué par le sceau du romantisme, comme se gausse la critique à propos de ces adorateurs du mort, est le plus grand compliment qu'on puisse faire. Pour le poète, ça vaut adoubement, attestation qu'on est de sa race. Au moins reconnaît-il Manet aussi grand que lui.

Capable de manier avec talent, pinceau, ciseau et plume, esprit encyclopédique, chaleureux et attentionné, Zacharie Astruc lui devient très proche. Il figurait déjà dans la *Musique aux Tuileries*, et il y a quelque temps Manet a illustré sa *Sérénade à la reine d'Espagne*. Là, il achève son portrait qu'il se fait une joie de lui offrir mais qui n'a pas l'heur de lui plaire. Par délicatesse, Astruc se contente de l'oublier à l'atelier pour toujours. Ça ne l'empêche pas de défendre ardemment son ami et son œuvre et de déployer tout son lyrisme pour le soutenir : « Manet un des plus grands caractères artistiques du temps, il est l'éclat, l'inspiration, la saveur puissante, l'étonnement de ce Salon. » Mais qui l'écoute fors les amis du Guerbois ?

Tous les jours, la petite douzaine d'amis, parfois davantage, autour du noyau Manet-Fantin-Degas, se retrouve au Guerbois en plus du café de Bade. Le vendredi surtout, le groupe fait le plein. À gauche de l'entrée, deux tables leur sont réservées. La bande s'étoffe, les scandales drainent bien sûr tous les rapins du coin mais aussi quelques talents originaux qui se sentent plus libres à côté d'êtres aussi conspués par la bonne société. Parmi les permanents, Legros qui veut brosser un portrait de Manet, Fantin, Renoir, Degas et Whistler, lequel décide de partir à Londres avec Legros sur les pas de James Tissot, riche et célèbre là-bas. Ils n'en peuvent plus de l'hostilité institutionnelle envers leurs travaux. Ces deux-là franchissent le pas et la Manche, histoire de ne plus subir la dictature des Salons. Bazille est de plus en plus présent. Monet vient d'Argenteuil, donc moins souvent. Cézanne ne paraît qu'accompagné d'un ami, aussi noiraud qu'il est clair. Ces deux-là fleurent bon leur province et professent un certain mépris envers les peintres parisiens.

À ce noyau, se sont accoquinés quelques plumitifs : Hippolyte Babou, un critique sympa, qui fait rire les filles, on tient beaucoup à sa compagnie, elle sème la joie. Duranty et Burty s'en moquent et le ramènent sur terre. Si la troupe boit peu, en revanche elle cause beaucoup, de tout, mais surtout des expositions récentes, des nouveaux talents, des œuvres en cours, car en dépit de quelques écrivains, l'inspiration du groupe est surtout picturale, mais contrairement aux autres cénacles qui poussent un peu partout, leur groupe est chaleureux, convivial, passionné. Aucune mesquinerie. À l'heure où tous balbutient, se battent et se débattent, il n'y a pas de place pour la jalousie ni l'épluchage envieux des vedettes du Salon. On parle d'art avec majuscule, d'amitié avec passion et inversement, l'intensité de leurs propos témoigne de leur ardeur. Les filles sont distantes, au café ce sont forcément des filles de peu. On repart éventuellement avec elles mais on ne trinque pas. Et elles ne se mêlent pas à la conversation. Si on badine, c'est hors du cercle des artistes. Quand même, à l'approche du Salon, on taille en pièces ces assassins dépourvus de talent et de jugement que sont les membres du jury, une franc-maçonnerie de hauts dignitaires qui ne se donnent que du « Cher maître », qui ont pataugé dans les mêmes marigots : des Beaux-Arts à la villa Médicis, de l'Académie à l'Institut... qui se partagent commandes et décorations comme le butin qui leur revient. Dotés d'un esprit grégaire, ils ne se quittent pas, pour mieux se surveiller.

Furieux après eux comme après lui, Manet fonce sur la première occasion de s'éloigner de Paris sans donner le sentiment de fuir sous les lazzis. Depuis trois ans, aux États-Unis fait rage une guerre civile, qui bizarrement passionne la France. En juin, une bataille de là-bas supplante celle du Salon dans les âmes républicaines. C'est que ça se rapproche : un bateau des Sudistes, du nom d'Alabama, célèbre pour avoir coulé une soixantaine de navires des troupes du Nord, livre un combat naval au large de Cherbourg. Les curieux affluent, Manet les rejoint. Il n'aime pas s'éloigner de l'œuvre en cours, mais là, c'est salutaire.

Arguant de son état d'ancien pilotin, il embarque sur un bateau-école qui l'amène assez près pour assister à la fin de ce combat naval et croquer la scène sur le vif. Par bonheur, c'est le bateau du Nord, le Kearsarge qui gagne. Le Nord qu'en bon républicain antiesclavagiste, Manet soutient. À Paris, il rapporte des études qu'il jette sur la toile dans la foulée. En quinze jours, il achève une première, puis une seconde marine de ce combat qu'aussitôt Cadart expose rue Richelieu en vitrine. C'est de l'excellente « peinture d'histoire en train de se faire » ! De la peinture-journaliste idéale, s'accordent à dire chacun et même ceux qui le conspuent au Salon.

Son expérience atlantique l'a sûrement aidé, son amour pour la mer aussi. « Combien de nuits passées à rêver dans le sillage du navire en suivant les jeux d'ombre et de lumière sans quitter la ligne d'horizon, explique-t-il. Je sais la façon d'établir un ciel. » Toutes les batailles navales se concentrent dans la sienne. Sa réussite est éclatante, l'échec de sa *Corrida* n'en est que plus cinglant. Seul face à elle, il n'y tient plus, il découpe la toile au canif, en détache deux fragments : une *Vue de l'arène*, et son *Torero* étendu au sol, mort. Il jette le reste.

« Traîné dans la boue certes, mais remarqué, pointe Degas.

— Et alors ?

— Alors, tant meurent de la conspiration du silence, lâche sobrement Fantin. Qui ne dit jamais rien. »

Enfin, l'unanimité contre lui souffre une exception, une fissure dans le mur de haine. Théodore Thoré, un proscrit de 1848, qui vit en Belgique, et y écrit sous le pseudonyme de William Burger, prend fait et cause pour Manet dans *L'Indépendance belge*. En réalité Baudelaire l'a alerté sur l'injustice dont Manet est la victime, mais c'est sincèrement qu'il s'enflamme pour son œuvre. Il compare ses débuts à ceux de Delacroix, il lui trouve les mêmes qualités de « magicien aux effets flamboyants ». Un vrai peintre. Il débusque même chacune de ses sources, Raimondi, Raphaël, Titien, Goya, Vélasquez... Ça alarme Baudelaire qui a toujours peur qu'on traite Manet de plagiaire. Il le blâme de prendre modèle chez les anciens, il pense en poète non en peintre pour qui la citation est toujours un hommage. Pour le défendre, il jure à Thoré que Manet n'a jamais vu ni un Goya ni un Vélasquez de sa vie ! Le critique n'en croit rien, mais ne veut pas faire de peine au poète en si mauvais état. Alors il persiste en publiant ces mots : « Ce jeune peintre est un vrai peintre plus peintre à lui tout seul que la bande entière des grands prix de Rome. »

Grâce à Baudelaire, Manet est enfin reconnu. En Belgique certes, mais Thoré est français, et c'est un formidable réconfort dans le doute et l'angoisse où il est plongé.

Dès juillet, il s'empresse de quitter Paris pour Boulogne où il se repose en accumulant des natures mortes, des saumons, des huîtres, des crevettes..., tout ce qu'il aime, *la vie tranquille des choses*, comme on nomme en Hollande *les natures mortes*, expression qu'il a adorée et adoptée depuis. Pour faire bon poids, il brosse quelques marines, mariant ensemble ses amours anciennes. Il tombe amoureux d'une fleur d'importation récente, la pivoine. Ses couleurs incroyables, son parfum magique, et sa fanaison lente et longue, insolite, on dirait qu'elle s'assoupit en prenant des poses pour peintres. La saison des pivoines finit en juillet au moment où il les découvre. Il en fait sa fleur fétiche. Dans ses *vanités*, la fleur qui annonce la mort est désormais la pivoine. Au mois d'août, à Gennevilliers, il en fait planter pour la saison prochaine aux côtés des lilas blancs qu'il prise tant, là encore pour l'odeur mais aussi pour leur picturale beauté.

Grâce aux demi-mondaines capables de dépenser des sommes extravagantes chez les fleuristes, le marché des fleurs coupées prend un essor considérable et, avec lui, naît tout un symbolisme floral qui fait dire aux bouquets ce qu'on n'ose murmurer. On se parle par fleurs interposées, on s'envoie des *pensées*, des *soucis*, des *impatiences*... On invente le langage des fleurs, une aubaine pour les artistes. C'est de ces fleurs bavardes que vit Fantin, après avoir été le copiste le plus célèbre d'Angleterre, il se fait une réputation de peintre fleuriste. Même peints à l'huile, ses bouquets entêtent, font se pâmer les dames, butiner les abeilles !

Il n'y a pas que les fleurs, tout parle dans la peinture. Certains personnages se font remplacer par leurs avatars. Les cerises révérées comme fruit du paradis deviennent l'emblème de Victorine, tandis que canne, citron ou chat remplacent le peintre quand il ne veut paraître sur sa toile.

À son retour, les frères Goncourt s'invitent chez Manet pour « le croquer » ! Chacun son tour ! Arroseur arrosé. La gloire ? Non la honte. Edmond et Jules Goncourt écrivent un livre dont les héros sont des peintres issus de l'atelier Couture, et les grisettes qui leur servent de modèles, voire pis. Victorine n'est pas loin. L'ouvrage s'appelle *Manette Salomon*, et parle d'un peintre dont Manet est un modèle approximatif.

Sans trêve, Jules et Edmond le harcèlent jusqu'à l'indiscrétion. En dépit de son extrême courtoisie, Manet ne les supporte plus. Du coup, sans un merci, ils cessent de l'importuner. Les deux frères savent pourtant apprécier la peinture, mais seulement celle du passé. Ils ont magnifiquement réhabilité Boucher et Fragonard tombés dans l'oubli, ils ont plus de mal avec Ingres et Delacroix ! Manet peut dormir tranquille : d'ici la parution de leur ouvrage, il aura été reconnu à sa juste valeur.

Tout doucement, il organise sa vie d'homme marié. Il n'est plus si épris de Victorine qu'elle lui manque quand elle n'occupe plus l'atelier. Elle l'a compris seule. « Elle est passée » chez Nadar. Maîtresse et modèle, pour elle c'est tout un. Le photographe en tire de somptueux portraits. Là aussi, elle se costume en pantalon moulant, et déclenche des émeutes dans l'atelier du photographe.

En dépit du succès croissant d'Offenbach, qui n'a

jamais la patience de tenir la pose plus de dix minutes, il est pourtant le voisin de Manet, la moraline saint-sulpicienne ordonnance sévèrement les mœurs, la jeune fille de bonne famille doit arriver vierge au mariage. Mariée, contrairement à son époux, elle est contrainte à la fidélité. L'adultère est réservé aux hommes qui ont les moyens d'acheter des filles de plaisir, ou d'entretenir une irrégulière issue du demi-monde. Pour ne pas déshonorer celles de leur milieu, Paris dispose d'un vivier de filles de peu. Grave infraction sociale et religieuse, l'adultère et l'amour libre sont interdits aux femmes et aux pauvres.

Si Manet a engrossé une femme qui n'était pas socialement son égale, non seulement il ne l'a jamais abandonnée mais il a été jusqu'à l'épouser, il doit être pourvu d'une sensibilité particulière envers ces malheureuses que la naissance d'un côté ou de l'autre du monde classe en misérables ou en dames. Il est l'exception qui confirme la règle.

L'émergence d'une classe moyenne dont les femmes travaillent ne change pas grand-chose à la loi tacite qui régit les mœurs. Une nouvelle forme de prostitution en profite pour montrer le bout de sa cheville. De la multiplication des bordels aux grandes courtisanes qui font ramper les rois, se fait jour toute une gamme des femmes plus libres, aux avenirs moins pathétiques, sans doute moins condamnées. De la misère sordide des bas-fonds, on ne peut sortir que par le sexe, si on sait s'en servir, ou par l'intrigue si on est maligne. Chanceuses, talentueuses, aventureuses, grandes amoureuses, elles sont une poignée à ne pas mourir à trente ans de la phtisie. Alors à s'en sortir par le haut et le luxe...

Innovation locale, la lorette pousse dans le quartier de Notre-Dame du même nom où niche la frange aisée du demi-monde. Son amant s'appelle un Arthur, des Arthurs au pluriel, car ils se mettent à plusieurs pour entretenir une lorette ! Pour assurer sa réussite, elle s'affuble d'un nom bourgeois ou cherche à se faire passer pour la fille naturelle d'un grand de ce monde. Ce qui ne l'empêche pas de mourir jeune, abandonnée et sans le sou. À chaque classe sociale correspond une branche de la prostitution : filles de trottoir et filles en carte, lorettes, grisettes, filles de bordel, cocottes...

Sous la plume des amis de Manet, comme dans la vie, elles sont souvent muses d'artistes, Offenbach brosse le portrait d'un demi-monde débridé dans sa *Vie parisienne*. Par la grâce des artistes qui les louent, la fortune qu'on dépose à leurs pieds, les scandales qu'elles provoquent, les grandes hétaïres deviennent des idoles, mieux, les icônes du siècle, au point que des femmes respectables en viennent à envier leur condition. Elles ont l'air indépendant, sont souvent cultivées, toujours excitantes, et surtout libres. Libres... tellement.

Ces aristocrates de la galanterie tiennent salon, disposent d'une loge à l'Opéra, savent jouir de la beauté et des arts, et parfois, suprême consécration, épousent un grand de ce monde, un titré. Courtisanes, cocottes, lionnes, membres de la Garde ou de la haute bicherie, grandes horizontales, demi-castors, flamboyantes aventurières en chambre, vedettes du second Empire, célèbres pour leurs frasques rocambolesques, ces « reines de Paris » incarnent la jouissance effrénée des mœurs aisées. Issues de milieux populaires, lancées à la conquête de la Ville lumière, avec pour seule arme leur sexe, « bête d'or » à valeur de tiroir-caisse.

Si cinq mille filles de joie et de peine sont inscrites à la préfecture, trente mille autres, plus ou moins huppées, vaquent, insoumises et clandé à leur besogne galante. Paris, capitale de la débauche mousseuse des jupons.

Parmi ces scandaleuses aux mœurs délurées, Caroline Otero, la bouillante danseuse espagnole, dont la fière poitrine croule sous les rangs de perles exhibés en autant de tributs victorieux. La femme est un luxe public, comme les meutes, les chevaux et les équipages, un signe extérieur de richesse, au même titre que l'hôtel particulier, ou le bel attelage, elles sont cotées comme valeurs boursières. À l'inverse de la femme comme il faut, quasiment interdite de sexualité, la courtisane exhibe sa liberté de mœurs. Loin de stigmatiser sa vertu, c'est par l'accumulation d'amants qu'elle fait grimper sa cote, « la femme galante est un billet de circulation qui prend d'autant plus de valeur qu'on y lit plus de signatures ».

Quand l'homme paie, il veut que ça se voie.

La Païva cède à un amant sous la promesse de 10 000 francs, et brûle un à un les billets, offrant son corps tant que dure le feu. Les « grandes horizontales » engloutissent des fortunes dans une frénésie de dépenses ostentatoires. Cora Pearl assortit ses chiens à ses toilettes et prend des bains de champagne. L'outrage et le luxe décadent paraissent un art de vivre aux effets savamment calculés. Objet de consommation ostentatoire, la courtisane est une marchandise, et Paris, un gigantesque marché de la prostitution, où de riches clients choisissent leurs articles sur les scènes des théâtres, dans les restaurants à la mode ou les allées du bois de Boulogne, qui font office de salles d'enchères.

Des moralistes à la Maxime Du Camp s'insurgent : « La prostitution remplit nos théâtres, non seulement dans les loges mais sur les planches où elle paie pour se montrer comme sur une table de vente publique, au plus offrant et dernier enchérisseur. » Du Camp parle d'expérience en ancien pratiquant.

Sur scène, les plus scandaleuses revêtent des pantalons gainants, des tenues qui accentuent la sexualisation des corps. « La seule différence entre les femmes du monde et nous, c'est que nous nous lavons entre les jambes. » Quand l'homme impose à son épouse une irréprochable décence, il exige une maîtresse outrageusement érotique. Le costume fait des courtisanes des êtres quasi hybrides à qui les leçons d'innocence font défaut, qui n'ont acquis ni l'idée de la vertu ni l'instinct du remords. Seule la survie les meut.

De la grisette des classes moyennes, qui doit son nom aux étoffes bon marché teintes en gris terne, dans lesquelles étaient confectionnés ses vêtements, à la Mogador, ou mieux la Païva, la gamme est infinie et se renouvelle chaque jour. Souvent elle a débuté avec un étudiant qui l'abandonne aux alentours des 30 ans pour épouser la vierge à dot choisie, là elle tombe malade et meurt. Pour s'en sortir, elle va faire la cocotte, dans l'espoir de mettre la main sur le fameux protecteur qui l'installera dans ses meubles. Elle peut aussi tenter une carrière de *lionne des boulevards* et parfois... pourquoi ne pas rêver ? Maîtresse d'empereur, ou d'un grand nom, telle madame Sabatier, la fameuse présidente de

Baudelaire, confidente érotique de Gautier... Grande horizontale dont le salon fait les artistes et les penseurs de l'époque.

Difficile à grimper, les échelons hasardeux du demi-monde. Vrai labyrinthe. Amants de cœur, monsieur sérieux, Arthur, gagne-pain, michetons, chacun peut la faire progresser ou dégringoler dans le ruisseau.

Pour l'heure, Victorine est encore passionnément modèle, sans remords ni hypocrisie. Elle pose avec talent en bonne actrice qui incarne les rôles qu'on attend d'elle. Depuis que Manet s'est marié, il lui paraît plus naturel encore d'apporter une aide matérielle à sa maîtresse, le fut-elle aussi de ses amis. C'est la fonction de l'homme du monde, non ?

Une femme qui pose nue est fatalement associée au demi-monde. Est-ce cela qui fascine chez Victorine ? « Une femme nue n'est point indécente, c'est une femme troussée qui l'est, disait Diderot. Supposez devant vous la *Vénus de Médicis*, dites-moi si sa nudité vous offensera ? Chaussez-lui les pieds de deux petites mules brodées, attachez sur son genou des jarretières couleurs rose, un bas blanc bien tiré, vous sentirez la différence du décent et de l'indécent... »

Y a-t-il plus intelligente critique de sa *Vénus* ? Pourquoi redoute-t-il tant de l'exposer ? La peur au ventre à l'idée d'un accueil encore plus agressif, où l'on ne verra pas sa peinture, le scandale servant d'écran à l'art. Manet n'en peut plus de n'être pas vu, pas compris. Il n'en peut plus d'être perçu comme fauteur de troubles alors qu'il n'aspire qu'à déclencher des propos élevés sur la peinture.

Grâce à Diderot et à Baudelaire, Manet trouve

le courage d'envoyer son grand nu au Salon, avec, pour faire bon poids, son second tableau d'inspiration religieuse, son *Jésus insulté*. Manet n'imagine pas l'être autant par les amateurs d'art que par les soldats romains du roi Hérode.

Il revendique toujours sa sincérité visuelle : chair blanche, peau noire, cadre aux tons blanc sur blanc, couleur chair...

Pas un détail qui ne déclenche des passions ou des polémiques. La fleur dans les cheveux de sa *Vénus* : orchidée ou hibiscus ? Qu'est-ce que ça change, puisqu'elle est bien peinte ? Mais ça change tout. Puisque désormais les fleurs ont des intentions, ici forcément obscènes.

Négresse ou chat signifient d'évidence autre chose qu'une servante ou un chat noir, ils ne sont pas non plus de couleur sombre pour faire contraste. Le chat fait le gros dos ? Symbole de promiscuité et d'indépendance ! Ces fleurs en bouquet royal portées par une servante ? Le fruit d'une sensualité défendue et vénale. La *Vénus* semble mépriser ce coûteux cadeau, regardez ses doigts écartés sur sa cuisse, imaginez comme ils se meuvent. Tout est interprété à plaisir dans l'unique but de démolir Manet. Sa *Vénus* n'est pas un tableau mais un objet sexuel, et son corps un outil de travail sale et laid, vulgaire, en un mot, pauvre.

Plus encore que le non-respect des demi-tons, ou le mépris du modelé, le dédain pour la vieille perspective, c'est le regard effronté de Victorine qui met mal à l'aise. Elle semble défier tous les mâles, ne songer qu'à les agresser frontalement.

La *Vénus* de Titien ou le nu de Goya sont voluptueusement disponibles au contraire de celle de Manet qui décide seule, qui a pris le pouvoir. Moderne, elle peut même refuser des hommages, comme ce bouquet, et préférer par moments la paresse à la volupté.

« Difficile de ne pas aimer son caractère autant que son talent », écrit Baudelaire à la mère de Manet pour la réconforter. Pourtant il ne prend pas sa défense. Personne plus que Manet n'a autant voulu lui plaire, illustrer ses idées en peinture, par le choix de ses sujets comme de sa facture. Et il lui préfère toujours Constantin Guys, cet obscur illustrateur qui travaille pour un journal anglais ! Aveuglement, incapacité de juger, la maladie commence à prendre possession de son esprit, Baudelaire n'est simplement plus en état. Loin, il est déjà trop loin.

Victorine est le type même de ces Parisiennes enviées, libres de leur corps jusque dans la nudité. Modèle assez répandu sous le second Empire, d'où la fureur du public qui la reconnaît au premier coup d'œil. Elle n'ennoblit pas l'art, au contraire. On juge son corps vulgaire et du coup la peinture. Elle a l'air d'une pauvresse, donc le tableau de même.

Le contraire du *Bertin* d'Ingres, que Manet appelle « bouddha de la bourgeoisie cossue, repue et triomphante » ; s'il incarne sans conteste la nouvelle classe dominante, Victorine représente ce que l'argent de cette espèce d'homme peut s'acheter. Considérée comme la plaie de la société, elle est son article le plus demandé.

Dans chaque œuvre où elle figure, Victorine joue un rôle différent, costumée, travestie, pauvresse ou dame... preuve qu'elle est capable de tout. Impossible de voir une œuvre de Manet sans le voir se profiler derrière, impossible aussi de ne pas l'imaginer, elle, lascive et offerte. L'imaginaire du public les associe dans une même transgression.

À l'heure crinoline, une cuisse de femme moulée dans une étoffe claire affole n'importe qui. D'ailleurs elle enflamme tout le monde, Victorine, qu'elle soit vêtue en homme, en torero, en femme qui tue, qui fait couler le sang des autres. Troublante.

Dans le beau monde, les messieurs se refilent sous le manteau des photographies pornographiques de pauvresses en pantalon effectuant des travaux de force !

Dans toutes les classes, on garde au moins sa chemise, même devant son mari. La nudité totale n'a lieu qu'au bordel ou à l'hôpital. En pantalon, seule la courtisane...

Dans *Le Bain*, Manet présentait un éventail de son art, toutes ses aspirations, ses vues intimes revisitant l'art antique, renaissant ou vénitien, un hommage à Raphaël qui le premier avec Botticelli, a dénudé ses divinités. Et Courbet ! En dépit qu'il en ait, l'ogre exerce une influence masquée sur Manet comme sur ses contemporains. Ils ont beau la récuser, cette influence est saillante par endroits, mais rendue inconsciente par leur déni. Manet, Degas ou Fantin n'aiment pas ou n'aiment plus ce gros bonhomme bruyant et égocentrique. De ses tableaux, Manet souvent admiratif, marmonne : « Ce n'est pas encore ça, comme dans la vie, il en fait trop. »

Depuis qu'il l'a rencontrée, il n'a pas peint Suzanne plus de quatre fois en des toiles mineures, alors que les déjà cinq, six tableaux où paraît Victorine sont autant de chefs-d'œuvre. Et il n'a pas dit son dernier mot, mais au fur et à mesure que gronde le scandale, Manet a besoin de nouvelles jeunes femmes, toujours nouvelles, toujours plus jeunes... Contre la houle que son nom provoque, elles sont sa seule rassurance, son vrai réconfort.

Baudelaire a peut-être raison : s'il avait présenté sa *Vénus* l'an dernier, par contraste avec ses autres œuvres, elle aurait étouffé le scandale, métamorphosé en admiration.

Au Salon prochain, c'est décidé, ils acclameront le sacre de Victorine nue. Elle a assez patienté sur le mur de l'atelier, elle doit aller prendre l'air, changer l'air du Salon.

Chapitre VIII

1865

OLYMPIA OU L'HORREUR SACRÉE

Ange plein de gaîté, connaissez-vous l'angoisse ?

CHARLES BAUDELAIRE

Pourquoi Manet a-t-il tant redouté de montrer sa *Vénus* ? C'est pourtant un grand morceau, une vraie machine à concours. Une toile pour Salon. Si ces messieurs du jury ont été tentés de la rejeter, quelque chose de plus fort que la peur les en a empêchés. Plus que la honte de n'être pas capable d'en faire autant, la peur de déclencher un second Salon des Refusés. La peur est bien répartie des deux côtés de cette toile.

Au Salon de 65, a lieu la première sortie officielle de l'*Olympia*. Quand on pense que Manet l'a achevée peu après *Le Bain* ! Voilà deux ans qu'il n'ose la présenter.

Baptisée *Olympia* par Astruc en hommage à Vélasquez qui, en 1649, peignit une hétaïre de ce nom-là, une favorite du pape Innocent X.

Quelques semaines avant l'inauguration, Manet a jugé indispensable de transformer le petit chat roux qui dormait aux pieds de Victorine en chat noir, tout dressé regardant lui aussi le public dans les yeux. Certes, c'est son chat, mais qui le sait ? Il est tellement drôle, Manet l'adore. Il le peint comme un point d'interrogation sur le monde et l'appelle « Hep-vous-là-bas » parce qu'il s'enfuit dès qu'on l'appelle mais exige son lot de caresses sitôt qu'on s'en désintéresse. Il n'obéit jamais sauf quand il pose. Il fait son métier de chat d'artiste. D'ailleurs il prend toujours l'attitude dont rêve Manet. En trois apparitions dans son œuvre, il remplace sa canne. Avatar maléfique ? Manet n'ignore pas la charge érotique que recèlent les chats, mais juge déraisonnable de dissimuler sous un chat tout le trouble du monde. Il manque de foi dans les superstitions.

Même s'il n'ignore pas la dose de blasphème qui sourd du corps de Victorine nue et offerte, comment anticiper la tempête qu'elle va déclencher. Ce n'est plus la ruée ni la curée du *Bain*, c'est la Révolution. Un branle-bas du monde de l'art, et même du monde tout court. Aurait-on pu seulement l'imaginer ? L'événement dépasse en monstruosité tout ce que, depuis sa naissance, Manet a pu voir et concevoir d'énormités.

Pour amortir l'effet de réel que le corps de Victorine déclenche à première vue, Manet l'a pourtant associé aux vers d'Astruc. Il a la rime facile et prétend rêver en alexandrins. Il a mis deux ans à trousser ces mauvais vers, mais c'est le cadeau d'un ami. Et Manet ne croit qu'à l'amitié. Il en fait imprimer sur le livret de l'exposition la première strophe :

Quand, lasse de songer, Olympia s'éveille
Le printemps entre au bras du doux messager noir
C'est esclave à la nuit amoureuse pareille
Qui vient fleurir le jour délicieux à voir
L'auguste jeune fille en qui la flamme veille...

Ces vers un peu mièvres contribuent peut-être au désaveu de l'*Olympia*. Le public ne déambule au palais de l'Industrie que livret à la main, et le consulte devant chaque œuvre. Que Manet le veuille ou non, ce texte sur l'*Olympia*, c'est aussi l'*Olympia* !

De quelque manière qu'on le prenne, le réalisme de ce nu ne passe pas. Trop explicite. En dépit des vers d'Astruc qui chantent une pure jeune fille, on ne voit qu'une pâle putain, la main gauche en conque sur son sexe, se délassant après le départ d'un client, avant l'arrivée du suivant. Une putain souillée que l'hommage du coûteux bouquet souligne encore. Seul un client de la haute peut en offrir de pareils. Reconnaissance du bas-ventre. Ce client déambule peut-être au Salon.

Les mules à ses pieds et le ruban à son cou circonscrivent le corps du délit, en dégageant, sertissant l'outil de travail de cette fille de peu. Sa nudité mise en exergue précisément où elle opère. Quant au chat, il règne de toute éternité sur le monde de l'obscur, va et vient ici comme chez lui dans la plus grande étrangeté. Quel pervers diabolique ! Rendez-vous compte, il est allé jusqu'à peindre un jeune chat dressé haut sur ses pattes ! Et un chat noir qui plus est. Imaginez-vous, un chat ! Vraiment ce Manet, quel cochon.

Le mystère est la nature des félins comme dans l'âme de l'imposante négresse... D'ailleurs, servante ou prêtresse ?

Tout dérange dans cette œuvre, y compris d'être accompagnée de son *Christ insulté* qui est plus proche des thèses de Renan que celui de l'an dernier qui avait au moins l'excuse d'être mort !

Sa façon de peindre surtout est contestée. Mettre

tout sur le même plan, accorder la même importance à tous les éléments du tableau, quelle hérésie. « Si tout était excellent ici-bas, il n'y aurait rien d'excellent », dit Diderot dans *Le Neveu*.

Autrement dit, concluent ces ânes bâtés de jurés, si tout se vaut, c'est que ça ne vaut rien ! Ça n'est pas pour rien qu'il existe des catégories, des genres, des hiérarchies, des perspectives, on n'a pas le droit de faire n'importe quoi. Que Manet accorde la même importance, les mêmes valeurs à la mule du modèle – et quel modèle ! –, au bouquet de fleurs, au chat – et quel chat ! – qu'à son tour de cou participe du scandale. Au moins cette fois utilise-t-on un prétexte pictural pour le contester. Sinon, les plus haineux critiques s'accordent à reconnaître du talent... au fleuriste ! Le bouquet est réellement éblouissant. Mais relève de la nature morte, genre unanimement méprisé. À l'opposé du genre noble, à quoi le nu aurait pu s'apparenter... Si Manet l'avait traité à l'antique, à la mythologique. Il bafoue tous les genres, bons ou mauvais. La notion même de genre. Son *Christ* est un outrage au genre religieux, historique, mythologique, au grand genre quoi ! Les plus hargneux jurés sont Cabanel, Gérôme, et Bonnat, pourtant ami de Degas, sorte de vieux garçon qui se fait appeler *Monsieur*, pour avoir au moins un point commun avec monsieur Ingres. Son excellent jugement des œuvres du passé ne lui permet pas d'apprécier les modernes. Décoré, médaillé, enrubanné et hostile au présent plus encore qu'à l'avenir, Bonnat est le totem du peintre officiel sous l'Empire.

Dans la salle d'à côté, le visage de Manet occupe le centre d'un tableau de Fantin-Latour, *Hommage à la vérité*. Fantin appelle cette œuvre le *Toast*, il a représenté son ami en bon jeune homme, vêtu bourgeoisement, avec ce rien d'insolence dans son regard doux et moqueur, rien vraiment qui alarme les foules, ce qu'il fait pourtant dans la pièce suivante. Autour de lui, ses amis lèvent leur verre à une femme nue, dans une niche. Statue ou allégorie ? C'est la Vérité. Fascinés ses amis tournent le dos au public pour saluer la dame, Fantin pose en artiste et regarde les spectateurs qu'il met en posture de voyeurs. Et Manet, de trois quarts dos, soulève imperceptiblement son haut-de-forme. Ce Fantin est si mal accueilli qu'à la fin du Salon, de rage et de chagrin, il détruit intégralement cette toile. Si Manet y était ressemblant, c'est à *Olympia* qu'on l'associe où il paraît criant de vérité, hurlant, tambourinant, tempêtant son ignominieuse vérité.

Le lendemain de l'inauguration du Salon, plus un Français n'ignore le nom de Manet et l'opprobre attaché à ses pas. *Olympia* dérange au-delà de toutes ses appréhensions. Si *Le Bain* a fait l'effet d'une bombe, l'*Olympia* s'avère mille fois plus explosif. Jamais nu de femme n'est plus commenté, n'attire la voracité des critiques, la haine de tous les publics, y compris ceux que la peinture indiffère. C'est bien simple, depuis la nuit des temps, pas une toile, même assortie de quelques mauvais vers, n'a connu pareil retentissement. Un attentat contre un roi, un incendie à l'échelle d'un pays, rien n'est comparable à la déflagration d'*Olympia*. Le tollé, le brouhaha, une fureur délirante... À mourir de honte, à étouffer sous ces torrents de boue qui déferlent, déferlent...

Manet a trente-trois ans, l'âge du christ, et de fait,

ça ressemble à une crucifixion. Et c'est son quatrième Salon.

Quelques exemples parmi des centaines. D'Amédée Canteloube dans le *Grand Journal* du 21 mai : « Cette *Olympia*, sorte de gorille femelle, grotesque en caoutchouc cerné de noir... La main se crispe dans une sorte de contraction impudique... Les femmes sur le point d'être mères et les jeunes filles si elles étaient prudentes feraient bien de fuir ce spectacle. » Ou Paul de Saint Pierre : « La foule se presse devant l'*Olympia* faisandée et l'horrible *Ecce homo* de Manet. L'art descendu si bas ne mérite plus qu'on le blâme. Ne parlons pas d'eux, regarde et passe dit Virgile à Dante en traversant un des bas-fonds de l'enfer »... « La foule défile comme à la morgue, les gardiens sont débordés... »

Le plus horrible pour qui l'aime, c'est la joie de ceux qui le croient coulé. Victime de la loi de Lynch, l'expression vient d'arriver d'Amérique. On passe devant pour railler grivoisement la *Vénus au chat noir*, par familles entières, on stationne devant l'*Olympia*, histoire de rire ensemble, de rire à gorge déployée, de rire comme on se venge, de rire d'inquiétude et de haine. Comme devant une mauvaise farce mais pas seulement, on est aussi effrayé pour des raisons qui échappent à l'analyse. Tout le monde est touché. Cette œuvre doit posséder une dimension qui les dépasse tous, artistes compris. Manet a beau n'être pas puceau en matière de scandale, c'est trop immense, il est bouleversé. Personne ne peut susciter pareilles émeutes, surtout pas un artiste. La foudre ne commet pas pires ravages. Ça tourne. À la mise à mort. Des enfants vont jusqu'à lui jeter des pierres dans la rue, puisque grâce aux gazettes, au portrait de Fantin, à celui de Legros ou aux photographies de Nadar, son visage est désormais identifiable, son visage court les rues comme la calomnie dans *Figaro*. Le dernier serveur du dernier bistrot reconnaît le fauteur de troubles et se croit autorisé à des familiarités.

« Mais au fond, s'insurge-t-il, en vain, qu'ai-je fait de pire que Titien et sa *Vénus d'Urbin*, que Goya et sa *Maja nue*, ou même qu'une odalisque ingresque ? L'ajout d'une dame noire quoique vêtue ? Mais Nattier déjà, avec mademoiselle de Clermont ? » À quoi bon ? La haine atteint un niveau irrationnel. Manet se tait, vaincu. Aucun de leurs modèles n'était Victorine, fille libre, trop libre, amante bohème, qui les regarde droit dans les yeux, et défie le monde. Une si tranquille impudeur qui remet chacun en question, un trop-plein de réalité.

Stupéfié, déprimé, dégoûté de lui, Manet s'interroge sans rien comprendre à ce cauchemar. L'heure est grave. Suzanne, sa mère, ses frères se concertent dans son dos avec les amis intimes, Proust, Degas, l'abbé Hurel, Astruc et même Fantin… Tous redoutent que Manet fasse « une bêtise » !

Déjà l'accueil des précédents Salons, mais là, c'est l'alarme. Impossible d'encaisser pareil déshonneur. Seul un homme politique est outillé pour survivre à pareil affront. Car la vague ne cesse d'enfler, chaque jour amène son lot d'insultes, la répercussion de l'*Olympia* s'amplifie encore après la fermeture du Salon, Manet reste la cible des lazzis.

Il appelle Baudelaire au secours : « Les injures pleuvent sur moi comme grêle, je ne m'étais encore jamais trouvé à pareille fête… J'aurais voulu votre jugement sain, car tous ces cris agacent, et il est évident qu'il y a quelqu'un qui se trompe. » Sa réponse l'atteint au plexus. Réfugié en Belgique, le poète comprend de quoi souffre son ami, il n'est d'ailleurs pas fâché du tapage produit par sa *Vénus* mais il ne mesure pas son effondrement intime.

« Il paraît que vous avez l'honneur d'inspirer de la haine, à l'exemple de Chateaubriand, de Wagner […]. Vous n'êtes que le premier dans la décrépitude de votre art. »

Ce que Manet traduit immédiatement, en dépit du compliment masqué du poète, par « au moins maintenant les choses sont claires. Quoi que je fasse, je ne ferai jamais partie, inutile de vouloir en être, je n'en suis pas ni n'en serai ! Définitivement au ban de la société, au ban de la peinture, au ban du monde civilisé ». Or aux yeux du poète, à moins de ça, on n'est pas un artiste.

Manet ne retrouve pas son souffle, la tête lui tourne, s'il ne s'effondre pas, au-dedans, la déréliction est totale.

Sentant qu'il a cogné un peu fort, Baudelaire prie leurs amis communs de le consoler à l'aide de formules qu'il leur souffle : « Qu'il se réjouisse d'autant d'injustices ! Plus l'injustice augmente, plus la situation s'améliore ! » Difficile à digérer, la vague qui le submerge est tellement énorme. Intellectuellement, il peut accepter que railleries et insultes stimulent les artistes, mais à ce point ? Baudelaire le sent désemparé, étourdi par le choc que, de Belgique, il ressent amoindri.

Les mots de Baudelaire tombent mal, les amis mandatés par le poète pour en atténuer la portée ne sont pas rassérénants. Au café, Manet se fait porter pâle, le boulevard des Italiens ne lui a jamais paru si éloigné. Il se ménage. Sa mère et Suzanne insistent pour qu'il se protège. Il s'absente de ce qui fait sa vie, occupe ses heures depuis toujours. Il broie du noir, et s'ennuie en sa propre compagnie. Il reste chez ses femmes, ne met plus les pieds à l'atelier ni dans les ateliers amis.

Par ces temps de détresse, Champfleury se rapproche. Il publie des mots qui consolent un peu : « Comme un homme qui tombe dans la neige, Manet a fait un trou dans l'opinion publique. »

Le fond neurasthénique du bonhomme qui somnolait depuis l'enfance le dévaste sans qu'il n'y puisse rien. Comme quand son père le menaçait du droit, et qu'il ne voyait que la Seine pour issue. Dessus ou dessous, qu'importe.

Il ne regrette pourtant pas son envoi, « ni sa putain ni son christ aux attaches d'ouvrier ». Il les revendique tels qu'on les voit. Qu'a-t-il à perdre ? Montrer l'amour même vénal, le désir et la fatigue du plaisir, et même la mort de Dieu ! Oui, car tout ça existe, vous le côtoyez tous les jours, à l'église ou au bordel. Ce n'est qu'une humble vérité. Et elle n'aurait pas droit de cité en peinture ? Pourquoi ? En ne déguisant pas l'épuisement de la fille de joie ni les sévices infligés au Christ, Manet a touché à un tabou social. Putain ou Dieu, ça ne doit pas souffrir ! Ou on ne doit pas le montrer.

Il n'y a pas que l'approche de ses sujets, sa manière de les peindre aussi horrifie : « Trop clair, trop contrasté, trop vrai, trop..., pas assez... Jamais comme il faut... » Sa technique est jugée scandaleuse, provocatrice, honteuse, pis que ses thèmes. Ce panthéisme qui n'estime pas plus un visage qu'une pantoufle, qui accorde plus d'importance à un bouquet de fleurs qu'à la physionomie d'une femme. Sauf que les peintres qui trépignent aux portes du Salon pensent et agissent tous comme Manet. Ce panthéisme est une sorte de profession de foi. Certains l'accusent de « tirer des coups de pistolet » en exposant ces horreurs pour attirer l'attention sur lui. Alors que ses jeunes confrères se pâment sincèrement sur sa maîtrise des blancs absolue dans l'*Olympia*, des corps, des draps, du châle. La construction de sa toile est parfaite... Techniquement, aucune raison d'en rougir. Mais comment voir Manet en grand artiste, artisan appliqué, exceptionnel manieur d'espace et de couleurs, sous ces avalanches d'insultes ?

Il ne sort plus, évite les endroits publics. Le chagrin le dispute à la surprise. L'accablement succède à la colère. Il hésite entre sanglots longtemps comprimés, ou rire rageur en apprenant que les organisateurs du Salon ont dû faire appel à la force publique pour protéger son œuvre. L'*Olympia* est militairement gardé ! Des tentatives de lacérations obligent l'Académie à payer des gardes galonnés et armés jusqu'à la fin du Salon, un de chaque côté de la toile, pour la protéger des vandales. C'est risible et désespérant. Le désespoir l'emporte et le ravage.

D'autant que ça fait tache d'huile, huit jours après l'ouverture du Salon, Cadart, chez qui ils devaient tous exposer, lui fait renvoyer huit pièces, il n'en conserve que deux. Même chez les siens, il sent le soufre. Sitôt son nom prononcé, on craint le pire. Il est victime de la plus insidieuse censure.

Il n'a plus envie de peindre, il ne va plus à l'atelier, il reste chez lui, ne sort que pour accompagner Léon quand celui-ci parvient à le débaucher. Il aime tant Paris au printemps. Il escorte Suzanne au concert où, toute honte bue, il lui arrive de s'endormir. Il va de moins en moins retrouver ses amis au café. Sont-ce encore ses amis ? Si *Les Malheurs d'Orléans* de Degas n'ont été remarqués par personne, il n'en veut pas à Manet qui a vraiment occupé tout l'espace. Dans le tintamarre hallucinant de ces mois de printemps, comment percevoir les voix timides qui ont pris sa défense ? Pissarro, Degas, Monet et, bien sûr, Fantin, mais timide comme il est, qui a su qu'il avait pris la tête d'un groupe de soutien d'*Olympia* et de son auteur ?

Suzanne s'alarme, elle ne l'a jamais vu oisif. Les rares fois où il va rue Guyot, c'est pour détruire, lacérer, déchiqueter ses travaux précédents. Il saccage beaucoup d'œuvres anciennes. Il lui arrive de s'en prendre à celles qu'il a offertes à sa mère ou à sa femme, accrochées à la maison. Ses frères doivent l'en empêcher.

Sans encouragement, plus d'élan. Furieux après lui, il en veut aussi à ses compagnons de misère. Au Salon, un critique s'est ému devant une charmante petite marine de Monet qu'il a, par inadvertance, attribuée à Manet. Son nom est sur toutes les bouches... Erreur ou coquille ? Manet est à cran. Il en fait un drame ! Il va jusqu'à conseiller à ce peintre provincial de changer de nom ou de métier. « C'est qui, c'est quoi, ce Monet qui se sert de son nom pour profiter du scandale qui s'attache à mon œuvre ! » Son amertume ne fait pas le détail. Un sale moment à passer. Monet n'y est pour rien.

Un critique le traite positivement. Lui et deux

autres peintres, Whistler, que Manet aime beaucoup depuis qu'ils ont posé ensemble en « amants de la vérité », et Fantin. Sa toile aussi a fait scandale, un scandale dérisoire à côté d'*Olympia*. Ça permet à Fantin de se trouver du côté des persécutés. Pensez, une femme nue cernée de gens à table ! Ceux qui y figurent deviennent très bons camarades. Si l'art les soude, le scandale les lie à la vie à la mort... L'unique critique à les juger favorablement fait pis encore, il proclame que le meilleur peintre du Salon est une femme. Le Salon expose toujours quelques femmes, généralement, on baisse les yeux devant leurs œuvres. Comme elles n'ont pas accès aux ateliers, elles n'ont pas appris le B.A.-BA du métier. Et, mettons que ça se voit.

Alors, celle-là ! Incroyable, une jeune femme ferait de la vraie bonne peinture, une femme jugée digne de porter le nom de peintre en 1865. D'après ce critique, elle est peut-être le seul grand peintre du Salon ! Elle s'appelle Morisot. On se trompe sur son prénom parce qu'en plus elles sont deux sœurs à exposer au Salon. On ne sait laquelle est la plus peintre. Acceptées au Salon, repérées par la bande à Manet, jugées dignes d'être de la famille.

Cette Morisot juge l'*Olympia* « mieux que bien. Le bruit, c'est la faute du public, ce public grossier qui trouve plus facile de parler de vice que de regarder, et qui ne comprend rien à cet art trop abstrait pour son intelligence ». Ainsi parle cette femme peintre des œuvres de Manet ! Il ne l'a jamais rencontrée. C'est Fantin le timide qui, le premier, a fait amitié avec elle au Louvre où il continue d'aller copier. Là, il recueille ses propos. Sûre de son jugement et de ses goûts, elle est réellement cultivée. La preuve :

d'elle-même, sans que quiconque lui en ait parlé, elle a remarqué que Manet ajoutait son grain de sel au problème posé par Vélasquez dans les *Ménines* de la place du regardeur !

« L'effroi qu'on ressent la première fois qu'on rencontre cette œuvre, se répète et se reproduit chaque jour. Sans illusion, l'*Olympia* regarde le public la regarder, et lui, le public, par ce regard est transformé en voyeur, en arrêt devant elle. Elle le fixe de façon qu'il ne puisse se dissimuler derrière le peintre. L'*Olympia* le révèle à lui-même, voyeur impénitent, et ça lui est insupportable... »

L'analyse est aussi fine que la fille est jolie, rapportent à Manet, Fantin et Degas résolument sous le charme. Oui, même Degas.

Manet ne la connaît pas. Sa détresse l'a fait fuir, dès la fermeture du Salon, sans avoir rien su ni lu de positif. Il déguerpit sans argument pseudo-journalistique cette fois, c'est une fuite pure et simple, la déroute en rase campagne.

Suzanne s'est tant inquiétée qu'elle a alerté sa belle-mère et, avec Gustave et Eugène, a embarqué Manet dans le train de Saint-Lazare, direction Boulogne, avec interdiction de lire la presse de tout le séjour. Suzanne et Léon se relaient près de lui, des fois qu'un quidam le reconnaisse et l'insulte. Même loin de Paris, il n'est pas à l'abri de l'animosité ambiante. Des mois après la fermeture du Salon, la presse bave toujours sur son travail, son existence, et le traite en bête curieuse. La célébrité tant désirée est un cauchemar.

Il n'arrive pas à se remettre à peindre, trop atteint. Il s'ennuie à Boulogne. Jusqu'au moment où il n'y tient plus, et décide de partir pour l'Espagne. Des années qu'il attend que ses amis connaisseurs le cornaquent en ce pays si opposé aux valeurs bizarrement modérées de Manet.

La critique a porté qui lui reprochait « de peindre à l'espagnole sans le soleil de là-bas, depuis une sorte de crépuscule nordique ». Ainsi va-t-il découvrir *in vivo* la lumière noire d'Espagne qui éblouit et écrase tout. La fameuse lumière Vélasquez. Tirer au clair la question espagnole, puisque, pour le démolir, on le compare sans cesse à Goya ou, pis, au Greco. Astruc, qui connaît l'Espagne, Champfleury ou Stevens, qui rêvaient d'être du voyage, ne sont jamais prêts.

« À la fin, ils m'emmerdent, conclut l'homme déprimé. C'est tout de suite que j'ai besoin d'Espagne. » Et il file en train de Paris à Madrid, seul, le guide du grand amateur d'espagnolades de Théophile Gautier et les recommandations d'Astruc dans son sac. Il procède par étapes, Bordeaux, Bayonne, Burgos, Valladolid, pour s'installer à Madrid au Grand Hôtel de Paris. Il se doit d'assister à une course de taureaux, s'y contraint mais n'en retient que l'aspect dramatique et la terrible lumière. Il passe toutes ses heures face à Vélasquez.

Son hôtel est très moderne mais, dès le premier repas, Manet ne peut strictement rien avaler. Plus les heures passent, plus il a faim, alors il essaie d'autres plats, puis d'autres encore. Tout le révulse, l'odeur trop forte, le gras trop gras, les légumes trop épicés, les poissons puants, les viandes, encore pis. Au restaurant de l'hôtel, il se croit persécuté par son voisin de table. Tandis qu'il renvoie systématiquement chacun des plats après les avoir essayés en vain, son voisin se les fait rapporter et les dévore goulûment. Excédé de se sentir moqué, Manet se lève pour insulter ce commensal qui d'évidence se fiche de l'auteur de l'*Olympia*.

« Ah ça monsieur, c'est pour vous foutre de moi que vous trouvez bonne cette atroce cuisine ? Vous me connaissez, vous savez qui je suis, et vous vous moquez ?

— Non, j'arrive du Portugal où la nourriture était exécrable et je meurs de faim », explique courtoisement Théodore Duret. Qui se présente, fils d'un représentant en grands crus, il achève son apprentissage en démarchant les revendeurs étrangers des cognacs et autres alcools de fabrication familiale. C'est un jeune provincial de 28 ans, natif de Saintes, grand, mince et jovial.

Manet lui présente ses excuses et ses motifs de paranoïa. Le déchaînement de la critique l'a rendu fou, à tout le moins fragile.

Duret n'a jamais entendu parler de lui. Mais en l'espace de cette première soirée, ils deviennent les meilleurs amis du monde. Ensemble ils visitent Tolède, mais Manet n'est là que pour Vélasquez, définitivement son idéal en peinture. Même Goya pâtit de sa découverte énamourée de tout l'œuvre de Vélasquez, le peintre des peintres. Il en vient à trouver Goya imitateur au sens servile...

Manet prolongerait bien son séjour et la conversation avec Duret, mais il a trop faim. Depuis Bayonne, il y a huit jours, il n'a rien avalé que des fruits. Il fait promettre à Duret de venir le visiter à Paris, bientôt, très vite. Il n'a plus le temps ni surtout l'énergie d'en voir davantage. La faim le tenaille. Une pleine semaine de jeûne, quand même ! Il rentre en courant se sustenter en France.

À la douane, un préposé le reconnaît et alerte le monde : « Venez voir, il y a là le peintre d'*Olympia* ! » Degas avait raison, Garibaldi est moins célèbre que lui !

Mi-septembre, au château de Vassé dans la Sarthe chez l'oncle Fournier il retrouve sa famille, mais il doit s'aliter, sa « grève de la faim » l'a tant affaibli qu'il a contracté une forme atténuée du choléra endémique en France. Très malade, maigre à faire peur, il passe une semaine à trembler de fièvre entre la vie et la mort. La vie, et sans doute la colère gagnent. Il rentre : il n'est chez lui qu'à Paris.

En son absence, la Royal Academy de Londres a renvoyé les tableaux qu'elle devait exposer. Ça continue. Il reçoit la nouvelle en plein cœur. Même l'étranger le refuse. Il a du mal à s'en relever. Toutes ses femmes le soignent, se relaient près de lui... au point qu'il n'en peut plus. De leur sollicitude jaillit un terrible sentiment d'étouffement, qui le guérit d'un coup. Il prend ses jambes à son cou, et retourne à l'atelier fourbir de nouvelles cibles aux crachats. Il reprend le chemin du café où un nouveau venu occupe l'espace qu'il a peu ou prou laissé vacant. Tous font cercle autour de lui. Il a du charme et sait en user. Ce n'est même pas un peintre, mais un journaliste, et qui se prétend écrivain, progressiste et défenseur des causes perdues. A priori un allié, sinon un ami. Il se présente, plutôt content de lui, *Émile Zola, romancier, journaliste* ! On dirait qu'il s'entraîne à pontifier mais il a du mal, affecté d'un terrible accent du Sud et d'un cheveu sur la langue ! Petit, bas sur pattes et noir comme une olive, il semble chaleureux. Lui sait très bien qui est Manet, il a immédiatement vu le parti à tirer de l'exécration qui le vise. Il s'est mis en tête de prendre sa défense, de profiter de l'aura de scandale pour se faire un nom, asseoir sa réputation de pourfendeur des injustices.

Il prétend s'y connaître en peinture. Et en injustice. En peinture parce que son meilleur ami est peintre. C'est ce fameux rapin grossier ou mal dégrossi qui n'a de cesse d'agresser Manet. Il vient d'Aix comme Zola, s'appelle Paul Cézanne, et refuse de lui serrer la main. Il vient pourtant de reproduire son *Olympia*, à sa sauce, en croyant s'en moquer, mais son admiration pour Manet perce malgré lui.

Zola a quitté Aix définitivement, et s'est installé près de chez Manet et du Guerbois, aux Batignolles, rue Truffaut. Il loge sa mère dite « la veuve Zola », et assez souvent, sa concubine notoire, la fameuse Gabrielle, cette fille qui a déjà pas mal vécu, et même posé pour les peintres. Aujourd'hui, l'ancienne lingère suit son amant jusqu'au café.

« Serait-elle jalouse, demande Suzanne ?

— Peut-être, mais aussi parce que dans son monde les femmes vont au café.

— Quel monde ?

— Tu sais bien *son* monde. Ce monde, ce genre de femmes. »

Suzanne enrage. Elle ignorait jusque-là qu'il y eût au café d'autres femmes que les malheureuses pierreuses qui vendent leur charme.

« S'il y a des femmes “normales”, pourquoi pas moi ?

— Parce que, même si elles ne se prostituent pas, ce sont des femmes de peu », lui explique gentiment Édouard. Et qu'en devenant madame Manet, n'ajoute-t-il pas, il l'a en quelque sorte anoblie.

Suzanne est outrée : en l'épousant, ce à quoi rien ne le contraignait que sa conscience, il l'a effectivement fait accéder à une classe sociale qui aujourd'hui lui interdit d'entrer dans un café, fût-ce au bras de son époux. Ainsi que le lui assène à sa façon ledit mari. Alors qu'en Hollande sa liberté n'aurait pas été si entravée. Outre sa nature d'artiste, un grand esprit d'indépendance coule dans ses veines, Hollandaise, elle a besoin d'être libre de ses mouvements. Libre dans sa tête, mais aussi dans son corps. Elle prend très mal ces interdits de classe. Là où Édouard a raison, c'est que la concubine de Zola n'a pas toujours été fidèle, les rapins ont encore parfois des gestes d'intimité avec elle dépourvus d'ambiguïté. Elle dissimule ses origines, mais Zola les raconte à tout le monde. Illégitime fille du peuple, fleuriste, lingère, blanchisseuse (métier toujours connoté péjorativement), trop tôt orpheline de mère… La pauvreté, le manque d'amour, une grossesse non désirée, l'abandon de l'enfant, suivis de quelques bonnes fortunes, un étudiant en médecine qui, un temps, l'entretient, des heures de couture pour le pain du soir, des heures de pose chez les peintres… et quoi à l'horizon ? La faim, la maladie, l'hôpital composent le mélodrame de l'époque. Alexandrine s'en évade, change de nom, se choisit Gabrielle pour les ailes et voler à l'assaut d'une autre vie. Artiste, mais fils de banquier, Cézanne la prend comme modèle, peut-être plus. Il en fait une poseuse professionnelle qu'on se recommande, bandeaux noirs et jupons clairs. Irascible et timide, comme il est contraint à beaucoup d'allers-retours entre Aix et Paris, dans les intervalles, il la confie à son ami Antoine Guillemet, un peintre plus joyeux qui l'entraîne dans des fêtes dont il est roi. Depuis, aux Batignolles, autour de la place de Clichy, Gabrielle règne sur la faune et se sent chez elle dans ces bouges. Elle n'a pas froid aux yeux. Passablement futile aussi, l'ancienne lingère peut souffleter quiconque la dirait blanchisseuse !

Zola est très épris. Visiblement c'est réciproque. Au point de se mettre à la colle avec elle et la présenter comme sa compagne. Ils sont de la même ambition, et veulent s'en sortir. Peuple mais élégante, gouaille mais tenue, de l'allure, une énergie, une insolence, cette grande fille, charpentée et sensuelle, est faite pour le grand homme qu'elle l'aide à devenir. Gabrielle et Zola sont âmes sœurs en pauvreté comme en ambition, la grisette et l'artiste, de meublés en hôtels, finissent par se mettre en ménage, avec madame veuve Zola. La maison est petite mais chaleureuse, l'ancienne lingère est bonne cuisinière, et reçoit divinement les admirateurs de son amant.

Par bonheur, Suzanne a des passions plus diversifiées, des talents et des ambitions plus élevés. Même si elle reste seule chez eux tous les soirs tandis que Manet retrouve ses cafés, au moins c'est au piano qu'elle l'attend. Suzanne est placide puisque, même infidèle, son mari rentre toujours finir la nuit chez elle.

L'épreuve d'*Olympia* a quelque chose d'irréversible. Après ce gigantesque tremblement de terre que la France entière a partagé, rien n'est plus pareil. L'*Olympia* marque un avant et un après dans la vie intime comme publique de Manet. La preuve : il ne veut pas s'en séparer. À une riche inconnue qui insistait pour l'acheter, il a fixé un prix si exorbitant que seul un roi aurait pu se l'offrir. À dix mille francs, il était sûr de la conserver. Déesse tutélaire, elle règne sur l'atelier comme sur sa vie. Dès l'entrée, on ne voit qu'elle, elle préside à sa destinée.

Quoi qu'il fasse, désormais, il lui est associé.

Alors ?

L'ambiguïté du bonhomme est là. Il souffre du scandale mais ne renie pas d'un cheveu le travail qui l'a déclenché.

Chapitre IX

1867-1868

ENCORE RATÉ !

Ô Mort, vieux capitaine, il est temps ! Levons l'ancre !
Ce pays nous ennuie, ô Mort ! Appareillons...

CHARLES BAUDELAIRE

Madame Mère a toujours adoré recevoir, aussi depuis la mort de son mari, elle s'en donne à cœur joie. Davantage depuis qu'Édouard a épousé « sa » pianiste. Le talent principal de celle que le monde ancillaire appelle madame Édouard est de l'accompagner au piano. Deux fois par semaine, intimes et extimes sont conviés aux Jours de madame veuve pour l'écouter chanter, accompagnée de Suzanne. Les amis de ses fils sont les bienvenus, à condition qu'ils apprécient la musique. Eugénie a un faible pour Fantin, une si bonne oreille, pour Edmond Maître, un amateur au sens fort. Ceux-là sont d'ailleurs aussi des amis de Suzanne. En tête, les filles Claus du quatuor Sainte-Cécile confèrent au salon d'Eugénie un lustre qu'elle n'espérait plus. S'y joignent Bracquemond, Proust, Duret quand il est de passage, Astruc, Duranty, Stevens, l'abbé Hurel, le commandant Hippolyte Lejosne, sa femme Valentine et leur neveu Bazille, chacun à sa façon flatte ses ambitions mondaines. Comme Paul Meurice et sa femme, ces ardents hugolâtres, reçus aussi chez les banquiers de Gas, les employeurs de Léon. Le grand monde est bien petit. Chez les de Gas aussi, on donne la sérénade entre deux canapés, souvent Suzanne y est conviée pour jouer, ce qui flatte madame Mère : quand elle est au piano, Suzanne est sa trouvaille.

Le contraste entre le Manet peintre du Salon, mis en vedette par les injures publiques et le fils docile d'Eugénie, l'époux attentif de Suzanne, affable et subtil, tout d'ironie et de délicatesse, est frappant. Un gouffre entre ces deux Manet, obligés de cohabiter dans la même personne.

En comparaison, ses frères passent pour falots. Ce que Gustave, le juriste brun, ne dément pas : il réserve son talent à ses plaidoiries, son ambition à la politique. Associé au cousin Dejouy, son royaume c'est le droit romain, il s'est pris de passion pour la chose publique qu'il amadoue bras dessus, bras dessous avec Gambetta. Ensemble ils forgent de nouveaux outils pour une république à venir. Dans l'ombre tranquille d'Édouard, Eugène, très attaché à Léon, est en quelque sorte l'âme du foyer. Madame Mère compte davantage sur lui que sur ses autres fils, il ne lui fait jamais défaut.

Depuis son mariage, Manet espère chaque mois avoir fait un enfant à sa femme. La rendre mère lui permettrait d'officialiser au moins une paternité, et alors la première passerait comme chausson dans un trousseau. Las, de blennorragies en petites éruptions vénériennes, le docteur Siredey ne le juge plus assez fertile. Suzanne ne sera plus jamais mère et s'en désole à sa façon : en engraissant au sens propre. Elle gonfle de chagrin, Manet le déplore en proportion de son immense remords envers son fils naturel. Naturel ?

Depuis sa petite enfance, il en tient la chronique en couleur. Son fils, il l'a déguisé, costumé, fait apparaître, disparaître, figurer dans un grand nombre d'œuvres, sans jamais dire ce qu'il est. Pourtant il hante sa peinture.

En 1866, clin d'œil à Vélasquez, il le peint dans l'uniforme d'un fifre. Alors que Lejosne lui a envoyé un jeune musicien de son armée, ce sont les traits de Léon qu'on retrouve. Le modèle n'a servi qu'à l'exactitude de l'uniforme. Le vrai sujet du *Fifre*, c'est la tristesse de Manet reflétée dans le visage mélancolique de son fils clandé. En donnant à ce simple joueur de pipeau, la noblesse d'un portrait en pied, et la taille d'un tableau de salon, c'est Léon que Manet pousse sur le devant. Sous l'uniforme d'une vanité moqueuse pour un petit musicien, perce le chagrin des enfances, quand on ne croit plus dans ses soldats de plomb. Ce n'est pas un hasard si Léon incarne tous les âges. Il passe pour un môme de cinq, six ans dans *L'Enfant aux cerises*, un peu plus dans *L'Enfant à l'épée*, jusqu'à ce *Fifre*. Il a eu 14 ans cette année, il en paraît la moitié.

Au centre de la pensée de l'artiste, Léon, ce malheureux gamin livré à lui-même, possède une grâce bizarre et gauche, amputé du nom de son père, tout jeune et déjà coursier de banque, c'est un pauvre orphelin interdit de devenir un Manet, mais tout de même un jeune homme chic et arrogant.

Sa présence court le long de l'œuvre de son père comme l'aveu voilé de cette obsessionnelle paternité.

Père de peinture comme on est père de comédie, il ne le fait apparaître que costumé… Les solitudes de l'un répondent à celles de l'autre, sans parvenir à s'effacer, elles restent muettes.

Ce *Fifre* conçu comme machine de Salon accompagne l'*Acteur tragique*. Le modèle initial en était le fameux Rouvière, célèbre acteur qui a incarné Hamlet jusqu'à le devenir. Il est mort il y a deux mois, la toile inachevée, la réputation amplifiée. Les frères d'Édouard ont repris sa pose. Grande personnalité du théâtre, chacun le reconnaît. D'où la coquetterie du peintre de ne pas lui donner son nom mais de titrer son portrait *Acteur tragique*. Depuis son voyage en Espagne, il ne l'a plus peinte, plus l'ombre d'une espagnolade, vexé de l'avoir traitée un peu théâtralement avant de la connaître.

Techniquement, Manet est ravi d'avoir retrouvé le secret de Vélasquez : « Le fond disparaît, c'est de l'air qui doit entourer le bonhomme tout habillé de noir et de vivant. » Et il le fait vibrer, l'air, autour de Rouvière ! Peut-on faire plus classique ? Pourtant ni lui ni son *Fifre* ne trouvent l'heur de plaire au jury. Un an après l'*Olympia*, ils ont tellement peur du bruit que brinquebale le nom de Manet, telles des casseroles le chien, que c'est non. Refusé. On ne détaille pas son envoi, on le refuse d'autorité.

Voilà l'occasion qu'attendait Zola pour sortir du bois. Certes il va défendre Manet, et dans le climat du moment, à ses risques et périls. Il est d'ailleurs immédiatement renvoyé de son journal pour n'avoir dit *que* du bien de Manet. Zola s'émeut sincèrement face à ce *Fifre* méprisé et, pour une fois, ne se trompe pas : il y a vraiment là une prouesse technique, mêlée à une émotion due aux horreurs de la guerre sous - jacentes incarnées par la plus fragile jeunesse.

Trêve de plaisanterie. L'heure est grave, le monde des Arts est saisi d'effroi. Jules Holtzapfel, un peintre d'origine strasbourgeoise qui a souvent exposé au Salon, est retrouvé mort dans sa chambre à Montmartre. Suicidé. Il a laissé ces quelques mots : « Les membres du jury m'ont rejeté. Je n'ai donc aucun talent. Je dois mourir... »

Tous les artistes, tous les amis de Manet, Degas, Zola, le portent en terre, gravement, silencieusement, refusant tout discours. Pas de récupération.

Quand un membre de l'Académie tente de se joindre à eux, un grondement comme une menace éjecte ce corps étranger de leur rang, sans un mot, une houle de gens, épaule contre épaule, suffit à le faire fuir. Du mort, tous sont solidaires, chacun d'eux à un moment de découragement aurait pu commettre ce geste définitif, radical. Si le public n'a pas saisi jusqu'où l'art engage ses officiants, les prétendus artistes qui composent la censure, donc le jury, eux, n'ont pas le droit de l'ignorer. Cette fois, ils ont du sang sur les mains. On les traite ouvertement d'assassins. On réclame un nouveau Salon des Refusés.

Zola qui tenait les cordons du poêle cherche Manet dans la foule silencieuse du cimetière de Montmartre pour le raccompagner chez lui. Manet n'est pas certain que ce garçon tellement arriviste doive devenir un intime. Sa courtoisie excessive le tient à distance. Mais ce dernier lui force la main. Il vient d'emménager rue La Condamine, une drôle de petite maison avec jardin où, au printemps, à la bonne franquette, sa concubine reçoit tous leurs amis. Alors qu'on y est entre soi, Manet s'y rend du bout des lèvres, chaussé de fines bottines et de son tuyau de poêle, sans sa femme. Suzanne ne viendra que lorsque Zola aura épousé sa concubine. Manet respecte certaines conventions, celles qui l'arrangent.

Davantage que l'an dernier, où, inconnu, Zola a pris la défense d'*Olympia*, il cherche à se rapprocher de Manet par tous les moyens : flatterie et flagornerie ne lui font pas peur. Il aime sûrement bien un peu ses tableaux mais, en dépit de plusieurs après-midi où Manet a tenté d'expliquer son travail, il n'y comprend rien.

En dépit des mises en garde de Degas qui le juge « faux comme un jeton, ce Zola qui cherche à hérisser le bourgeois pour se faire remarquer », Manet a trop besoin de défenseurs pour faire la fine bouche. Il est encore jeune – il n'a que 26 ans – et il s'applique, il peut s'améliorer. Pour l'ouverture du Salon, dans le journal de Paul Meurice, il sort un grand article sur l'expo en général, puis un autre, exclusivement dévolu à la défense de Manet. Le premier il explicite la peinture moderne : « Si vous voulez reconstruire la réalité il faut que vous reculiez de quelques pas, alors chaque objet se met à son plan, la tête d'*Olympia* se détache du fond avec un relief saisissant, le bouquet devient une merveille d'éclat et de fraîcheur. »

Zola a déjà publié un roman assez autobiographique : *La Confession de Claude*, dédié à Cézanne mais trop peu remarqué à son goût. Il compte sur ses critiques littéraires et picturales pour entrer spectaculairement dans la carrière et faire rejaillir la gloire de Manet sur ses prochains romans. Il met en œuvre une vraie stratégie pour assurer sa percée. Il a lu Voltaire : Manet sera son affaire Calas. Il débute en polémiste dans la défense du *persécuté solitaire offensé, malmené* par des institutions toutes-puissantes. Manet sera sa veuve, son orphelin et son chevalier de La Barre. Dans sa chronique, il va jusqu'à insulter nommément chacun des membres du jury. Il les démolit avec art et méthode. Pas sûr que ça serve Manet…

À ce défenseur ignare en peinture, il explique sans relâche comment, pourquoi, le peintre doit supprimer l'anecdote, fondre les fonds, faire s'envoler ses sujets, mettre de l'air, accorder la couleur au cadre…, il lui dévoile ses techniques, espérant fabriquer un bon critique. Si Zola s'améliore, apprend le lexique de la critique d'art, il lui manque le sens poétique, la connaissance par le style, le goût pour la beauté, en un mot l'élégance. Il n'aime que le chromo, et conchie ouvertement son frère Cézanne. Bref, c'est un rustre en peinture qui dissimule son mauvais goût sous le vocable de « peinture réaliste ». Il lui suffit que les thèmes ne soient plus idéalisés pour les taxer de réalistes. Un peu court tout de même.

Manet ne fait pas le difficile, il le remercie pour ses courageux articles, qui sont autant de plaidoyers en faveur de *sa* nouvelle école de peinture.

École ! Manet, maître d'école ?

Où sont donc mes élèves ? s'étonne l'homme seul.

Zola se fait fort de les lui inventer. Ne sont-ils prêts à sortir du bois, des forêts plutôt, ces délicieux barbizonniens, enfin ceux qui leur ont emboîté le pas ? Entre eux, ils s'appellent *Pleinairistes*, tout simplement.

Ce sont eux qui, après son premier Salon, étaient venus le féliciter de son audace. Ils ne sont pas tous aussi doués que ce délicieux Monet, ce Cézanne toujours râleur, ou ce Pissarro si rarement à Paris mais d'un abord si fraternel. Il suffirait que Manet leur ouvre sa porte, son cœur, et partage leurs cimaises, pour qu'ils se rangent sous sa bannière. Solitaire et malheureux, Manet ne s'y résout pas. Oh, il est toujours content de discuter des heures au café avec eux, de là à faire école ? Non. Le mot joue sûrement contre : il a vraiment haï l'école.

Dans l'impossibilité où on le met de montrer son travail, et comme il juge vital de se montrer, allez, chiche ? Il ouvre son atelier aux vrais amateurs, histoire d'exhiber ses toiles refusées. « S'ils en aperçoivent d'autres dans l'atelier, qu'ils les jugent par eux-mêmes et me disent si mes œuvres sont de telles insanités ! »

De Bruxelles, Thoré prend à nouveau sa défense : « J'aime mieux les folles ébauches de Manet que les Hercules académiques. »

Il se sent très proche d'un jeune homme qu'il a rencontré par sa femme. Pierre Prins est le frère de la meilleure amie de Suzanne. Oh, il peint aussi, mais comme il fait tout, avec timidité. Frère et sœur Prins sont des habitués des soirées musicales des Manet. Pierre y a rencontré l'amour de sa vie. Le chef d'orchestre Claus a formé avec ses quatre filles le « Quatuor Sainte-Cécile » qui donne des concerts partout en Europe. Fanny la dernière est violoniste. Elle n'a que quinze ans quand Pierre en tombe amoureux, mais sa vie s'arrête sur elle. Il ne la quitte plus. Elle adore Suzanne, lui aussi.

S'il admirait Manet depuis longtemps, Prins n'imaginait pas devenir son meilleur ami. Les hasards des rencontres. Manet l'introduit dans la bande du Guerbois, où Prins se lie avec Zacharie Astruc. Ces deux-là ne se quittent plus. Et Manet a grand besoin de leur soutien.

Au printemps 1867, la France organise une énième grande Exposition universelle. Une foule énorme est attendue. Le jury habituel se réserve pour usage personnel la moitié des sept cents emplacements de cimaises, et répartit les autres selon son bon plaisir ! L'idée consiste à réunir *tous* les grands noms de l'art des dernières années. Aucune raison d'y accepter Manet.

Manet se rappelle la précédente Exposition universelle de 1855 où, encore élève chez Couture, il avait visité, face au pavillon officiel, une baraque que Courbet, alors rejeté de toutes parts, s'était fait construire pour s'auto-exposer.

Se montrer au public en dépit des interdits, c'est ça ou mourir, toujours.

Aussi puisqu'il est sûr d'être exclu des festivités officielles, au Salon comme à l'Exposition universelle, il va imiter son aîné. Il est prêt à miser gros, et même à entamer son patrimoine. Il obtient l'approbation de ses frères et l'appui moral de sa femme, afin d'emprunter à sa mère toujours en adoration devant son fils chéri, une substantielle avance de 18 305 francs. Il va faire édifier son propre pavillon. Il a repéré à l'angle du pont de l'Alma et de l'avenue Montaigne un jardin qui ne sert à rien, tout près du palais de l'Industrie. Il obtient de le louer. Aussitôt les travaux commencent.

Depuis 1859, Manet tente d'exposer. Cette année,

il doit se montrer coûte que coûte. Ça coûte cher mais l'enjeu est d'importance. Une question de vie ou de mort. Pas vu, il est mort, vu, on peut commencer à parler d'art.

Dejouy et Gustave, les cousins juristes, ont beau veiller à la légalité des contrats que Manet signe, ils ne parviennent pas à faire accélérer les travaux. Plus ça tarde, plus Manet s'engage dans des frais stupéfiants. Il a confiance, sa mère et sa femme ont confiance : ça va marcher. Il va montrer toute sa vie, toute son œuvre, rencontrer son public, enfin. Il piaffe, il espère, il choisit, il veut ouvrir le jour de l'Exposition universelle et du Salon qui, comme prévu, n'ont pas voulu de lui. Il demande à Zola la permission de faire un tiré à part de son article. Zola ne se fait pas prier et même, en rajoute, amplifiant ses premières critiques jusqu'à rédiger une brochure de défense de son ami.

Les travaux prennent du retard. Beaucoup. De plus en plus de retard, c'est une catastrophe ! Une tragédie pour Manet. Le Salon, l'Exposition universelle, tout débute le 1er avril. Il ne sera jamais prêt. Son chantier n'est absolument pas en état de recevoir le public. On lui suggère de laisser tomber. Hors de question, compte tenu des frais engagés, il doit persévérer. Tous les jours, il descend sur le chantier s'arracher ses derniers cheveux. Il peste, il perd de l'argent, il perd confiance, il perd l'énergie. Il regarde entrer et sortir des foules compactes du Salon et de l'Expo, tandis qu'il patauge dans les gravats. Impossible d'inaugurer son pavillon avant le 24 mai. Mais là, tout l'intérêt du public sera retombé !

Ce temps perdu, c'est beaucoup plus que de l'argent, c'est un grand désespoir pour cet homme qui a tant misé sur la simultanéité des trois expositions. Quatre. Car pendant que par force Manet peaufine le décor d'un ravissant salon carré, disposé avec élégance, plein de lumière rafraîchissante, Courbet ouvre, lui, son pavillon en même temps que le Salon. Eh oui, le gros ogre n'a pas résisté à réitérer son exploit de 1855. Pourtant quatre de ses toiles ont été acceptées au Salon. « Histoire de drainer mes clients étrangers, j'ai besoin de vendre, moi ! » Dans son exposition personnelle, il accroche, à peine deux jours, le temps de se voir interdire par toutes les polices de l'Empire, une très petite toile, banalement appelée *L'Origine du monde* qui représente en gros plan un sexe de femme, cuisses à demi entrouvertes. Si l'émoi public est tel que le tableau est aussitôt retiré, les amis de Manet se gaussent. Ainsi l'ogre, jaloux d'*Olympia*, a cru doubler la mise. Et comme il a échoué à transcrire la débauche avec intelligence, il a cogné comme la brute qu'il est. Réaliste exclusivement, il n'a réussi à peindre qu'un sexe, quel exploit ! Et à la manière de Bouguereau qui plus est ! Pas de quoi se vanter. Sauf pour les décibels déployés par les rares personnes qui l'ont vu. En chahut, il a égalé Manet.

Pauvre Manet qui erre, seul, le jour où il inaugure son pavillon enfin prêt ! La mobilisation espérée n'aura plus lieu. Le gros événement du Salon, doublé cette fois de l'Exposition universelle, est passé. C'est fichu. Accablé, Manet désespère lamentablement. Chez lui, l'entrée est payante. Pas cher, cinquante centimes, mais tous les prétextes sont bons pour l'ignorer. Il a accroché cinquante toiles, plus trois copies d'Italie et trois eaux-fortes. Un tiers de son œuvre peint couvre les murs. Sa vie, son âme. Et personne ne vient le voir.

Champfleury est épaté, de la première à la dernière toile, la tenue et la cohésion sautent aux yeux, une toile après l'autre, l'évidence absolue du grand peintre. Un immense novateur occupe ces murs, si on ne s'en rend pas compte au coup par coup, la réunion de presque dix années de peinture le démontre avec éclat. Plutôt que de provoquer en imprimant les mots de Zola, Manet a lui-même rédigé une humble mais ferme présentation de son œuvre.

« On a conseillé à l'artiste d'attendre, mais attendre quoi ? Qu'il n'y ait plus de jury !

Il préfère trancher la question directement avec le public. »

Oui, mais le 24 mai, il n'y a plus de public, restent les ricaneurs, et ses amis, déjà convaincus. Proust qui a souvent douté de son ami est sous le charme, ébloui « tandis que le rare public s'esclaffe et amène ses enfants pour qu'ils se dilatent la rate... », un concert de poussahs en délire. Manet fait toujours l'unanimité contre lui à part « la bande des Batignolles » présentée par la presse comme autant de « disciples » du peintre, caricaturé en christ grotesque. Il doit se rendre à l'évidence, c'est un *fiasco* complet. Une ruine et un échec.

Il semble avoir été décrété, on ne sait où, mais tous sont au courant, que Manet ne faisait pas de la bonne peinture. Alors qu'il donne à contempler une cinquantaine de toiles des dernières années, on le conspue sans même se déplacer. On le dénigre sans le regarder. Et si l'on vient, assez peu de monde en somme, c'est pour se moquer. Personne n'achète ni ne lit la brochure, au point qu'à la fin Manet choisit de l'offrir. Il s'y montre beaucoup plus humble que les grosses vantardises que profère Courbet sur lui-même. Ça n'empêche personne d'« associer ces deux meneurs du réalisme, l'église Courbet et la chapelle Manet » ! Il se sent de plus en plus repoussé.

Son attente était immense. L'échec est violent. Il le démolit. Outre une grosse somme d'argent, Manet y laisse beaucoup d'espérance et de foi en son étoile, en son talent. Le public qui ne s'intéresse qu'aux scandales, aux crachats, aux hurlements collectifs l'a boudé. C'est en le comparant qu'on s'offusque de ce qu'il ose. Seul, il ne suscite que du dédain.

Il a complètement raté son coup. Peu importe le retard des travaux, la mauvaise idée consistait à exposer seul hors des Académies et contre elles. Il conclut de cet échec cuisant qu'il doit persévérer dans sa volonté d'entrisme. Comment autrement être vu et reconnu par qui en a le pouvoir ? Comment montrer ce travail qui ne vit que du regard de l'autre ?

Pendant ce temps, son portrait par Fantin le représentant jeune et beau, trône au Salon, et bénéficie cette fois d'une assez élogieuse critique.

Par chance, la politique le passionne toujours autant. Aussi, même au milieu du naufrage de son exposition, parvient-elle à faire diversion. L'événement est d'importance. Subtil analyste de café, Manet pressent qu'il risque de changer le cours des choses. Le 22 mai, avec un léger temps de retard, la France apprend que Maximilien, l'empereur du Mexique, imposé par Napoléon III, a été assassiné.

Les images publiées dans la presse le révulsent. La honte est nationale, c'est une infamie politique. Aussitôt Manet se lance dans une série de toiles sur l'événement. Il peint l'actualité à chaud avec une âme d'historien, mais refuse qu'on parle de *tableau d'histoire. Tableau d'actualité ?* Mieux, de *dénonciation,* tableau de résistance, de refus politique.

Si Zola s'impose de plus en plus en défenseur de Manet, c'est Baudelaire son meilleur ami, son soutien de jeunesse, son commensal attitré, l'immense poète qu'il n'a cessé d'admirer, qui va de plus en plus mal, de plus en plus loin, en Belgique, mais surtout en amnésie…

Manet est sur la Côte d'Opale où il passe l'été en famille quand Nadar le prévient qu'après un malaise à Namur, avec Poulet-Malassis et Félicien Rops, Baudelaire, ramené à l'hôtel du Grand Miroir de Bruxelles, est resté immobile sur le dos, incapable de bouger, ni de parler de façon cohérente au point qu'on a dû l'hospitaliser. Sur sa fiche, est écrit, « homme de lettres, paralysie de tout le côté droit : apoplexie ». Sur place, les frères Stevens se relaient près de lui jusqu'à l'arrivée de madame Aupick, sa mère, 73 ans, qui le prend à l'hôtel dans sa chambre. Il a encore ses facultés mentales. Elle le fait transporter de Belgique à Paris où il débarque le 29 juin, gare du Nord, avec sa mère et Arthur Stevens. Cheveux blancs, traits décharnés, hémiplégique, incroyablement dépendant. D'urgence, on l'hospitalise dans la maison de santé du docteur Duval, spécialiste d'hydrothérapie, rue du Dôme près de l'avenue d'Eylau. Son fils cloué au lit, sa mère n'y pouvant plus rien, rentre à Honfleur, ses amis prennent le relais. Nadar, Banville, Champfleury, Asselineau et madame Sabatier se succèdent à son chevet.

Mais le poète s'est tu. Aphasique, il ne lui reste que deux syllabes, toujours les mêmes qu'il éructe à intervalles aléatoires. « Cré-Nom »... Quand soudain, stupéfiant tout son monde, il se met à scander « Ma Net-Ma Net », en désignant d'un menton débile, le piano qui trône muet dans la salle des visites de la maison de santé. Nadar a accroché deux tableaux de Manet face à son lit, éparpillé quelques Constantin Guys, mais Baudelaire, dévasté, ne regarde que le jardin de sa fenêtre.

Entre ses chapelets de « Crénom », Baudelaire continue de scander « Ma Net ». Manet plus piano ? Ses amis comprennent. Pour accéder aux dernières volontés du poète, Nadar prie Manet de quitter sa villégiature. Parti à Boulogne se remettre de son échec, il avait rejoint Proust à Trouville pour rencontrer Boudin. Sachant Baudelaire aussi mal, il lâche tout. En arrivant à la maison de santé, il s'étonne : Jeanne ? Introuvable, lui dit-on. Manet, qui sait où elle demeure aux Batignolles, s'y rend aussitôt. Et non. C'est elle qui refuse de le revoir. Elle prétend trop l'aimer pour le voir mourir. Elle veut le garder grand et beau dans son cœur. Ce qu'elle ne dit pas, c'est qu'elle-même ne peut plus marcher.

Bien sûr Manet est revenu avec Suzanne, qui s'est précipitée rue du Dôme. Elle a compris. Elle s'installe sur le tabouret de piano et entame ses transcriptions des œuvres de Wagner. Elle aussi les adore et les sait par cœur. Elle joue. Elle joue. Elle joue comme on se saoule. Elle joue pour l'enivrer. Sitôt qu'elle s'interrompt, Baudelaire crie au choix crénom et/ou Ma-net. Elle reprend. On a installé le lit du poète à ses côtés, il suit ses mains sur le clavier. Elle joue, il la regarde intensément cinq heures d'affilée, au bout desquelles Édouard décide que ça suffit, ils reviendront demain, promet-il, Suzanne doit se reposer. Entre-temps, Nadar a fait quérir madame Paul Meurice pour relayer Suzanne au piano. À voir les traits de Baudelaire quand les notes s'élèvent, ce piano ne doit pas rester muet. Le mourant ne communique plus qu'avec la musique. Ne pas le laisser dans le silence. Suzanne l'aime de communier si fort avec Wagner.

Durant ces heures lentes, Stevens a fait revenir la veuve Aupick. D'abord elle impose un prêtre avec son onction ultime, puis prend sa place de statue au chevet de son fils inconscient. Elle ne lâche pas sa main. Suzanne joue, rentre chez elle dormir une heure ou deux, puis y retourne. Elle joue. Elle accompagne les dernières heures du poète comme on prie, comme on implore miséricorde. Elle scande ses dernières respirations de *L'Or du Rhin*. Manet observe, madame Aupick prie, Nadar se tient dans l'embrasure de la porte où régulièrement s'encadrent des amis, tous ses amis qui saluent le poète puis, médusés, restent à écouter Suzanne qui continue, qui persiste, qui s'entête.

Vers la fin de la matinée du 31 août peu avant midi, Charles Baudelaire cesse de respirer. Le poète n'y est plus pour personne, Suzanne l'ignore qui joue toujours. Il a fini de vivre, elle n'a pas fini son morceau. Quand elle achève, tout doucement, son mari referme le piano avec la délicatesse d'un elfe.

Le grand poète est mort dans la plus grande harmonie possible.

Tous ont les larmes aux yeux. L'émotion est palpable, ils savent ce qu'ils perdent. Suzanne a fait plus et mieux pour lui que tous leurs amis réunis.

Il fait si chaud à Paris en cette fin d'août qu'on ne peut retarder l'enterrement. Stevens et Nadar organisent des funérailles en vitesse. Difficile en si peu de temps de prévenir grand monde, peu sont à Paris ce 2 septembre où ils enterrent leur ami trop jeune pour mourir, 46 ans et 4 mois.

Aussi ils sont à peine à une centaine à l'accompagner à Saint Honoré de Passy, moins encore au cimetière du Montparnasse où Nadar et Asselineau rendent hommage à l'immense poète qu'ils ont eu le privilège d'aimer.

On remarque surtout les absents comme Gautier ou Leconte de Lisle, « empêchés ». Eux qui faisaient tant profession d'amitié.

Si la chaleur en a détourné beaucoup, le tonnerre à l'entrée au cimetière fait sauver le reste. Un orage d'été balaie les feuilles du cercueil, le vent en rafale fait fuir les derniers officiants. Ils se dispersent sous une pluie chaude qui se met à battre. « Très *Fleur du mal*, ce climat », énonce sentencieux un jeune homme qui s'apprête à remonter à pied aux Batignolles. Ils sont si peu autour du catafalque que, lorsque Manet l'entend évoquer son quartier, il lui propose de le remonter en voiture. De Montparnasse aux Batignolles, c'est une trotte. Et il pleut toujours. Alors, grand seigneur, ce garçon triste ôte son couvre-chef qui cache une déjà belle calvitie, et salue l'artiste en se présentant théâtralement. « Paul Verlaine, rimailleur en grand deuil. »

Pendant le trajet, il confie à Manet comme il se

trouve laid, gauche, voyou, misérable en amour, incapable de ne pas faire pleurer sa mère, chez qui il demeure, rue Lécluse. Il avoue, lamentable, ne rien savoir faire que des vers et pleurer ses amours manquées. On doit publier son premier recueil *Saturnales* dans quelques semaines, si Manet veut... Bien sûr, Manet veut, et lira avec intérêt ce garçon qui n'est que blessure et fanfaronnade à perdre le souffle. Comme ils sont incroyablement voisins, ils se promettent de se revoir. « Seulement si vous aimez mes vers », précise le jeune poète. Manet lui indique ses horaires au Guerbois, quasi mitoyen de chez lui.

En rentrant, Manet court à l'atelier faire un croquis de l'enterrement, son sens du drame ajouté à sa pudeur, il offre à son meilleur ami une vision du Paris qu'il aimait. Dans le ciel par-dessus le cimetière, veille le grand dirigeable de Nadar ! Sa Montgolfière est le plus grand ballon jamais créé, pour démontrer que l'avenir de l'aéronautique est l'espoir de demain. Au passage, il permet au photographe de cartographier Paris vu du ciel. Manet n'expose pas cette œuvre qui ne quitte pas ses murs. Il l'appelle *L'Enterrement*. Il a beaucoup aimé Baudelaire.

Est-ce la légèreté des vers de ce petit Verlaine qui inspire à Manet le tableau suivant, ou Chardin dont l'*Enfant aux bulles de savon* vient de passer en salle des ventes ? Il fait poser Léon en *Jeune Garçon aux bulles de savon* après avoir récupéré les vers du petit Verlaine sur feuilles volantes abandonnées au comptoir du Guerbois, emballés dans une invitation pour son mariage avec une dénommée Mathilde ! Étrange garçon, grand rimailleur.

Instantanément, il a le sentiment de faire un petit chef-d'œuvre. Il rajeunit outrageusement son fils de 15 ans, qui n'en fait pas dix sur la toile. Il trousse aussi un joli portrait de femme : *La Dame en rose*. Une inconnue, une passade, une consolation à l'absence de Baudelaire. Son *Fumeur* vient en pendant du *Liseur* d'il y a quelques années. Quant au *Lapin* qu'il offre à Suzanne, il est vraiment digne de Chardin. Il peint pour Baudelaire, c'est sa façon de prendre le deuil ou de prier. Tous sont pareillement affectés. Aussi est-ce une période de grande fraternité, ils se peignent et s'entre-peignent les uns les autres. Pour certains, ça économise les modèles mais c'est aussi le témoignage de leurs sentiments mutuels. Manet brosse Bracquemond, tandis que Balleroy et Legros lui tirent chacun le portrait, Bracquemond en fait une eau-forte qu'édite Champfleury...

Depuis 1856, Hokusai s'est emparé de Bracquemond. C'est en ouvrant un paquet qu'attiré par le papier qui l'enveloppe il découvre le tirage d'une série de gravures sur bois de ce dernier. Son enthousiasme est vite communicatif, tout le groupe le partage, Manet y voit la preuve qu'on peut se passer de la perspective et se limiter aux couleurs et aux lignes planes pour rendre justice au sujet. Il en fait son or.

Manet achève son *Exécution de Maximilien*. Pour frapper un grand coup au Salon, il en accumule plusieurs versions, en plusieurs formats, On peut légitimement affilier ce tableau au « grand genre ». C'est un tableau d'histoire. En taille, c'est le plus grand de sa vie.

Grâce à l'art photographique qui évolue tous les jours, il dispose de plusieurs vues de l'événement mais, par souci de vérisme, Manet prie le commandant Lejosne de lui procurer un choix d'uniformes qu'il mixe pour habiller ses tueurs. Manet est plutôt content de son travail, aussi le montre-t-il à toutes ses relations. La rumeur s'en empare et monte jusqu'à l'empereur. *Anastasie*, nouveau surnom de la censure, tranche, le veto tombe comme un couperet : interdit de l'exposer. Un empereur exécuté, c'est un sujet militaire, autant dire secret d'État.

Pour justifier l'interdiction, l'institution argue de la similitude des tenues des soldats qui abattent l'empereur avec celles des soldats français. Dire que Manet ne cherchait qu'à faire vrai. Quelle ironie ! Et la France laisse fusiller une seconde fois Maximilien.

Pour ne pas perturber le public mais pour jouer aussi sur l'analogie politique, il a utilisé le cadre de Goya dans son *Tres de Mayo*. Et le voilà censuré. Son grand tableau d'histoire est un événement en cours, donc interdit de Salon, interdit de public et même interdit de reproduction. La police se rend chez le lithographe et en détruit impitoyablement les pierres.

Pour le remercier de tant le défendre, il fait poser Zola, longuement. Il lui doit bien ça, il a perdu sa chronique, donc son travail à *L'Événement*, pour l'avoir trop souvent cité. Dans le portrait qu'il en tire, Manet n'hésite pas à se citer lui-même, là où précisément il a défrayé ladite chronique : au-dessus du bureau de Zola assis en train d'écrire, il épingle son *Olympia* dont il oriente la tête en direction du jeune plumitif. Ainsi elle semble le protéger. Et comme l'exotisme japonisant le fascine vraiment, il ajoute à côté une estampe réinventée par lui. L'art du Japon l'encourage à chercher des raccourcis, sans lui emprunter son style. Le *Fifre*, personnage plat silhouetté sur un fond plat en est un.

Arrogant comme un nouveau converti, Théodore Duret se lance dans la critique d'art, et croit malin de se faire les griffes sur Manet. Sa totale ignorance le fait passer à côté du meilleur des artistes de l'heure sous prétexte qu'il est de ses amis. Duret, blanc-bec de 29 ans, s'improvise juge, alors qu'il a tout à apprendre.

Manet va lui donner une leçon de peinture. Il lui offre de faire son portrait : un grand portrait ! Duret pose, le tableau vient vite. L'artiste y glisse tant de moquerie qu'il est difficile de ne pas y voir le lâche conformisme du modèle. Conformisme et lâcheté que Duret illustre mieux encore à réception de son tableau. Il se fend alors d'une longue missive chantournée, dégoulinante de reconnaissance, où il ose proposer à l'artiste d'ôter sa signature de son portrait ! Enfin, plus exactement, de la dissimuler. « Actuellement elle se voit comme le nez au milieu de la figure, en plein clair, trop visible, elle agresse. On ne voit qu'elle ! Du coup, le spectateur est forcément influencé par ce nom tant décrié. Alors que si on ne l'identifiait pas, si Manet signait noir sur noir, le public en perdrait son a priori ? Et Duret pourrait faire croire que l'œuvre est, au choix de Goya, Regnault ou Fortuny… Ça serait farce, non ? »

Et c'est un ami qui lui propose ça ! Des fois, Manet préfère ses ennemis.

Ainsi Duret craint d'exhiber le nom de son ami sur les murs de sa maison ? Se croit-il réellement compromis par la présence de Manet chez lui ?

Manet ne refuse pas frontalement, il ne change qu'une chose à sa signature, il la retourne, en ricanant. Il signe mais à l'envers et toujours en plein clair. À sa manière, avec ironie et subtilité, il règle son compte à la bêtise bourgeoise. Duret n'y voit rien ou, s'il a vu, il fait comme si. Trop poli pour être honnête. Dandy sans consistance. En accédant fallacieusement à sa demande, Manet le dépouille de sa fausse autorité critique, et le réduit à une gravure de mode qui se cherche encore. Manet le surnomme d'ailleurs *le dernier des dandys*.

L'année a été rude, mais c'est fou ce qu'ils ont peint. Les amis qui se regroupent derrière son sulfureux panache ont tous incroyablement travaillé, le chagrin des successives rebuffades, du Salon à l'Exposition universelle, sans parler de la perte de leur poète, les a aiguillonnés jusqu'à engendrer une magnifique production. Énorme, incroyable.

Et le jury de 68 accepte les deux envois de Manet, le *Portrait de Zola* et *La Dame en rose*, et de nombreux autres avec lui. Quelle joie, ils sont presque tous acceptés, Manet expose enfin au milieu de ses amis. Au moins ceux dont la peinture s'apparente à la sienne, ou semble en descendre. Bazille, Pissarro, Sisley, Morisot, Jongkind, Monet, Renoir, Boudin, Degas, autour de Corot, l'ancêtre. Mais pas Cézanne, jamais Cézanne qui pourtant, comme Manet, persiste à ne briguer le succès qu'auprès des Académies.

Ceux qui se connaissent peu se reconnaissent sur les cimaises : de la même famille, de la même peinture, de la même aventure, de la même époque. Ils s'apprécient. Sauf Courbet et Corot, tous sont encore jeunes.

Le Salon de 1868 marque un progrès et, espère Manet, un pas en avant. Et pour lui, la preuve que son entrisme a fini par payer. Le Salon n'a jamais admis autant de *réalistes*, comme les nomme Zola, de *pleinairistes* comme ils s'appellent eux-mêmes, de *modernes* comme disent ceux qui les défendent, de *la bande à Manet* pour leurs détracteurs.

Le *Portrait de Zola*, son avocat qui, même s'il s'égare intellectuellement, a volé à son secours en 1866 et en 1867, lors des précédents refus, a du succès. Il y a quelques mois, il a enfin publié son *Thérèse Raquin*. Du coup, il n'est plus le critique débutant qui devait grimper sur les épaules du scandale d'*Olympia* pour se faire un nom. Sa place au soleil de la renommée ne lui vient plus exclusivement de sa défense de Manet. Il travaille à se donner d'autres titres. Du coup il ne gagne plus bien sa vie, il sollicite de son peintre qu'il lui avance un peu d'argent qu'il lui rendra rubis sur l'ongle. Manet prête toujours. Il s'imagine que demander est tellement pénible qu'il ne laisse jamais un ami dans la débine.

Comme on n'ose critiquer le jeune écrivain qui monte, on s'en prend à l'autre tableau où figure, en long manteau rose, cette femme au regard que chacun désormais reconnaît. Loin d'être nue, Victorine est au contraire enveloppée jusqu'aux pieds d'une grande robe rose. C'est le perroquet cette fois qui est coupable ! Manet ignorait tout des connotations sexuelles liées à ce volatile ! Du coup, les autres éléments du tableau se prêtent aussi à de séditieux doubles sens amplifiés par le perroquet. Pour le retour de Victorine en dame, en tout cas habillée, l'esclandre public est encore au rendez-vous.

Preuve que Manet a raison de croire que le jury

du Salon et plus généralement les membres de l'Académie se sont donné le mot pour le dénigrer, voire l'empêcher d'exister : quand on le regarde sans a priori, on l'aime, on parvient à l'apprécier. Au Havre, son *Homme mort* reçoit une première médaille ! Ça lui redonne du cœur à l'ouvrage à l'heure d'emporter sa famille, frères et beaux-frères hollandais inclus, sur la Côte d'Opale.

Pour peindre, peindre, et faire provision de lumière avant d'attaquer la rentrée. Une rentrée définitivement sans Baudelaire.

Chapitre X

1869-1870
BERTHE À LA FOLIE

Le bonheur a marché côte à côte avec moi.

PAUL VERLAINE

D'avoir renoué avec Victorine le temps de peindre sa *Femme au perroquet* a laissé Manet sur sa faim. Faim, ou besoin de réenchanter ses heures ?

Bien sûr, Victorine le connaît assez pour lui faire croire que l'amour s'est réveillé. Mais non, rien ne renaît des cendres froides qu'une ancienne mélancolie. C'est Suzanne, toujours aussi discrète et délicate, qui l'explique à son époux.

« Tu n'as plus autant de satisfaction à la peindre, elle a changé, vieilli peut-être, elle n'a plus la foudre d'*Olympia*. »

De quelle foudre parle Suzanne ? Quand Manet l'a trompée, elle ne l'a jamais su. Devinée, peut-être mais jamais confirmée, l'infidélité n'a donc pas eu lieu. Elle est trop élégante pour insister. Une fois, elle a surpris son mari dans une rue suivant ostensiblement une créature, alors elle lui a barré la route et l'a apostrophé d'un triomphant « Ah je t'y prends ! Ça y est, te voilà démasqué… ». Grand seigneur, et doté d'un solide à-propos, Manet l'a enlacée en lui susurrant : « Incroyable, je croyais être en train de te suivre, toi… » Suzanne en rit encore. Que faire d'autre à la place qu'il lui a assignée ?

Quant à la foudre qui a scandalisé et médusé le public, Suzanne a raison, quelque chose d'assagi, d'aigri peut-être, est venu farder les traits provocants de la rousse aux yeux transperçants.

Si l'an dernier, Édouard se sentait aussi mal en famille qu'au Salon, ce n'est pas la faute de Suzanne au contraire, elle fait tout pour lui faciliter la vie. Y compris maintenir un climat d'entente chaleureuse avec son omnipotente belle-mère. Quand elle s'est installée avec elle, ça n'était pas gagné, mais Suzanne l'a apprivoisée. Aujourd'hui elles ne se disputent que pour rire et se partagent tendrement la joie de dorloter Édouard. La mort de Baudelaire a ressoudé le couple autant qu'il était possible après bientôt vingt ans d'amour et de vie commune.

S'il ne trouve plus de compensation ni de remède au désespoir qu'entretient son tonitruant insuccès, Suzanne n'y est pour rien. Abattu, il peint en dépit de tout ; ses *Maximilien* interdits en témoignent. Durant l'été, à Boulogne dans l'appartement loué pour sa vue sur le port, il brosse un *Déjeuner à l'atelier* avec les bribes éparses de sa vie intime, Léon en grand jeune homme arrogant, un rien grotesque, figure de mode trop soucieux de son apparence, fils de famille empêché de l'être ; des armures d'un autre temps, en vrac sur une chaise ; une servante qui apporte le café, et qui a failli être Suzanne, mais non, Édouard s'est arrêté à temps ; un vieil ami de l'atelier Couture, Auguste Rousselin passé là par hasard, et bien sûr un chat noir et un citron jaune… ses fétiches-avatars. Il titre cette œuvre *Déjeuner à l'atelier*, signifiant simplement que peindre est toute sa vie. Il n'y a que là qu'il peut vivre : en peinture.

Pourtant le cœur n'y est pas, n'y est plus, bat trop mollement. Sa vie de famille est de plus en plus celle d'un grand bourgeois calme et rangé, terriblement ennuyeux, il ressemble à son père si celui-ci avait fait de la peinture. Pourtant il n'est pas calmé. Victorine lui a démontré qu'un retour de flamme était possible quoique n'enflammant plus grand-chose. L'été passe sans que rien ne le distraie de sa famille et de son travail. Manet juge qu'à son âge ce n'est pas suffisant.

Il y a donc toute la place quand paraît Berthe Morisot. Avec elle, c'est tout de suite dramatique. Il a d'abord apprécié ses œuvres sans la connaître, les a jugées belles et dignes pour une femme ! Comme tous ses amis, il confond les œuvres des deux sœurs. Edma est considérée par Corot, leur maître à toutes deux, comme un peintre plus abouti. Sans doute Manet les a-t-il croisées au Louvre ou dans les salons, mais comme ils n'ont pas été officiellement présentés…

À son retour de vacances, Fantin s'en charge. Au Louvre, chaque jour, toute une théorie de jeunes peintres copie de concert un Titien. Il y a même Corot et Carolus-Duran, ce mondain dont les portraits de femmes riches déplaisent à la bande, mais justement, il est riche et grand amateur de peinture « moderne », donc acheteur. Il est assez épris des sœurs Morisot. Degas est là, qui les connaît déjà et n'en dit pas de mal, ce qui de sa part est un exploit…

Au tour de Manet de les rencontrer, depuis le temps que Bracquemond, Fantin, Stevens – peintre aussi mondain que Carolus mais plus artiste dans l'âme, pas très inventif mais si attentif aux besoins de ses amis, vraiment un bon camarade – lui rebattent les oreilles de ces sœurs si douées, si merveilleuses, si ceci, cela, chaque fois qu'ils en parlent, et c'est souvent.

Cornélie Morisot, leur mère, reçoit chez elle rue Franklin, à son jour, le jeudi. Les permanents de son salon sont Rossini, les frères Ferry dont Jules fait à Berthe une cour pressante. Millet et Oudinot cherchent l'un et l'autre aussi à se placer, sous prétexte de leur donner des cours de ce qu'elles voudront. Bref ça papillonne autour des Morisot. Un bourdonnement d'abeilles autour d'un tilleul en fleur à la mi-mai, pense Manet irrité d'avance.

Berthe a été acceptée au Salon la première fois en 1864. Elle a aussi exposé chez Cadart, c'est dire l'estime où la tiennent ses pairs. Elle aussi éprouve un terrible besoin d'exposer, non pour vendre : les Morisot sont à l'abri du besoin, ni pour être saluée par la critique, mais pour se voir aux côtés d'autres peintres, risquer la confrontation indispensable avec ses contemporains. Elle veut se juger, se jauger auprès d'eux, et être jugée par eux.

Leur père a fait construire un atelier au fond du jardin pour Berthe et sa sœur, Edma, qui, plus faible, va céder aux sirènes conjugales de son milieu. Une jeune fille de bonne famille ne doit pas le rester trop longtemps.

On la fiance à un monsieur très bien choisi par ses parents. L'aînée, Yves, a déjà quitté la maison pour suivre un époux en Province. La cadette est encore là mais, au fur et à mesure que se profilent ses fiançailles, on la sent moins peintre.

Reste Berthe, la dernière, réfractaire à l'idée de mariage, elle ne s'intéresse qu'à la peinture, rien qu'à la peinture et aux quelques peintres qu'elle admire.

À l'automne 1868, quand Berthe et Édouard se rencontrent vraiment, c'est tout de suite la folie. Tout s'embrase. Leurs regards ne parviennent plus à se détacher… L'un comme l'autre n'en pouvaient plus de leur vie comme elle se déroulait, il fallait que quelque chose arrive. Et c'est le pire : l'amour. L'amour impossible.

Les Morisot sont du même monde que les Manet. Ici, trois filles et un petit frère, là trois garçons, issus de la haute bourgeoisie, de la même classe sociale, mondaine, aux éducations similaires, quoique plus strictes pour les filles à qui il est impossible de sortir sans chaperon avant de convoler en raisonnables noces.

Leur mère, encore jeune, est toujours partante pour les accompagner n'importe où. Là, une broderie ou un livre à la main, elle demeure des heures au Louvre ou ailleurs pendant que ses filles copient les maîtres du passé. Suspicieuse, conformiste et responsable, madame Mère s'est fait une haute idée de sa mission qui consiste à mener à l'autel ses trois filles, soumises et sans tache. Mais son appétence pour le bonheur est telle qu'elle les veut aussi épanouies. Elle ne dit pas *libres* sachant ce vœu pieux, mais elle cherche à alléger leurs chaînes si lourdes aux femmes. Pour l'aînée c'est fait. La blonde Yves toute d'élégance et de distinction est mariée à Théodore Gobillard. Un chaperon de moins pour Cornélie.

Aux yeux du vieux Corot, Edma promet beaucoup. Et moins Berthe, trop tourmentée, trop maigre, trop noiraude, trop ardente, l'âme trempée pour la tragédie. Ça tombe bien, avec Manet, elle va être servie. Ce peintre trop célèbre que la mélancolie ne quitte jamais touche au drame avec elle.

En le regardant, elle ne peut s'empêcher de voir se découper en toile de fond les œuvres saisissantes qu'elle a tant étudiées qu'elles sont collées sur sa rétine. Se détachent en surimpression de son élégante silhouette, de son apparence tellement rassurante, *Le Bain*, l'*Olympia*, la provocation et le scandale l'auréolent. Au Louvre, à l'Opéra ou à l'atelier, Manet ne se départit jamais de son élégance pas loin d'être aussi légendaire que ses œuvres sulfureuses : canne et haut-de-forme, frac et pantalon clairs, barbe blonde et soyeuse, l'œil qui frise d'une ironie toujours au bord des lèvres. Peu d'hommes sont aussi séduisants, d'autant qu'il adore plaire. Séduire, donc mener à l'écart ainsi que l'y invite l'étymologie du mot.

Banville, l'ami de Baudelaire, a même composé ce petit quatrain sur son allure :

Ce riant blond Manet
De qui la grâce émanait,
Gai, subtil, charmant en somme
Sous sa barbe d'Apollon
Eut de la nuque au talon
Un bel air de gentilhomme.

C'est vrai, se dit Berthe, enfin se dirait, si elle n'était totalement débordée par ce qu'elle ressent.

En dépit de l'hostilité qui s'attache à ses pas, du rejet unanime dont ses œuvres controversées au-delà de l'acceptable sont l'objet, tel un repoussoir, en beaucoup de milieux dont le sien, Berthe a choisi son camp. Manet fait souffler force et audace autour de lui. De cette première poignée de main échangée au Louvre comme à un camarade garçon, elle est tout étourdie. Elle veut sentir son souffle plus près d'elle. Dire qu'il concentre tout l'opprobre de l'époque sur ses larges épaules n'est pas pour lui déplaire. Elle aussi, à son échelle, défraie la chronique familiale, en refusant de se marier, de se ranger, de se soumettre. À bientôt trente ans, elle s'entête et tient bon.

S'il choque, c'est malgré lui, Manet reste naturel, il ne feint pas l'insolence des rapins, au contraire, infiniment courtois, il s'excuse du bruit qu'on fait sur lui. Le noir parfait de sa palette s'accorde à la grande mélancolie de Berthe bourgeoisement dissimulée, mais son mal est profond et leur rencontre le rend tout de suite tangible.

Berthe découvre avec stupeur que Stevens a abandonné à Manet le portrait qu'il a fait d'elle. Il serait même accroché dans son atelier. Tout le monde aime Stevens, habitué des Salons, spécialiste, voire propriétaire de « La Parisienne », ce type de femme qui fait l'orgueil de l'Empire. Mais là, il exagère. Est-ce Stevens qui lui a offert sa Berthe sans la consulter, ou Manet qui la lui a réclamée ? Le résultat c'est qu'il l'a sous les yeux, tout le temps, tous les jours et que ça la trouble de le savoir.

Berthe le constate assez vite puisque, dans la semaine qui suit leur rencontre, Manet lui demande de poser pour lui, et la convie à une première séance rue Guyot. Bien sûr, Cornélie l'accompagne. De toute façon, Manet ne l'a pas convoquée seule. Il y a là Fanny Claus, la meilleure amie de Suzanne, cette violoniste si douée pour qui Prins soupire sans répit, et le peintre Antoine Guillemet, frangin de toujours, bruyant et drôle. Il fait d'ailleurs tous les frais de la conversation tant le trouble étreint le peintre et son modèle sitôt dans la même pièce. Cornélie brode sur le vieux canapé de l'atelier tandis que Manet les dispose pour sa grande toile.

Edma est vexée de n'avoir pas été invitée à participer au tableau. Elle ne veut ni s'imposer ni assister à la naissance de l'amour entre sa sœur et le peintre. Au début, en tout cas, parce que les deux sœurs ont une si folle intimité que Berthe ne va pas lui cacher longtemps les sentiments que Manet fait naître en elle. Plus tard, Léon viendra poser dans le fond du tableau, en rajout. Il passe d'ailleurs de temps à autre, à l'improviste, porter des choses à Parrain, des courses, des mots de sa mère. Ainsi, sans jamais paraître rue Guyot, Suzanne ne se laisse pas oublier.

Le Balcon est un tableau étrange, inspiré par Goya pour sa composition : Manet installe ses modèles dans le cadre serré d'une fenêtre en aplomb sur la rue, les dispose sous le nerveux cliquetis d'aiguille de Cornélie Morisot. En cette suave journée de septembre, pour son premier jour de pose, Berthe est vêtue d'une robe de mousseline blanche qui lui va à ravir. Manet lui recommande de ne plus s'en servir que pour le tableau. Il veut la peindre dedans.

Au fur et à mesure que les séances se multiplient, il faut chauffer outrageusement l'atelier que le froid attaque de toutes parts, puisque Berthe y doit demeurer en robe d'été. Manet exécute rapidement Fanny, en premier parce qu'elle pose debout et se fatigue vite. Manet appelle assez drôlement Antoine

Guillemet, connu jadis chez le Suisse, « mon chaperon personnel ». Il en a cruellement besoin pour affronter le poignard dont le menace le regard de Berthe. Durant ces longues semaines de pose, pour muets qu'ils demeurent, leurs échanges se font incandescents. Plus ça dure, plus les personnages du tableau sont excédés, à l'atelier la tension est palpable. Jamais satisfait de son travail Manet les force à poser si longtemps qu'ils n'en peuvent plus. Seule Berthe ne montre jamais un signe de fatigue, elle ne le quitte pas des yeux, pétrifiée d'amour.

Assise, les mains sagement posées, elle le darde, comment dire, sans interruption. Et il subit l'intensité fiévreuse de ce regard chargé de toutes les attentes du monde. En totale impunité, en présence de sa mère, elle lui parle des yeux, lui dit les choses les plus osées, qu'elle-même ignorait avant de le rencontrer. Il peint mal et, telle une Pénélope insatisfaite et frustrée, il détruit chaque jour le travail de la veille. Et recommence.

Ce *Balcon* lui prend des mois. Les quatre personnes sur la toile semblent résolument ignorer la présence des autres, la cravate bleue de Guillemet, le regard en biais de Léon dans l'ombre, l'ennui poli de Fanny ou les yeux noirs électrisants de Berthe ne savent rien du lieu où ils se tiennent, ni du peintre qui les fixe. Ils sont à la fois là et pas là.

Manet peint toujours ses personnages comme il les voit, tels qu'ils sont. Berthe se juge « plus étrange que laide ». Fanny ne s'aime pas, Antoine est content de figurer chez Manet qu'il admire. De Léon, on ignore ce qu'il pense, ni même s'il en pense quelque chose. Depuis sa naissance, il habite les toiles de Manet, il y est autant chez lui que chez sa mère.

Que vont penser les autres, ses juges ? Oh, le Salon est loin. Le temps est arrêté depuis que Fantin a présenté les sœurs Morisot à Manet. Quelque chose s'est brisé. Happé par la femme en blanc assise face à lui, il en oublie la peintre. L'amour le rend mufle, allant jusqu'à mépriser ses propres valeurs, *l'art avant la vie*. Là, rien. L'amour, enfin cette terrible accélération cardiaque, oblitère tout ce qu'il respecte d'ordinaire. Artiste avant tout, sauf quand il est amoureux. Il la regarde, il a le souffle coupé, la gorge serrée. Dans la seconde où il la voit, il l'aime et sent que c'est impossible. Qu'elle soit peintre et un bon peintre, qu'il a apprécié chez Cadart, au Salon ou chez Charpentier, n'entre pas en ligne de compte, que sa production soit très supérieure à celles de toutes les femmes peintres et même à celles de beaucoup d'hommes n'a rien à voir avec ce qu'il éprouve. Il oublie réellement qu'elle est son égale, sa consœur, sa sœur, il devient fou, obnubilé, il ne perçoit ni l'être humain ni l'artiste. Mais une icône, une madone. S'il l'osait il la peindrait à genoux.

Avec l'aval de madame veuve Manet, Fantin organise une soirée pour présenter les deux familles, ces gens sont faits pour se fréquenter. Eugénie Manet et Cornélie Morisot sont du même snobisme. Le père Morisot a fait une carrière semblable, en plus brillante, que celle de feu Augustin Manet. Ces familles auraient dû se connaître. Elles ne vont plus se quitter. Chacune se rend désormais au Jour de l'autre. Cornélie est enchantée, trois garçons dont deux célibataires, bonne famille, bon parti. Quand on a deux filles à marier, ça n'est pas à négliger. Elle convie tous les Manet, mère, fils et bru, mais pas

Léon, jamais Léon qui n'a aucune existence sociale, encore moins mondaine. D'ailleurs Léon déteste Berthe, irrationnellement. À l'évidence, ces familles ont tout en commun, à commencer par leurs amis. Faits pour être amis, ils le deviennent, ce qui de facto condamne l'amour entre ces êtres qui brûlent l'un pour l'autre et souffrent chaque minute d'être séparés.

L'impossibilité de ne jamais se voir en tête à tête exacerbe leurs sentiments, c'est de plus en plus fort. Trop fort. Il est effectivement vital de mettre le monde entier entre eux. Après quelques semaines au comble de l'intensité, Manet se rappelle enfin qu'elle est peintre, surtout peintre. Alors ils vont parler d'amour en parlant pigments, construction, cadre, perspective... Il est déjà très épris quand il entre pour la première fois dans son atelier et découvre l'étendue de sa production... Il n'y a pas de hasard. C'est vraiment un grand peintre, un peintre selon ses critères, il la trouve encore plus inventive que lui. Plus forte à différents endroits, elle a une de ces lumières ! Même en peinture elle le bluffe. Son cœur bat plus vite en regardant ses œuvres. Des bouffées d'amour le submergent en la regardant au milieu du monde, ou pendant qu'elle pose, docile et caparaçonnée de mystère sous l'agaçant tic-tac des aiguilles de sa mère, calquées sur le rythme cardiaque de Manet, ces heures, ces semaines, ces mois où il ne peut l'étreindre, où il en rêve...

Comment métamorphoser son amour en peinture ? Il doit se distraire. Qu'il sorte, qu'il prenne l'air, qu'il voie du monde, s'étourdisse sous peine de devenir fou. Berthe Morisot est du plomb qui coule dans ses veines, obstrue ses poumons. De l'air, de l'air, il suffoque.

Zola lui fait porter *Madeleine Férat*, un roman dédié à « Manet ». Ça devrait l'honorer, le flatter. Il l'ouvre, il s'ennuie en lisant, il s'ennuie tout le temps où il n'est pas avec elle. Et il n'est jamais avec elle. Jamais seul avec elle.

De son côté, elle ne va guère mieux. D'une humeur de chien quand elle n'est pas avec lui, elle en veut à sa mère, à sa sœur, à la terre entière. À la maison on ne parle que mariage, chiffons de noces, grossesse, fiançailles, trousseau. Cette vaine agitation la rend folle. L'homme qu'elle aime est marié, l'homme qu'elle aime ne quittera jamais celle qu'elle n'appelle que *la grosse Suzanne*, l'homme qu'elle aime est un homme de devoir, il est de son milieu, tellement de son milieu que leur amour est quasiment consanguin, de la même race d'amour, le plus dévastateur possible, de la même famille d'artistes, prêts à sacrifier leur vie pour leur art. Leur vie, oui, d'évidence. Mais leur amour ?

Depuis la mort de Baudelaire, Champfleury s'est beaucoup rapproché du couple Manet. Il publie enfin son livre à la gloire des chats, avec en frontispice une litho de Manet : *Au rendez-vous des chats*. Aspirant à la gloire, il fait tapisser tout Paris de réclames la reproduisant pour inciter à acheter son livre. À nouveau, Manet occupe les rues, et toutes les conversations. Depuis l'*Olympia*, Manet est surnommé « l'homme au chat noir », avec toutes les connotations graveleuses liées à ces animaux et à cette non-couleur. La gravure montre deux chats, un noir et un blanc, sur un toit, ça passe pour un pied de nez aux bourgeois qui se disent aussitôt « Tiens ! Il remet ça ! ». Ces simples félins sont désormais porteurs de toute la sensualité du monde, voire pis.

Berthe ouvre son cœur à Edma qui préconise le jeûne, la diète, ne plus se voir, le silence... Facile à dire, impossible de faire un pas dans Paris sans voir son affiche de chats, sans entendre conspuer l'homme qu'elle meurt d'aimer en vain.

Comment se passer l'un de l'autre ? Après *Le Balcon*, ils restent un temps sans se voir, enfin, ils essaient. Mais la douleur se fait lancinante, alors Manet lui demande de poser à nouveau, seule, cette fois, pour lui. Rien qu'elle sur la toile, mais, hélas, pas aux séances de pose. Edma ou sa mère se succèdent pour la chaperonner. Edma n'en a bientôt plus ni le temps ni le loisir, ça y est, elle se fiance. Et le cocasse veut qu'elle épouse Adolphe Pontillon, ce camarade sinon plus âgé, au moins plus marin que Manet, qui l'avait pris sous sa protection durant la traversée vers Rio. Fait exprès ou coïncidence exagérée, Pontillon s'était pris en amitié, il a même conservé le portrait à la mine de plomb qu'à 17 ans Manet a fait de lui. Il a persisté dans la marine, est assez gradé aujourd'hui pour convoler en justes noces avec une demoiselle Morisot. C'est l'occasion de chaleureuses retrouvailles. Au fur et à mesure que le lien entre les familles Morisot et Manet se resserre, le piège aussi, sur ces malheureux amoureux, condamnés d'avance.

Et Cornélie tricote ou, pis, fait semblant de lire, tandis que dans le silence monacal de l'atelier, sa fille se consume en fixant Manet pendant qu'il couvre la toile comme il aimerait la couvrir de baisers.

Son cerveau va exploser, il déborde. Alors, il se disperse, se dissipe. Lui aussi avoue à son frère Gustave l'état délabré de son cœur. Avocat, le secret est son métier. À cette époque, il fait surtout de la politique. Ça les passionne tous ces Manet, il faut dire que la France craque de partout. Gustave l'amène au café de Londres où, avec son compère Gambetta, ils tentent de changer le monde. La politique est sa peinture à lui. Las, rien ne distrait Édouard, sa passion est puissante et le tient éveillé, malheureux – amour.

Stevens comprend tout seul ce qui se joue entre Manet et sa nouvelle muse. Il soupe souvent chez les uns, les autres, et sous ses airs de ludion, c'est un ami attentif. Manet n'a pas oublié ses soins à Baudelaire. Cette agonie en a soudé plus d'un. À son tour, Stevens cherche à divertir Manet de la sublime Berthe. Il parle comme ça, Stevens, un rien ampoulé, mais si prévenant. Il amène alors rue Guyot une créature, Eva Gonzalès. Outre qu'elle est ravissante, et cherche un professeur pour embrasser le métier de peintre, elle est la fille du plumitif qui préside aux destinées de la SGDL, un homme de pouvoir donc. Grâce à quoi, elle fréquente le gratin des artistes les mieux en cours, tous lui baisent les doigts chez son père. Si ça peut être utile à cet éternel proscrit, ça peut aussi faire diversion à sa passion… Manet le comprend bien ainsi, il accepte même ce qu'il a refusé à tout le monde jusqu'ici : prendre Eva pour élève, unique élève.

Lui est-elle autre chose ? Irrésistible est l'homme

que l'amour a foudroyé. Eva n'y résiste pas. Et lui ? Il se venge de Berthe, de l'impossibilité où le monde les a mis de s'aimer. Alors, oui, il fait l'amour à Eva comme on se noie, comme on pleure, comme on hurle, mais Eva a beau être « un joli brin de fille », il ne l'aime pas, il cesse assez vite de la désirer, au point que son portrait traîne lamentablement. Il s'est pourtant engagé à le finir pour le Salon. Bien sûr, en escortant Berthe, les femmes Morisot voient dans l'atelier ce portrait si mièvre, toujours inachevé, ce portrait en panne alors que celui de Berthe, ceux de Berthe s'enchaînent, se multiplient, éblouissants. Elles se moquent de la pauvre Eva, aussi ratée sous le pinceau de Manet qu'elle s'avère un peintre laborieux.

Elle ne se sent pas abandonnée. D'abord parce qu'elle aimait et révérait Manet longtemps avant qu'il ne s'aperçoive de son existence, mais aussi parce qu'elle a l'intelligence de prendre cette liaison comme un cadeau. Une initiation. Il s'est prêté à son amour, il s'est repris, mais entre-temps elle l'a eu à elle, pour elle, en elle. Elle lui en reste reconnaissante. Et il la garde comme élève, l'essentiel à ses yeux. Elle est vraiment l'amante dont rêvent tous les artistes, elle ne demande rien, elle prend ce qui passe, et quand ça passe, d'elle-même, elle passe à autre chose. Sous ses airs guindés, elle est infiniment plus libre que sa classe sociale ne l'entend. Elle est d'un milieu plus chic que les Morisot mais fille d'artiste, son père tolère qu'elle ait des mœurs plus libres.

Jalouse de toutes les femmes sauf de l'officielle, Berthe se félicite que ce portrait-là n'avance pas, « à la quarantième séance, la tête est de nouveau effacée... » D'autant qu'en matière de docilité, Manet lui donne Eva en exemple. Elle fait tant de progrès sous sa gouverne. Berthe se cabre, elle n'est pas, ne sera jamais son élève. Oh, il peut arriver à la vedette du *Balcon* de lui demander des conseils techniques, mais c'est parce qu'ils ne s'autorisent que les conversations pratiques où l'on parle métier, où l'on échange des recettes de cuisine : « Ce blanc-là, tu l'obtiens comment, et tes noirs, ici très réussis, quel glacis ? » De quoi parler d'autre ?

Pourtant Berthe se sent délaissée au profit de cette jeune artiste qu'elle prend en grippe, ne manquant jamais de la dénigrer auprès de celui qui, faute d'être à elle, fut l'amant de l'autre, et l'est peut-être encore, compte tenu de la frustration constante que Berthe et sa mère lui imposent. En tout cas, son portrait n'en finit pas. Impossible de l'envoyer au Salon.

Deux semaines avant le dépôt des œuvres, l'Académie confirme l'interdiction de montrer son *Exécution de Maximilien*. Aussitôt Zola reprend une plume furibarde pour le défendre. Plume un peu mieux trempée, il a progressé. Bien en vain, l'interdit demeure. Définitif.

Du coup Manet soumet son *Déjeuner à l'atelier*, le *Balcon* et cinq eaux-fortes au jury. Tout est accepté, mais évidemment très mal accroché.

D'où vient le tollé, cette fois ?

Si Manet a l'habitude de scandaliser, là il ne saisit pas ce qu'il a pu offrir comme prétexte aux lazzis. Un premier grief, audible : traiter les humains dans son *Déjeuner à l'atelier* comme s'ils étaient (déjà ?) des natures mortes. Depuis ses débuts, Manet représente tout comme une nature morte, il ne discrimine pas, il peint « comme c'est ». Si tout est inanimé, arbitraire, sans histoire ni correspondance, voilà qui permet de couper court à toute interprétation, et telle est bien son intention. Ce tableau crée chez le spectateur « un sentiment de dislocation interne ». Impardonnable. Trop dérangeant. Le second grief est encore plus grave : son vert ! Ah ! Terrible, cette couleur claire qui encadre et ponctue *Le Balcon*.

Pourquoi ?

Parce que.

La critique s'améliore. Un balcon et des volets verts, mais c'est du jamais-vu ! Quelle honte.

Degas est ravi. « Ne comprends-tu pas, imbécile, qu'ils en ont après la peinture ? T'attaquer pour ton vert, c'est enfin *avouer, rentrer dans le gras des choses*. S'en prendre à ta façon de peindre, c'est reconnaître que tu les déranges, que l'artiste nouveau les dérange. Réjouis-toi, on avance. C'est la peinture qui est en jeu, pas toi. C'est comme si tu révélais à tout le monde les secrets de fabrication des traditionalistes ! Chacun de tes coups de pinceau démolit l'illusion qu'ils s'échinent à bricoler, tu leur dévoiles que ce qu'ils donnent à voir n'est qu'un mélange de pigments sur un morceau de toile de lin. Tu sapes les fondations sur quoi repose notre art depuis Giotto, tu es en train d'abolir la perspective, tu leur casses les reins et pas seulement. »

Effectivement, quel émoi pour du vert ! Pour un peu Manet concurrencerait les peintres en bâtiment ! Ce vert insensé qui encadre son balcon, recouvre les persiennes, colore l'ombrelle de Fanny, le ruban autour du cou de Berthe, mais n'est-ce pas celui d'*Olympia* ? Même si du jaune, de-ci de-là, en casse le ton, ce vert donne des vapeurs ! Non, mais quel scandale ! Il fait autant de bruit que le regard, désormais de biais de Berthe Morisot. Comme Manet ne l'a plus supporté frontal, d'autorité il le lui a tourné sur le côté. C'est surtout cette couleur d'amandes fraîches qui paraît insensée. La presse se jette sur ce vert scandaleux pour en faire des gorges chaudes. C'est signé Manet, on peut y aller, c'est forcément scandaleux.

Le jeu consiste à identifier les sources du scandale, en plus du vert qui ne passe pas. Puisque les gens sur la toile ne se regardent pas, on lui reproche aussi de contribuer à la *dislocation du lien social.* Pas moins !

Cette idée de dislocation est dans l'air du temps, même les coiffures des dames doivent avoir l'air disloquées.

La présence sur la toile de trois artistes d'un bon milieu aurait dû rassurer. Il n'en est rien : leur manière de ne pas communiquer entre eux a quelque chose d'angoissant, et qui opère comme tel. Son refus de donner une expressivité à leur visage scandalise les gens, sans qu'ils identifient l'origine de leur malaise. On prétend que Fanny est atroce. Comme toujours, Manet l'a faite comme elle est, timide, en retrait. Elle joue du violon à pleurer de joie en ayant l'air de s'en excuser, humble qui se fait petite.

Quant au pauvre Guillaumet, avec son air de ne pas y toucher, on le traite d'Arthur ! C'est-à-dire de gandin. Seule Berthe est tolérée, son intensité n'échappe à personne. Il paraît que l'épithète de *femme fatale* a circulé parmi les curieux, écrit-elle à sa sœur. Même s'il y a de la fatalité dans son œil, elle ne sera jamais une femme fatale.

Peu ont perçu la référence à Goya et à ses *Manolas au balcon*. Trop choqués par le vert pour chercher autre chose. Ou trop incultes. Berthe et Degas sont eux saisis par le noir de Manet qui s'approfondit d'œuvres en œuvres, bientôt il va trouer la toile. Un noir incroyable que ces deux peintres sont bien en peine de reproduire. Comment fait-il ? Le noir de Manet est un mystère pour ses confrères les plus proches...

Nonobstant, le Salon de 1869 entérine la thèse de Manet : à force de la montrer, le public s'accoutume à sa peinture. Hostile, stupide, l'opinion commence à changer. Il suffit qu'on la lui présente plus souvent et il s'y fera. Il y viendra à ce regard neuf. Un regard, ça s'éduque. Ou bien, comme dit Degas, le public est fou qui demande à l'artiste toujours plus d'originalité mais ne l'accepte que s'il lui en rappelle d'autres...

Toutefois il est déçu : Berthe préfère le *Portrait de Zola* à ses dernières œuvres où elle trône seule, et même à ce *Balcon* dont elle est le fleuron. Sans doute à cause de ça. Elle entretient d'assez mauvais rapports avec elle-même.

Figurent aussi cette année au Salon, Pissarro et Renoir à côté de Puvis de Chavannes, Gustave Moreau et Carolus-Duran. Toujours rien de Cézanne, de Monet ou de Sisley. Pourtant, des plus conventionnelles aux plus réactionnaires, les institutions sont en train de tourner libérales. Manet accompagne son frère à ses réunions où, avec Gambetta, ils militent ardemment pour que les mœurs changent jusques et y compris dans l'administration des arts. Peut-être sont-ils en train d'y arriver ?

Le succès du *Rendez-vous des chats* est tel qu'il ravive les précédentes frasques de Manet, réactualise l'*Olympia*. Réimprimé plusieurs fois et même en édition de luxe, Manet se paie le luxe précisément, de faire descendre du toit le chat noir de la couverture, celui de l'*Olympia*, jusqu'à un cache-pot et une grille du même vert que le balcon. D'une pierre deux coups. Les scandales se rejoignent.

L'épuisement de l'amour ne vient pas, pourtant il ne voit presque plus Berthe, il ne la croise qu'à des rendez-vous mondains où se presse une foule d'amis. Après, son cœur bat la chamade, longtemps. Il l'aime, il l'admire, il la désire, mais le tissage serré de leurs relations amicales rend toute approche impossible, ils doivent se contenter de la mondanité sucrée des salons décadents du second Empire qui, à force d'infamie, devrait tout de même s'écrouler. Ils n'ont que des conversations professionnelles, des échanges entre hommes comme elle se plaît à les appeler, d'autant plus précieux pour Berthe qu'en général ceux-ci ont lieu au café. Et il est si rare que la bande du café se retrouve dans un Salon. Bien sûr, une femme comme Berthe est définitivement interdite de café. Comme Manet l'expliquait il y a peu à son épouse.

Manet n'ose se confier encore à Eugène, trop proche de Suzanne, il redoute son jugement. Il craint le blâme de Proust, et Duret n'est pas si sûr. Fantin ? Trop mystique, il croit au mariage et adore Suzanne ; Pierre Prins, le meilleur de ses amis aujourd'hui, est trop épris de Fanny, l'amie de Suzanne. Reste Degas. Degas, oui, il n'a ni foi ni morale, mais depuis peu ils sont fâchés. Alors qu'il soupait un soir chez eux, Degas a croqué Suzanne au piano et Édouard, affalé à l'écouter : l'ordinaire de leurs soirées. Rentré chez lui, il en a tiré une toile qu'il s'est empressé d'offrir à son ami. Toile qu'en échange Manet lui rendit sous forme d'une délicieuse nature morte. Mais voilà que peu après, à nouveau convié chez Manet, Degas découvre que son ami, son ami-peintre, a découpé sa toile ! Amputé sa toile, dégradé sa toile. Il n'a pas trouvé sa femme à son goût, et hop, il l'a ôtée, supprimée. Un peintre ! Faire ça à un autre peintre ? C'est du vandalisme !

Furieux, Degas décroche son tableau saccagé et, sans même souper, le ramène chez lui pour le restaurer un de ces jours. En attendant, comme il ne supporte pas d'être en dette, il renvoie à Manet ses *Prunes*. Fâchés pour des prunes. Depuis ils ne s'adressent plus la parole.

Manet ne peut aller chez Degas lui raconter son malheur d'aimer une autre femme que son épouse, alors qu'il s'est insurgé contre la laideur des traits qu'il lui a prêtés. Dommage, lui comprendrait. Mais qu'y a-t-il à comprendre ? Il aime une femme qu'il ne peut ni épouser, ni adorer, ni même aimer en cachette. La situation est claire, atroce et impossible, mais claire. Il se distrait avec mille et une autres, qui ne le distraient pas. Quand il a l'impression d'avoir exagéré, il rentre chez sa femme et fait un portrait d'elle. De là, ces assez vilains tableaux commencés entre 1869 et 1870 où il la peint encore plus repoussante que Degas. C'était bien la peine.

À part s'étourdir, il peint comme un fou. Et broie du noir. À Bazille, qui se trouve là un soir au Guerbois, Manet raconte tout, jusqu'à l'odieuse façon dont il s'est servi d'Eva Gonzalès pour tenter une diversion ; Bazille lui conseille de s'enivrer de peinture et d'amitié, comme lui qui n'est jamais aimé en retour. Fantin, qui décidément adore ces tableaux de groupes collégiaux, où tous sont reconnaissables, les réunit à nouveau sous son pinceau. Portraits de groupe du même corps, de la même amitié. Ainsi va-t-il croquer tous les musiciens qu'il aime, tous les poètes qu'il rassemble autour d'une table, tous les écrivains qui représentent la modernité de son époque. Son pinceau se veut l'historien des siens. Là, aux Batignolles, il pose son chevalet dans le grand atelier rue La Condamine que Bazille partage avec Monet et Renoir. Fantin les met en scène de sorte que Manet passe pour leur chef. Il y a là Zacharie Astruc, l'animateur de la Nouvelle Athènes, il pose aussi pour Manet. Visage aigu, taillé en lame, barbe fauve, abondante, ce dernier lève son pinceau en scrutant son ami, tandis que de gauche à droite, dans une attitude respectueuse, presque grave : Otto Schölderer, peintre allemand venu en France rencontrer les émules de Courbet, Auguste Renoir, coiffé d'un chapeau de notaire endimanché, Émile Zola, qui se veut le porte-parole du renouveau de la peinture depuis son manifeste *Mes Haines*, qui a fait scandale, Edmond Maître, fonctionnaire à l'Hôtel de Ville et factotum de Renoir, Frédéric Bazille, le maître des lieux, si jeune, si grand, Claude Monet qui scrute l'auteur du tableau. En résumé, Manet, côté jardin, et Monet, côté cour, le mystère de la nouvelle peinture en germe. Des femmes ? Eh non, pas de femmes.

Au Guerbois, ils ont bien vu qu'il allait mal, aussi

se relaient-ils pour prendre soin de lui. Bracquemond et Bazille s'organisent pour ne pas le laisser seul, jamais, tant son désespoir est patent. Il n'a jamais été si visible. Suzanne est cet ange incroyable qui convainc même sa belle-mère de le soigner, sans jamais lui demander ce qui ne va pas. La discrétion élevée au rang des beaux-arts pour apaiser cet homme aux lourds secrets.

L'accueil plus stupide que méchant du Salon n'a pas même réussi à le distraire de sa peine. Il n'a pu échapper aux rencontres entre artistes où chacun papillonnait autour de Berthe, qui non contente d'être follement séduisante, peint mieux que la plupart d'entre eux. Même Degas râleur et misogyne la trouve « belle, bonne et bien ». Un amour platonique, quoi !

S'il ne la voit pas, il souffre, s'il la voit, il souffre toujours, son mal est sans remède. Il faudrait la voir seule. Il n'est toujours pas parvenu à tirer d'Eva l'œuvre qu'il se promet et qu'elle mérite, mais au moins, a-t-il été assez sincère avec elle, après leur brève étreinte, pour devenir son ami, sans doute son meilleur ami. D'avoir aimé Manet, de l'avoir choisi pour premier amant, elle ne pouvait ignorer qu'il était marié et ne changerait rien à sa vie pour elle, l'a rendue tendre et sensible à sa peine. Elle va le consoler mieux qu'un ami. Oui, elle est son élève et son amie. Ils s'entendent si bien que la pose se fait alors partie de plaisir et qu'il achève enfin son portrait.

L'été, toujours à Boulogne-sur-Mer, mais à l'hôtel cette fois, pour fuir la vie de famille stricto sensu, à l'hôtel on peut n'être jamais seul. Il peint comme un fou.

Au retour, vite retrouver les amis, se tenir chaud avec eux, le plus nombreux possible, le plus souvent possible.

Le Guerbois devient l'annexe de son atelier, il y reçoit aussi bien que rue Guyot, plus difficile à chauffer : le chagrin le rend frileux. Et il a un tel besoin de fraternité.

Il ne se passe pas de journée qu'il ne rencontre au moins deux fois, parfois trois, ses amis aux cafés. Il ne cicatrise pas.

Chaque fois qu'il croise Berthe, le feu couve toujours. S'il lui proposait encore de poser ? Et si elle était assez folle pour accepter ? En échange, elle lui demande de jeter un œil sur ce qu'elle a fait ces derniers temps. Il se rend jusqu'à son atelier pendant que mère et épouse papotent au salon... Ils sont doués pour se faire souffrir ces deux-là. Pris d'une pulsion incontrôlable, il se met à retoucher une toile de Berthe, à la toucher à sa place, à la reprendre encore et encore, la toile comme truchement des mains qu'il ne peut poser sur elle. Elle crie pour qu'il s'arrête, elle se plaint qu'il lui esquinte sa toile, il n'entend rien, il croit l'étreindre. Ouf, l'arrivée des autres le force à s'interrompre. Et la toile part pour le Salon en l'état.

Soudain, à la lecture d'un article dans *Paris-Journal*, signé de Duranty, Manet pique une vraie rage. Une phrase le rend furieux : « M. Manet a exposé un philosophe foulant aux pieds des coquilles d'huîtres et une aquarelle reproduisant son christ soutenu par les anges. » On a vu plus violent. Duranty est souvent plus méchant.

Rien n'y fait. Comment un ami peut-il si mal parler de mon travail ?

Les nasaux fumants, Manet se rue au Guerbois à l'heure où il sait l'y trouver, marche sur lui d'un pas mauvais et sans bonjour ni merci le soufflette théâtralement. Un duel ?

Oui, un duel, il faut que Duranty lui rende merci.

Il y a quelque chose de ridicule chez Manet comme si, à trop aimer Vélasquez et Goya, il avait contracté le tic « grand d'Espagne » qui l'entrave dans sa marche comme un habit trop large pour lui. L'*Albatros* de Baudelaire aussi peut-être ?

Un soufflet égale un duel. Au premier sang, tout de même.

La rencontre a lieu le lendemain dans la forêt de Saint-Germain à onze heures du matin. Aucun d'eux n'a jamais manié l'épée. Ils se jettent l'un sur l'autre avec une telle violence que les deux épées se changent en tire-bouchon ! Duranty est égratigné au-dessus du sein droit, très légèrement, Manet a glissé sur sa côte. L'honneur est sauf, il n'y a pas lieu de continuer le combat. Ils se réconcilient. Ont-ils jamais été fâchés ? Manet se persuade que Duranty a perdu à cause de ses mauvaises chaussures, usées et trop douloureuses, aussi lui offre-t-il les siennes et rentre pieds nus. Le soir même, ils trinquent au café plus amis que jamais. Le choix des témoins a relevé de l'exercice de style, tous leurs amis étant communs.

De l'algarade, Duranty conserve une drôle de méfiance envers un pareil atrabilaire, aussi fait-il désormais très attention en abordant son travail. S'ils ne s'étaient rabibochés tout seuls, la politique et même l'histoire les auraient réunis à nouveau. Du même camp, du même côté des armes.

Ces chaussures échangées sont peut-être le symbole de ce qui les attend, au loin on perçoit des bruits de bottes. Il semble que l'empereur ait grand besoin de s'offrir une guerre pour se hisser à la hauteur de Napoléon.

Chapitre XI

1870-1871

NOTRE AVANT-GUERRE

Ô toi que j'eusse aimée, ô toi qui le savais !

CHARLES BAUDELAIRE

Tandis que fane sur son chevalet le portrait d'Eva, Manet fait à nouveau poser Berthe : *De profil*, puis au *Manchon*, outre quelques lithos. Le charme agit toujours, le sortilège n'est pas levé. Sans arrêt, il la scrute pour la capter de l'intérieur, il ne peut davantage se passer d'elle que lui avouer ce qu'il ressent. La pénitence est affreuse pour les deux. Toutes ces heures de pose à s'observer mutuellement dans le grand silence de l'atelier que scandent les bruits de madame Mère qui cliquette ou caquette selon le moment et l'épaisseur de la tension. C'est cher payé l'amour interdit.

Le printemps est précoce, aussi se retrouve-t-on souvent le soir pour écouter de la musique chez les uns, les autres. Quand on dit musique, on sait qu'il y aura Manet et surtout son épouse. Pianiste recherchée, elle est de toutes les soirées musicales. Elle joue bien, irréprochable techniquement. À l'occasion, elle y met du cœur quand elle aime l'artiste qu'elle interprète, ou quand la femme que convoite son mari est dans la salle. Et elle y est toujours, Berthe ne rate pas une fête de ce printemps. Des fois qu'un furtif tête-à-tête offre quelque répit à son supplice. La musique alimente leur art à tous.

Au Salon de 1870, Manet commet l'accrochage le plus conventionnel de sa vie. De fait, il n'a jamais tant plu au jury, et même au public. À l'inauguration, il passe la journée à chercher Berthe des yeux. Il a besoin de son point de vue sur son travail. Il le redoute autant qu'il le convoite. Son avis s'est mis à compter autant que celui de Baudelaire jadis, et elle au moins s'y connaît en peinture. Elle ne paraît qu'à l'heure de fermeture...

Sa *Leçon de musique* où figure Zacharie Astruc est une jolie distraction, dit-elle, qui évoque amicalement Degas avec qui Manet est enfin réconcilié.

Bien qu'à peine sec, son *Portrait d'Eva* sent la sueur et la peine. Proposé aux jurés moins de huit jours avant la date limite, accepté sans barguigner, il ne fait pas lever un sourcil à l'héroïne du *Balcon*. Elle passe devant sans le voir. C'est sa manière de le punir. À titre de dédommagement, il l'offre à Eva.

« Pour ne plus l'avoir sous les yeux, persifle Berthe.

— Mais Duret l'adore, et Duranty qui écrit : "Dans tout le Salon il n'y a qu'un seul tableau qui se détache du reste, c'est toujours le Manet. On peut rire parce qu'il est bizarre qu'une chose ne ressemble pas aux autres..."

— Voilà la preuve de leur mauvais goût », continue-t-elle.

En digne descendante de Fragonard, Berthe se trompe rarement face aux nouveautés.

« Ou alors, émet Degas, pour une fois positif, il

arrive ce qui arrive parfois, après un certain nombre d'années, à force de devoir passer devant une pléthore de peintres modernistes, le jury s'y accoutume et même s'y acclimate. Et le public, un rien manipulé, suit comme un seul homme. Ainsi l'épouvante que, nous les artistes, sommes censés inspirer se trouve atténuée par le nombre de nos œuvres sélectionnées. »

Le principe de l'entrisme si cher à Manet commencerait-il à payer ? Enveloppé de morgue, Degas s'est fait une raison : « Le public n'y entend rien, ne voit rien, tu ne veux quand même pas lui apprendre à regarder ! Quant aux jurés, ils nous fusillent mais nous font les poches. »

Pour la première fois de sa vie, et alors qu'il a beaucoup médit contre les pleinairistes, Manet envisage d'aller peindre directement sur le motif. Telle est l'influence subreptice de Berthe. Oh, il ne projette pas d'aller se perdre en forêt, mais le jardin de la femme qu'il aime fera l'affaire.

Pas complaisante pour deux sous, la demoiselle Morisot l'a mis au défi de faire comme elle : de la peinture en plein air et en direct. Chiche ? Vexé, Manet relève le gant. Elle lui ouvre grand son atelier de la rue Franklin, où il organise une mise en scène à l'aide du frère de Berthe, l'oisif Tiburce et d'une certaine Valentine, grande amie des sœurs Morisot, qu'il met en scène sur l'herbe. Il commence à les croquer quand la mère de Valentine découvre que sa fille pose pour Manet ! Manet ? Non ! En prime, elle se vautre dans l'herbe avec un jeune homme ! Elle lui interdit de remettre les pieds chez les Morisot tant que s'y trouvera cet artiste maudit. *Maudit* en voilà une épithète pleine d'avenir...

Alors Edma, venue accoucher à Paris, la remplace et s'affale, elle, littéralement à côté de son petit frère.

Certes Manet peint depuis le seuil de l'atelier de Berthe, certes sa palette s'éclaire mais, comme œuvre de plein air, on a vu plus probant. Ça ressemble à un pied de nez aux pleinairistes, genre voyez, moi aussi, je peux. Et si je n'en fais pas davantage, c'est que je préfère travailler à l'atelier.

« Oui, *Au jardin* renouvelle votre facture, mais juste un peu. Moderne mais pas trop, conclut malicieusement Berthe, lors du vernissage. Ça n'est pas encore de la vraie peinture de plein air. Vos *Brioches* ? Oui, voilà la plus sophistiquée de vos natures mortes. Quant à votre *Femme au piano*, ne dirait-on pas que vous vous êtes caché derrière ? Vous avez l'air de claironner : "Je suis un homme marié, moi madame, un homme sérieux !" Mais qui voulez-vous convaincre sinon vous-même ? »

Pourtant cet *Au jardin*, bizarrement accepté au Salon sans contestation, le pose sur-le-champ en chef de file de ces peintres qui ne font que de l'extérieur.

« Encore ! Mais c'est une manie.

— Non, plaisante Fantin, tu dois avoir l'étoffe d'un chef. »

Énervé, Manet a couru rejoindre ses amis, seule la société des hommes le repose. Il est mal à l'aise aussi en famille, puisqu'il ne songe qu'à Berthe. S'efforcer d'oublier Berthe, c'est encore penser à Berthe. Seuls ses amis les plus chers le soulagent de sa triste personne. Il les retrouve à l'atelier de la rue La Condamine, chez Bazille, pour de longues séances de pose qui sont autant de séances d'amitié. Fantin finit de brosser sa fresque d'hommage à Manet, avec Zola,

Maître, Monet, Renoir, Schölderer, Astruc, Bazille et lui-même. Ces heures-là sont les plus douces de cette période. Ce qui inspire à chacun de peindre tous les autres. Tandis que Manet peint son Bazille en accentuant le charme triste de ce grand jeune homme, lui, de son côté brosse un portrait joyeux de Renoir. Manet a le don d'instiller sa propre mélancolie dans les traits de ceux qu'il croque. Jubilant de cette intensité de travail, de partage et de tendresse régnant lors de ces séances, Bazille les supplie de bien vouloir continuer à venir poser pour lui. Les mêmes, enfin ceux qui sont encore disponibles, s'y prêtent avec la joie renouvelée de ne pas se séparer. Ça donne cette grande œuvre qu'il nomme simplement *L'École des Batignolles*, la seule à laquelle Manet est heureux d'appartenir, sa famille locale, en sorte.

Si certains d'entre eux n'ont pas honoré la pose chez Bazille, c'est que l'été a commencé très tôt, très fort. Dès juin, Paris est irrespirable.

De Nittis convie Édouard et Suzanne à Saint-Germain-en-Laye. Manet accepte, ce qui lui permet d'échapper au huis clos familial sans s'éloigner de Paris. À cet ami généreux, qui lui trouve « l'âme ensoleillée », Manet offre *Au jardin* en remerciement de ces quelques jours passés dans la même lumière que ce tableau.

C'est alors que dans un ciel d'été sans faille, dans l'alanguie des vacances, le 19 juillet, dans l'espoir de redorer son blason élimé, Napoléon III déclare la guerre à la Prusse ! Moins d'une semaine après, les premières défaites entraînent les premiers morts. Trop tard pour reculer, l'empereur va s'entêter jusqu'en septembre. Jusqu'à Sedan.

Entre-temps, Gustave resté à Paris a alerté sa famille. Dès le 7 août, Édouard le rejoint à Paris pour prendre des dispositions. Assez politisé, il lui est aisé d'anticiper la suite. Hélas. Pendant que la France se ridiculise dans une guerre contre la moitié de l'Europe où elle n'a aucun allié, la résistance s'organise.

Le 2 septembre, c'est Sedan, fait prisonnier l'empereur capitule. Aussitôt le 4, Gambetta proclame la république. Dès le lendemain, comme s'il était tapi derrière la porte de la France, Victor Hugo revient triomphalement de son long exil volontaire de dix-neuf ans. L'âge de Léon ! Ce même jour où Manet expédie les siens le plus loin possible de Paris. Les Pyrénées devraient faire l'affaire. Le lendemain de la défaite, Eugénie, Suzanne et Léon filent à Oloron-Sainte-Marie dans les Basses-Pyrénées. Léon aurait pu rester, Manet ne l'a pas voulu. Il lui confie solennellement la vie des siens. Ce jeune homme végète, n'a envie de rien, ne fait rien. Il a quitté la banque de Gas pour une autre où il ne progresse pas davantage. Rien ne l'intéresse, il s'ennuie. Comme tous les garçons de son âge, il rêvait de mourir à la guerre. Parrain le lui interdit. Décidément personne ne le prend au sérieux.

Une fois sa famille à l'abri, avant de fermer son atelier pour un temps indéterminé, Manet emballe ses œuvres. La cave de la rue Guyot n'est pas sûre, celle de l'appartement rue Saint-Pétersbourg n'est pas assez grande, il entrepose les plus précieuses chez l'ami Duret. Il lui en remet la liste avec l'estimation de leur prix, il y a là l'*Olympia, Le Bain, Le Guitarrero, Le Balcon, L'Enfant à l'épée, Lola de Valence, Clair de lune, Liseuse, Lapin, Nature morte,*

Danseuse espagnole, Des Fruits, Melle B., au cas où. Il sait parfaitement en évaluer la qualité et la rareté.

La cave de Duret, dans les beaux quartiers, est vaste et voûtée, elles y seront à l'abri. Car oui, ça va tirer sur Paris, ceux qui y sont restés le pressentent. À tout prendre, mieux vaut mourir les armes à la main ! Manet s'attend, mais n'est pas seul, à « quelque chose d'épouvantable ». Le Prussien n'est pas tendre. Aussi avec ses frères, ils décident non seulement de rester mais de s'engager pour sauver Paris. Un rien fanfarons, les trois frères posent en uniforme, tout en s'en prenant méchamment à ceux qui fuient vers l'étranger. Manet sait bien que les peintres qui s'exilent ont de bonnes raisons pour le faire.

Chez les Morisot, les sœurs incitent Berthe et ses parents à les rejoindre dans leurs provinces respectives. Aux premiers jours de la guerre, Tiburce engagé dans l'armée impériale s'est enfoncé vers l'est. Monsieur Père a si peur d'être vandalisé par la racaille qu'il maintient sa femme et sa fille dans la capitale pour surveiller ses biens.

Beaucoup d'amis chers s'engagent aux côtés de Manet, Degas en premier, le petit poète voisin de la rue Lécluse, Paul Verlaine, et même le Belge Arthur Stevens qui obtient une dispense pour intégrer aussi la Garde nationale. Eugène et Édouard intègrent le même commando, se regroupent, comme dans l'adversité, tout petits, contre leur père.

L'épreuve de la guerre, puis du siège à quoi il était impossible de s'attendre, les prend de court. Trop réel, trop violent. Ni la déchéance de l'Empire ni la proclamation de la République n'arrêtent la marche des Prussiens sur Paris. Et plutôt vite. Encerclée, assiégée, bombardée, Paris oscille entre inertie et patriotisme. Lucide ou désespéré, Manet ne croit pas à la victoire, mais veut se battre quand même. Et surtout rester à Paris, parce que Berthe.

Les Prussiens n'ont pas bonne réputation. Eugène est certain qu'ils n'en réchapperont pas.

Dès les premières canonnades, Édouard s'inquiète pour Berthe.

Les deux plus riches, Degas et Manet sont bizarrement les plus francs-tireurs de la bande des réalistes, *Modernes, Pleinairistes, ou Batignollais*, comme on les nomme depuis le tableau de Fantin. Eux-mêmes ne se sont jamais affublés d'un nom, pourquoi pas d'un titre ? Ils héritent juste d'une année l'autre d'épithètes souvent dévalorisantes. Entre eux, ils se reconnaissent et savent qui n'en est pas. Courbet par exemple, ou Delacroix. Même si chacun à sa façon témoigne d'une réelle modernité. C'est donc qu'autre chose les lie. L'âge ? Pissarro est né en 1830, Manet en 1832, Degas en 1834, suit une tripotée de « petits jeunes » comme Monet en 1840, Renoir en 1841, Sisley, Whistler, Stevens, Fantin, Bazille né aussi en 1841... Berthe qui devrait être classée parmi les grands novateurs n'y est pas ? Mais enfin, c'est une femme !

Outre leur rejet profond des Académies des beaux-arts, du Salon, etc., tous ont osé jeter par-dessus les moulins les thèmes périmés et les bonnes manières stylistiques aux conventions bitumineuses, au profit d'un art plus brut, apparemment plus inachevé. Leur révolte est collective, leur rejet aussi, même s'il a l'air individualisé. La guerre les prend collectivement de cours. Les plus âgés ont vu tomber l'ancien monde, la chute de la Seconde République, quant aux plus jeunes, les pauvres, ils ont poussé sous Napoléon III, en 1870, ils sont tous en âge de combattre, aussi prennent-ils de plein fouet la défaite militaire du pays où ils créent, où ils aiment, où ils vivent. S'ils ne réagissent pas pareil, ils pensent à peu près la même chose.

Au Guerbois, la tonalité des discussions change radicalement. Manet, l'esprit le plus fin de Paris perd d'un coup tout son humour. Atteint d'un patriotisme suraigu, il ne tolère pas qu'on moque l'armée française, pourtant ridicule d'impréparation. Comme ses amis, il rêvait de se défaire de l'Empire mais pas de conspuer le drapeau français !

Gustave, Eugène et Édouard sont sur la ligne Gambetta. Et n'en démordent pas. Manet oscille entre patriote et témoin désabusé, soldat volontaire et flâneur indifférent. S'il déteste l'idée de faire couler le sang, le peintre en éveil reste tapi dans l'angle mort, crayon en main. Eugène et Édouard ne quittent plus leur uniforme de la Garde nationale, laquelle mobilise sans désemparer tous les hommes valides de 31 à 60 ans. Ils sont un demi-million à s'engager.

Pour sauver ce qui demain pourrait devenir la tête d'une intègre république, Gustave s'occupe de faire évacuer Gambetta grâce aux ballons de Nadar. Ces fameux ballons, qui, jusqu'ici, servaient essentiellement à prendre des photos aériennes, à cartographier le paysage, ne vont pas cesser pendant le siège de faire entrer et sortir de la capitale prisonnière hommes et armées. Amusé, Manet voit Nadar devenir un bienfaiteur et un héros.

Le 19 septembre, le Prussien s'installe à Versailles pour assiéger Paris.

Si Tiburce, le frère de Berthe, qui n'a jamais su quoi faire de lui-même, a sauté sur la guerre pour se désennuyer, enrôlé dans l'armée, il a disparu sur le front, Bazille avec toute sa ferveur a intégré les zouaves, la foi chevillée au cœur : il ne rêve que de sauver la France de Fragonard et de Chardin.

Pissarro s'est exilé à Londres. Pas le choix, Danois des Antilles et aussi pas mal juif, il a dû fuir. Monet l'y suit avec Daubigny son maître, abandonnant femme et enfants à Trouville où des fermières prennent soin de les nourrir, trop pauvre pour le faire lui-même. Et il a raison, le siège qu'il ne peut anticiper l'aurait dévasté. Quant à Fantin, il meurt de peur, incapable de bouger et trop pauvre pour embarquer ses sœurs loin de Paris, il se terre chez lui, malade et affamé. Il n'ose mettre un pied dehors.

Cézanne a fui très tôt pour se planquer à L'Estaque. Ayant tiré un mauvais numéro à la conscription, son père lui acheta un remplaçant, mais cette combine n'était plus valable par temps de guerre. Aussi se cache-t-il, tant qu'il est déclaré réfractaire, recherché par les gendarmes. Après Sedan, il reste là, il y a de quoi vivre et de quoi peindre.

Manet en veut à tous ceux qui ne prennent pas les armes pour défendre Paris, la France, son idéal. Pendant qu'il gronde Berthe : « Vous serez bien avancée quand vous serez blessée aux jambes, ou défigurée », lui dit-il dans l'espoir qu'elle fuie Passy. Au fond, non, il ne le veut pas, mais peut s'offrir le luxe de cette posture puisqu'il le sait, Berthe ne quittera pas Paris. Il espère que les circonstances, la guerre, cette folie, vont finir par leur ménager des tête-à-tête amoureux. En attendant, Berthe qui n'a pas la moindre fibre patriotique, s'ennuie horriblement. Elle est triste, dolente, s'entend de plus en plus mal avec son père, subit sa mère depuis longtemps, justement trop longtemps, et ça commence à bien faire. Le huis clos lui pèse. Ah, si elle était mariée ! Oui, mais sa liberté. Sa peinture. Son art. Sa vie. Sa peau ! Elle ne peut s'y résoudre. Elle ne peut même plus peindre en solitude : son atelier est réquisitionné par des soudards. Elle dessine sur ses genoux glacés dans sa chambre inchauffable. Elle aquarellise un éventail pour l'offrir à Degas. Plus elle est éprise de Manet, plus elle se soucie de l'opinion de Degas. À force de passer toutes ses heures enfermée, hébétée de silence, elle attend Manet, qui passe souvent mais jamais seul, Stevens, Puvis, Degas, même Verlaine, se retrouvent dans le salon des Morisot, où il y a encore de quoi grignoter. Mais même chez eux, les vivres commencent à manquer.

Eva est à Dieppe chez les siens ; comme toutes les femmes de son milieu, elle est partie à temps se cacher à la campagne. Cézanne demeure dans le Sud, surtout pour échapper à son ogre de père. Amoureux d'une femme qui ne saurait lui plaire, il la cache à L'Estaque où il accueille l'ami d'enfance, Zola, fuyant les combats, et toujours flanqué de sa mère et de Gabrielle. C'est là qu'il l'épouse, avec Cézanne pour témoin. La Garde nationale n'aurait pas voulu de lui, trop bigleux, alors tant pis, il se marie. La guerre lui force la main !

Manet accompagne toujours Gustave à ses réunions politiques, du moins est-ce ce qu'il raconte dans ses lettres à Suzanne, à qui il n'a jamais autant écrit. Il n'en a jamais été si longtemps ni si dramatiquement séparé. Il lui fait part de l'opinion du peuple de Paris face à ceux qui ont les moyens de fuir. Ils veulent en placarder les listes, confisquer leurs biens. Ces réunions se tiennent souvent aux Folies-Bergère. Manet n'est pas dépaysé.

Il se rend aussi avec ses frères sur leurs terres de Gennevilliers : « C'est vraiment triste à voir, tout le monde est parti, on a abattu tous les arbres, on brûle tous les meubles, dans les champs, les pillards cherchent les pommes de terre oubliées... »

Il écrit plus qu'il ne peint. Aux siens, mais surtout, en grand nombre, des billets à Berthe, qu'il lui porte en cachette, avec ordre de les détruire sitôt lus. À croire qu'il équilibre ses billets secrets à Berthe par ses lettres à Suzanne, à qui il n'a jamais tant juré son amour. Plus il aime Berthe, plus il se barricade derrière son épouse. Il veut tout et son contraire.

C'est la guerre. C'est l'hiver. Le climat est empoisonné, tout est bouleversé, le froid est tombé sur Paris comme les Prussiens. Précoce, glacé même, et bien sûr, plus de bois. D'ailleurs il n'y a plus rien, on meurt de faim. Manet ne se félicitera jamais assez d'avoir expédié sa femme avec leurs trois chats et les deux chiens de Léon au loin, prévoyant qu'il n'aurait pas le loisir de s'en occuper. Ce qu'il n'a pas osé envisager, c'est qu'il leur sauvait la vie. Tous les chats, tous les chiens, tous les rats, tous les cygnes, tous les canards de Paris, du bois de Boulogne au square des Batignolles, de Vincennes au Luxembourg, vont être dévorés par le peuple affamé.

Sans parler des somptueuses bêtes sauvages du

Jardin des Plantes qui vont assurer la fortune d'un épicier cruel et avide. Le fondateur de la dynastie Corcellet a l'esprit assez glauque pour en faire la réclame avant de les débiter en biftecks. Par un carnage organisé, cet épicier fonde un empire de boustifaille, en assassinant tous les tigres, les ours, les plus belles bêtes du monde. Qu'est-ce qu'on mange en bifteck aujourd'hui ?

Rat ou girafe ? Pigeon ou lion ? Lapin ou tigre ? Hippopotame ou poulet ?... Ce que Victor Hugo appelle « manger de l'inconnu ».

La Garde nationale ravitaille ses troupes avec l'aide exclusive des moulins de Paris, tous deviennent végétariens de force.

Froid ou faim, Berthe souffre surtout de ne pas vivre son amour. Manet vole à son secours avec le peu qu'il récupère de ses garnisons. Il s'entend de plus en plus mal avec le père de Berthe, trop lié à Thiers, trop complaisant envers l'Empire. Orléaniste, le père Morisot méprise la République parce qu'elle l'a jadis destitué de ses fonctions. Aussi voit-il Manet et en général les artistes qui courtisent sa fille d'un très mauvais œil, principalement ceux qui ont endossé l'uniforme de la Garde. Or ce sont eux qui les ravitaillent. Manet, Degas, Ferry et Stevens se relaient pour nourrir Berthe.

Affecté au corps des canonniers, Manet s'installe sur les fortifications, il couche dans la paille avec ses artilleurs. Il est fier de son uniforme qu'il arbore jusque chez Berthe. Il partage ce patriotisme avec d'autres artistes ; Degas, même corps, même uniforme mais affecté dans un autre régiment, a le bonheur d'avoir Henri Rouart, un ami de lycée, pour capitaine d'artillerie. Ils ne se quittent plus.

Comme Renoir était dans le Sud au moment de la déclaration de guerre, il s'engage au 10e Chasseurs de Tarbes. En dépit de son grand âge, 46 ans, Puvis aussi s'est engagé dans la Garde nationale.

Les soirs de liberté, après avoir fait un saut chez Berthe, Manet retrouve au Guerbois, dans une pénombre de guerre, ceux qui, seuls comme lui, ont besoin de tromper l'ennui. Manet a beau charger sa besace militaire de matériel de peinture, il n'en a ni le cœur ni le loisir. La boue jusqu'aux chevilles entame son patriotisme et son amour de l'art. Il troquerait la Lorraine pour les bras de Suzanne, écrit-il à Suzanne, en rêvant de ceux de Berthe. Fin novembre, dix mille télégrammes arrivent à Paris par pigeons, et pas un de Suzanne ! C'est un supplice.

À part quelques batailles, sans gravité, rien pour distraire Manet, qui passe d'une humeur l'autre en fonction de son espoir de voir Berthe. Tantôt résolu ou découragé, ironique ou mélancolique, lucide ou défaitiste, mais cynique et moqueur toujours. Ce mois de décembre est trop froid pour un garde national de son âge, il demande à intégrer l'état-major. Le voilà désormais à cheval pour inspecter les positions, ce qu'on appelle avoir une vue d'officier sur la situation. Mais là, il souffre d'avoir pour colonel une des puissances de l'Académie, ce fameux Meissonnier qui l'a systématiquement recalé au Salon. Si Degas l'appelle *le géant des nains*, la parfaite éducation de Manet le maintient dans un formalisme courtois, mais il ne rêve que de lui botter le cul. D'autant que ce dernier feint de ne pas connaître Manet, d'ignorer qu'il est peintre, tout en posant lui à l'artiste, au milieu de ses hommes.

Journaliste avant tout, Constantin Guys dessine le siège. Mais *La Queue devant la boucherie* est le seul témoignage direct de Manet de ce terrible siège. C'est pris sur le vif. C'est vrai. Dans Paris ouvrent et ferment des boucheries de chiens, de chats, de rats, de mulets, d'ânes, et d'on ne sait quoi, bien sûr de chevaux. Ceux des soldats même sont convoités. Manet dort avec le sien.

Plus de gaz, du pain noir, et la canonnade toute la journée... Personne n'en peut plus. Berthe invente alors une ruse magnifique, elle se propose pour faire des pansements ! Sa mère la laisse y aller car c'est un groupe féminin de *volontaires contre la misère*. Ensemble, elles taillent des vêtements dans de vieilles couvertures, de vraies dames d'œuvre ! Sur le modèle de ces Montmartroises rassemblées en commandos qui, armées de piques et de bâtons, vont déloger les hommes planqués et les envoient à l'assaut des « fortifs ».

« Si l'Europe n'arrive pas à temps pour s'interposer, alors la mort, l'incendie, le pillage, le carnage... », prédit Manet. Les Parisiens tiennent pourtant vaillamment, et très au-delà de leurs forces. Ils l'aiment leur ville.

Quand un midi de novembre glacial Berthe échappe à ses bonnes œuvres, monte quatre à quatre les escaliers du 49 rue de Saint-Pétersbourg, elle trouve Gustave en train de rédiger la future constitution de ses rêves !

« Édouard ? »

Essoufflée, Berthe ne dit rien d'autre, terrifiée déjà d'avoir osé.

« Mon frère ? Ah ! Ne bougez surtout pas, je sais où il est. Je vous le ramène. »

Ce qu'il fait en l'espace d'un quart d'heure pendant lequel l'élan de Berthe ne retombe pas. Elle s'est seulement mise à trembler de peur, peur de ce qu'elle se voit faire, qui s'accomplit malgré elle. Édouard arrive. Interdit, il ne comprend pas. Berthe affirme alors avec l'aplomb des grandes amoureuses qu'elle est « venue chercher les pigments qu'il lui a promis. Elle n'a plus de couleur, elle ne peut plus travailler, et, avec ce siège, on ne trouve plus rien. Il lui en avait promis... », implore-t-elle.

Comment Gustave, comment n'importe qui d'ailleurs, pourrait s'imaginer qu'elle improvise ? Même Édouard finalement croit se souvenir, oh de loin, lui avoir fait cette promesse.

« Mais ici, je n'ai rien ! Tout est rue Guyot.

— Eh bien, ne perdons pas une seconde, allons-y vite, ma mère va s'inquiéter. »

Qui aurait imaginé Berthe si rusée ?

Effectivement, Cornélie devrait s'inquiéter. Édouard et Berthe volent littéralement jusqu'à l'atelier, déserté depuis l'été. Leur étreinte ne peut se desserrer de tout l'après-midi. Entre la nuit qui tombe, l'orage qui tonne et les canons qui tirent sans désemparer, cette nuit aurait dû être scandée d'épouvante, mais ils s'aiment, ils s'aiment... Ils s'aiment pour toutes ces heures, ces semaines, ces mois, ces années où ils ne se sont parlé que des yeux. Sans doute, se sont-ils déjà tout dit, ils savent tout l'un de l'autre. Ils se connaissent, se reconnaissent par cœur. C'est merveilleux et déchirant à la fois, ils s'aiment en sachant qu'ils ne pourront peut-être jamais recommencer. C'est effroyable et magnifique.

À l'aube, Manet dégote la troupe des cantinières, retour des fortifications et, moyennant sonnantes espèces, il parvient à en débaucher deux afin qu'elles raccompagnent Berthe chez ses parents.

Leur amour aura duré une vie entière comprimée en dix-sept heures ! Comblés et désespérés, ils se séparent peut-être pour toujours.

Si, depuis le début du siège, les amis ont ravitaillé les Morisot tant qu'ils l'ont pu, vers la fin de l'année, la maigreur de Berthe devient un sujet d'alarme. À son propos, sa mère parle de consomption, d'évanouissement. Son beau visage est tout marqueté, on dirait une sculpture de ce fou de Rodin. Manet rêve d'avoir un jour à nouveau l'occasion de la peindre. Mais le siège se durcit, la capitale souffre de plus en plus, il devient impossible de vivre à peu près normalement. Le petit peuple crève.

Gustave travaille comme un fou pour inventer une république irréprochable, un gouvernement vertueux ! Quand ? Par un autre ballon de Nadar, Gambetta rentre à Paris avec la pire nouvelle de la guerre, que le commandant Lejosne vient en personne annoncer à Manet dans son casernement. Bazille, son cher neveu, Bazille ce peintre plein de promesses et d'amitié, fin novembre, Bazille est mort au combat. Fauché devant Beaune-la-Rolande. Pourvu que Tiburce ? Non, prisonnier seulement, il a réussi à s'évader d'Allemagne par la mer ! Il a déjà repris du service. Edma est sans nouvelles de son Pontillon de mari parti de Cherbourg faire la guerre sur l'eau. Toutes les femmes prient. Sauf Berthe, qui calcule, elle, comment retrouver Manet, seuls tous deux, en faisant des aquarelles sur ses genoux dans sa chambre. Mais après la Noël, elle est forcée de calculer autre chose, compte et recompte sur ses doigts...

Ce siège ne finira donc jamais ? En plus, maintenant, il neige, il gèle. Paris givre sous le canon, Paris grelotte de faim... « Le ciel bas et lourd pèse comme un couvercle »... Manet est grippé, maigre comme un clou. Depuis le 5 janvier, la Prusse bombarde sans trêve, il pleut des obus rue Soufflot, place Saint-Michel, faubourg Saint-Germain... La rive gauche se réfugie rive droite... Mortels, ces jours sombres. Mi-janvier, dans un brouillard compact, on tente une sortie en masse contre l'ennemi. Échec. Il faut tenir, encore, la résistance nerveuse est à bout.

Il fait moins 7, mais si beau ! Il faut être peintre pour avoir l'audace de se consoler à la vue d'une belle lumière. L'hiver est aussi froid que l'été fut chaud. Janvier est meurtrier. Plus rien à manger, de vieux biscuits, du rat les jours fastes.

Alentour ça tire sans trêve, on ramasse les morts par centaines, la neige tombe, ce rouge sur ce blanc... La pneumonie tue autant que l'artillerie prussienne. Plus de cent vingt mille morts dans chaque camp. Manet retourne chez les Morisot quand il lui semble que les canonnades sont trop proches de chez eux. Le courage de Cornélie l'éblouit : « C'est curieux comme le mal qu'on voit de près perd de son intensité. » Berthe refuse de descendre le saluer.

Enfin, le 28 janvier l'armistice est signé qui met fin au siège de Paris.

Dans la nuit, il se passe une chose qui les réveille tous, le canon se tait.

Aussitôt, Thiers prend la tête du gouvernement. Ça soulage les conservateurs, les Morisot ou les Puvis de Chavannes, qui sentent le pouvoir se rapprocher d'eux. Thiers était témoin aux mariages des sœurs de Berthe. Qui maigrit, maigrit toujours... Berthe, qui au départ n'était pas bien grosse, devient inquiétante. D'autant qu'elle y met quelque malignité. Oublier de manger des semaines entières, dans son cas, c'est suicidaire. Il faut la colère de Manet secondé par Degas, pour alerter sa mère, et que celle-ci la contraigne à manger le peu qu'on trouve encore, il n'y a plus rien. Elle maigrit de façon spectaculaire aux yeux de l'homme qui l'aime.

Berthe profite-t-elle de ce siège de famine pour s'affamer, se punir ? Cette pensée taraude Manet. Elle a l'habitude d'exercer sa volonté contre elle-même. Plus jeune, elle était capable de se priver de manger de longues périodes, pour se punir, pour se tenir. Voir jusqu'où elle pouvait aller. Là elle a une bonne raison, elle aime, elle souffre, elle espère affamer aussi ses sentiments.

Berthe ?

Berthe s'est évanouie. Cette fois, c'est littéralement qu'elle ne tient plus debout. Elle s'effondre. Et ce n'est pas seulement la famine, c'est l'amour, enfin ses conséquences.

Un début de grossesse dont personne ne se doute. Dont personne ne doit rien savoir. Jamais. Officiellement, elle est toujours une jeune fille à marier. Impossible donc qu'elle porte un bébé. Oui, mais, il y a plus deux mois qu'elle n'a plus ses règles. Elle vomit, elle est prise de nausées. Elle maigrit de partout, sauf des seins... Elle se cache de sa mère, seule capable de déchiffrer ces signes sur son corps.

Depuis plusieurs jours, la famille Morisot est nourrie exclusivement de biscuits, cette espèce de pain ranci qui a empoisonné une partie de Paris. Aussi le 4 février, quand elle perd connaissance, on peut mettre ça sur le compte des biscuits.

Il faut pourtant vite un médecin, car Berthe perd du sang, beaucoup, souffre de douleurs au ventre qu'il n'est plus possible d'attribuer au mauvais pain. Son visage est émacié, elle est presque laide, sinon le feu dans ses yeux. Le médecin comprend tout de suite, et promet de tenir sa situation secrète à l'unique condition qu'elle se remplume au plus vite. Le siège est fini, le réapprovisionnement est lent mais il va arriver, on peut se réalimenter.

Berthe perd l'enfant d'Édouard Manet qui n'avait pas le droit de vivre, ni dans ce ventre affamé, ni dans ce cœur malheureux.

Alerté par Stevens de la visite d'urgence du médecin, flanqué de Degas, Édouard force tous les barrages, militaires dans les rues, maternel rue Franklin, et, pendant que Degas énerve les parents Morisot au salon en les provoquant sur leur conservatisme, Manet se tient à genoux au chevet de Berthe. Très affaiblie, elle lui jette brutalement : « Je n'attends plus d'enfant de vous. »

Elle congédie Manet qui, abasourdi, part sans même saluer ses parents.

Et Paris recouvre la liberté, Berthe aussi. Tout rentre dans l'ordre. Un certain ordre.

Promu lieutenant, Manet a terminé ce siège dans les larmes et l'alarme. Sadisé par Meissonnier, désespéré par l'aveu de Berthe. Il n'a plus la moindre envie de peindre.

Si jusque-là Manet négligeait ses petites misères, il se sent soudain très mal. Une crise de furonculose aiguë le jette sur les flancs tandis qu'il tremble de fièvre à cause d'une infection aux pieds due aux longues marches dans la boue gelée, il est vraiment affaibli. Un mauvais rhume par là-dessus, Gustave exige qu'il se soigne et, comme c'est impossible dans Paris dévasté, qu'il se sauve. Ça n'est pas si simple.

Berthe refuse de le voir. Il est terriblement affecté par cette grossesse avortée. Dire qu'il se croyait stérile. Puisque Suzanne...

Mon Dieu, Suzanne ! Il est bien temps de s'en alarmer...

Le 12 février, assuré par Degas que Berthe se remet et accepte de quitter Paris, Manet file à Oloron rejoindre les siens. Auparavant, il passe chez Duret, vérifier que ses œuvres entreposées n'ont pas souffert et, très ennuyé, lui emprunter encore de l'argent. Depuis le début du siège, c'est la troisième fois. Manet est fauché comme jamais. Le siège a interrompu toute circulation d'argent. Duret lui avance trois cents francs et promet de lui en faire tenir davantage avant de quitter la France.

Après son départ, épuisée, Berthe pleure. Toute seule, définitivement seule.

Manet retrouve les siens. S'il est maigre comme un coucou, Suzanne a terriblement grossi. La comparaison avec Berthe est impitoyable.

Ici, il fait doux, le climat est bon. Entre mère et

épouse, il se sent revivre et reprend ses pinceaux, fait des esquisses en plein air, et deux tableaux de Léon, l'un à bicyclette, l'autre à la balustrade. La pensée de Berthe ne le quitte pas, mais il parvient à dormir des heures d'oubli et doit reconnaître qu'il avait besoin de ce repos. Pourquoi ne pas louer sur l'Atlantique, à Arcachon par exemple, une maison pour un mois ? Ainsi il se rend à Bordeaux où il retrouve Zola qui fait son métier de journaliste, et Albert de Balleroy, élu député de la Nouvelle Assemblée ; laquelle s'y est réfugiée pour tenir ses assises. Manet assiste à une séance et, furieux, s'insurge par lettre auprès de Gustave : « Je ne pensais pas que la France puisse se faire représenter par des gens aussi gâteux... »

De la fenêtre d'un café, Manet brosse une vue du port de Bordeaux tout palpitant de vie. Début mars, il installe les siens à Arcachon, pour refaire ses forces et oublier Berthe. Paradoxalement il ne travaille qu'en plein air ! Hommage inconscient ? Même sa palette s'éclaircit.

Resté avec Gambetta, Gustave le tient au courant. Après l'acceptation du traité de paix, la honte s'abat sur la France. Dans la capitale, l'anarchie est totale. Plus de gouvernement. Le peuple assume la responsabilité du pouvoir. Nonobstant son enthousiasme républicain, Gustave lui déconseille de rentrer. L'état sanitaire est angoissant, le redoux du printemps risque de provoquer des épidémies...

Le 3 mars, Gustave avait raison : « L'infamie est consommée. Dans la foulée du départ des Prussiens, la ville est mise à sac. Des femmes traînées place de la Concorde sont dépouillées de leurs vêtements, frappées, jetées dans la fontaine, le visage barbouillé au fumier de cheval prussien... » Coupables d'avoir tenté de survivre, de nourrir leurs petits. Beaucoup ont été abusées, violées...

À Paris, les événements atroces s'enchaînent inexorablement. Thiers négocie avec la Prusse une paix honteuse. Après avoir tenté de reprendre Paris, ce vieux croûton – il a 74 ans – s'est replié sur Versailles, toujours encombré de royalistes perclus de nostalgie.

Le peuple de Paris sorti exsangue d'une guerre et d'un siège effroyables a le sentiment de s'être battu pour rien. Il croit qu'à Versailles on conspire à rétablir l'Ancien Régime. Aussi quand Thiers exige que rendent leurs armes tous les ouvriers mobilisés depuis juillet et qui ont si bravement défendu Paris, à qui on n'a plus versé de solde depuis cinq mois, pas nourris, pas chauffés, pas même secourus durant le siège..., ils refusent en masse et appellent à l'insurrection armée. Ces malheureux n'ont plus rien à perdre.

Le 18 mars, deux généraux sont fusillés, la révolution gronde.

Le 26 mars des élections municipales ont lieu partout en France, légalement sinon l'absence de nombre d'électeurs, les riches ne sont pas rentrés d'exil, les pauvres sont fous de rage après les abus de l'Empire et les misères du siège que Thiers prolonge et accentue. L'extrême gauche remporte Paris. Thiers envoie cinquante mille hommes mater les Parisiens... Crime des crimes, pour briser la rébellion, il ose s'allier aux Prussiens. Cette fois, ce sont les Versaillais, donc des Français, qui assiègent Paris.

Deux jours plus tard, dans un climat insurrectionnel délirant, la Commune est proclamée. Son but :

fonder un État fédératif. L'abolition des privilèges est au programme, et la fin de l'exploitation de l'homme par l'homme. Autant rêver...

Berthe et ses parents ont filé à temps. Replié à Saint-Germain, Puvis de Chavannes, lui aussi élu député de la nouvelle assemblée, a convaincu les Morisot de sauver leur vie plutôt que leurs biens. Ils ne subiront pas le second siège, trop heureux de rejoindre les leurs, tous Versaillais, Tiburce et sa famille ! Seule Berthe professe un républicanisme de bon aloi, se situant aux côtés de ceux qui souffrent. Mais Berthe ne dit plus rien, ne fait plus rien. Officiellement elle rêve de retrouver ses pinceaux, et ses sœurs. Psychologiquement, dévastée, elle se remet péniblement.

Le climat est aussi empoisonné chez elle que partout en France. Séparée, dressée, clivée, une France blanche contre une rouge. Paris contre la province, plus épargnée par la folie meurtrière du premier siège. La guerre civile est proche. Mutique, Berthe ne se mêle plus aux querelles qui poissent l'air partout. En privé, en public, les Français jusqu'au sein des familles ne sont plus d'accord sur rien.

À nouveau, Paris est assiégé. Le 2 avril, secondé par les Prussiens, les Versaillais envahissent les rues de la capitale pour écraser la Révolution avec l'aval du reste du pays. Les « Communeux » ripostent. Les Blancs reculent. La France a perdu la guerre mais gagné une République. De courte durée.

Le 12 avril, les Versaillais bombardent Paris comme les Prussiens ne l'ont pas osé. Les misérables ! Ce coup-là, Gustave expédie Eugène en ballon.

Jusqu'ici, il était demeuré avec lui. Il parvient même à convaincre Marie la servante la plus dévouée du monde de fuir avec lui. Elle a peur de monter en ballon. Gustave reste avec Gambetta pour organiser la suite. Inscrit à la Ligue d'Union Républicaine des Droits de Paris, il tente de réconcilier la Commune et Versailles !

Partout les communards traquent les Versaillais qui les soupçonnent d'être, eux, des socialistes masqués : tout communard est passible de la peine de mort.

Après la faim, la terreur qui règne sur Paris généralise le soupçon. Le complot, la menace, la dénonciation, le règlement de compte s'abattent sur la capitale sinistrée. La délation fait rage jusqu'au sein des familles.

Alors qu'il peint tranquille en bord de Seine, Renoir est arrêté par les fédérés, Renoir ! Si ses amis sont communards, il l'est aussi ! Forcément. Et puisqu'il se trouve là, côté versaillais, on l'arrête comme espion. Amené à la mairie du sixième arrondissement, un ami qu'il a jadis aidé le sauve in extremis de l'exécution.

Ainsi, jusque chez les peintres, Rouges et Blancs se disputent en combats désordonnés. Depuis toujours, Renoir en tient pour la politique du bouchon : se laisser flotter au gré des événements, suivre le courant, ne jamais s'opposer, patienter. Aussi se débrouille-t-il, deux laissez-passer, un blanc, un rouge, grâce à quoi il franchit toutes les lignes. Il a des amis partout, qu'il réconforte, approvisionne et à qui il rend d'immenses services. Et surtout, il peint en liberté. Il a la chance, lui, de ne penser à rien d'autre, c'est le plus grand fou de peinture de leur bande.

Degas est le plus modéré des Républicains, pas communard, non, mais au moins, il n'accable pas ceux qui le sont, comme ce malheureux Courbet qui, à cause de sa grande gueule, paie pour tout le monde. Avant même de le déclarer coupable, on le met au cachot. Il a toute la Commune sur le dos.

Sans Manet, Degas se sent soudain seul. Il retourne chez Berthe qui, elle aussi, se sent atrocement seule. Au bout de trois semaines, la famille est rentrée rue Franklin, toujours l'avarice de son père, mais son atelier a entièrement brûlé. Où peindre ? Et pour quoi, pour qui ? Degas la convainc de repartir se mettre au vert, elle n'est pas encore bien vaillante. Ses sœurs sont prêtes à l'accueillir. Que son père garde seul ses biens.

À Arcachon, Manet ne peint plus. Il vit dans l'alarme, les nouvelles sont mauvaises. Impossible de rentrer. Paris assiégé est interdit d'accès. Ses toiles sont à l'abri mais pour combien de temps ?

Et Berthe ? Berthe est-elle toujours là-bas ?

Non, elle est enfin à Cherbourg chez sa sœur. Triste à mourir. La tristesse est désormais sa seconde nature, écrit sa mère.

Manet n'en peut plus d'être loin de Paris, loin des événements. Loin. Il aimerait remonter mais c'est difficile et périlleux. Chargé de famille nombreuse, il ne peut le faire que par étapes, en suivant l'océan, deux jours à Royan, deux jours à Rochefort, deux jours à Nantes...

Pendant qu'à Paris la guerre civile s'intensifie, les Versaillais renforcent le siège. Désemparé, Manet loue un logis au Pouliguen. Comme il ne peut toujours pas peindre, il amène Léon à la pêche. Il est de plus en plus inquiet. Début mai, il se rapproche de Paris, toujours plus angoissé. Il est arrêté à Tours, où la surexcitation est générale, et personne n'avance plus. Manet doit protéger femme, mère, servante et animaux, ils ne sont pas trop de trois, Eugène, Léon et lui pour en prendre soin.

Sans cesse freiné par la peur de n'avoir sauvé sa famille du siège que pour la ramener dans une ville derechef assiégée, tant que les nouvelles sont mauvaises, il patiente.

Le 21 mai, les Versaillais entrent dans Paris. De barricades en fusillades, ils abattent leurs otages dont l'archevêque de Paris et dévastent tout sur leur passage. La Seine est rouge sang. Les Versaillais, dont Tiburce, tirent sans sommation sur tout ce qui bouge, hommes, femmes, enfants. On ne compte plus les morts, d'ailleurs le petit peuple, ça ne compte pas. On fusille par centaines les fédérés, au parc Monceau, à Montmartre. Pour reprendre le dernier rempart de la Commune, les Versaillais incendient à tout va, le château des Tuileries, la Cour des comptes, le palais de la Légion d'honneur, l'hôtel de ville, le palais de justice, tout flambe. On se bat partout. Paris brûle...

La Commune agonise dans les flammes et le sang. Jugements atroces, mises à mort arbitraires. C'est la semaine sanglante. Qui annonce, prétend-on, un retour au calme !

La France est en loques, ceux qui l'aiment en morceaux.

Thiers a cédé l'Alsace et la Lorraine à la Prusse ! Furieux, les Français ne le lui pardonnent pas.

« On dit l'insurrection vaincue... Monsieur Degas serait un peu rôti qu'il l'aurait bien mérité », n'hésite pas à écrire Cornélie Morisot aux siens. Sa famille ne désarme pas. Tiburce, officier versaillais, croise ceux que, par mépris, il nomme des *communaux*, Degas et Manet, et raconte à sa mère : « Encore aujourd'hui, ils blâment l'énergie de la répression. Je les crois fous et toi ? »

Le jour même, on apprend qu'entre vingt et quarante mille Parisiens de tous âges, de tous sexes, de toutes tendances, ont été exécutés par les Versaillais.

Qui est fou ?

La Commune de Paris s'achève sur ces journées d'apocalypse. Tout brûle et pleure et crie et saigne et gémit. Les mairies d'arrondissement et l'hôtel de ville flambent, plus de registres, plus d'état civil, plus d'État. Des papiers calcinés volent dans un air saturé de fumée... Le Louvre est touché, le château des Tuileries entièrement brûlé, n'est plus que ruine.

Sitôt qu'à Tours se forme un premier train pour Paris, Manet s'y entasse avec sa famille. Dès la gare d'Orsay, l'odeur de la mort les assaille. Des cadavres sont alignés le long des quais. La puanteur de la décomposition se mêle à l'odeur du sang frais. Le vent la chasse de temps en temps mais elle stagne longtemps.

Si l'appartement est intact, l'atelier rue Guyot a été gravement vandalisé. La dernière fois qu'il y est allé, c'était avec Berthe, au début du mois de novembre... il y a une éternité. Il chasse ce souvenir.

Il rend aussitôt les clefs au propriétaire. Il ne veut plus jamais y mettre les pieds.

Juste à côté de l'appartement familial du 49 rue de Saint-Pétersbourg, en bas de chez lui, au 51, Manet offre à Léon de s'installer. Il a 18 ans, il est temps de prendre son indépendance ! Oui, mais là Manet n'a plus d'atelier, alors en attendant d'en trouver un qui lui convienne, il prie Léon de se faire petit ou de réintégrer le salon familial. Manet a besoin de rapatrier ses œuvres au même endroit : celles stockées chez lui, et surtout celles qui ont passé la guerre chez Duret dont les caves n'ont pas été pillées.

In extremis, Théodore Duret a sauvé sa peau. Et c'est un miracle. Menacé de lynchage, il s'est enfui en catastrophe avec son amant, Enrico Cernuschi, son unique amour. En plus de tout, ces Versaillais sont d'odieux moralistes. Ils voulaient le brûler en place publique, pour lui apprendre la normalité amoureuse ! Pour fuir méchants et médisants, Duret et son amour font le tour de la terre, la Chine, le Japon, l'Amérique… d'où, fidèle, il envoie un chèque à Manet pour lui acheter son *Torero*.

C'est vrai qu'il n'a plus d'argent, la guerre, le siège, la Commune ont totalement déstabilisé l'organisation financière des Manet. Ils ont encore du bien mais n'ont pas eu pendant tous ces mois la possibilité d'y accéder. Et Marie, leur servante bien-aimée, n'a pas été payée, alors qu'elle ne les a pas quittés un seul jour. Madame veuve est consternée. Elle prie Gustave de demander une avance à Gambetta, il ne faut pas que le petit peuple souffre davantage. L'argent de Duret est vraiment le bienvenu.

Ces deniers mois ont éprouvé Manet en son tréfonds. Pour la première fois de sa vie d'adulte, il se montre odieux et agressif envers les siens, se disputant sans cesse avec Eugène, avec qui il en vient presque aux mains alors qu'il n'aime sans doute personne autant que lui. Il traite son épouse avec une indifférence de mufle, et tient désormais son fils à distance. La cohabitation dans le Sud l'a convaincu que celui-ci ne serait jamais un Manet. Il rabroue même sa mère qui, seule, lui tient tête. Eugénie ne se laisse plus faire par l'amour de sa vie.

Manet se met à craindre l'avenir, le manque d'argent, l'absence de succès... La période est propice aux doutes, aux remises en question. Et Berthe qui n'est toujours pas rentrée à Paris. Elle a raison. La ville n'est pas sûre, épileptique, frénétique, son cher Paris peine à se relever. Manet n'a pas le cœur à peindre, sauf s'il est autorisé à exécuter le portrait de Gambetta, le seul à trouver grâce à ses yeux. Quand on a tout raté, il n'y a plus qu'à sauver la France. Mais Gambetta n'a pas que ça à faire.

Et Berthe qui n'est toujours pas là ! À Cherbourg, lui dit Degas. Elle n'est pas encore bien remise. On ne dit pas de quoi. La guerre a bon dos. Elle n'a plus la force de soulever son chevalet, trop épuisée, ne fait plus que de l'aquarelle...

En juillet, Manet accompagne son frère à Versailles où siège l'Assemblée nouvelle. Dans le train, Édouard croque Gambetta son héros, qui n'a ni le temps ni le désir de poser davantage que ces minutes de voyage. S'il apprécie l'allégorie du port de Bordeaux, il en réprouve la facture. En peinture,

Gambetta n'aime que le chromo. Ces Républicains sont décidément tous du même acabit, parlez-leur d'art, et vous avez devant vous d'épouvantables réactionnaires. Alors que, tout de même, au fil du temps, Manet s'avère un étonnant peintre politique. Avec un penchant constant pour les thèmes les plus risqués. De *L'exécution de Maximilien* au *Combat du Kearsarge* en passant par ses *Barricades*, sans oublier son rêve de croquer les plus radicaux du moment, comme cet Henri Rochefort qui écrit dans son journal, *La Lanterne* : « La France compte 36 millions de sujets, sans compter les sujets de mécontentement… »

Le 14 août 1871 Courbet passe en jugement pour sa participation à la Commune. Il n'a quand même pas tout seul jeté par terre la colonne Vendôme ! Condamné à six mois de prison, cinq cents francs d'amende, et, plus grave, à la faire reconstruire à ses frais. Or ladite colonne est estimée à trois cent mille francs. Comme si l'ogre avait pu déraciner à main nue ce lourd symbole de l'Empire honni ! Comme beaucoup de Parisiens, il en a souhaité la destruction, mais en rêve et du fond des cafés où il tonitruait. Et il n'était pas le seul. De là à payer pour sa reconstruction ? Il en a pour la vie entière, et même pour après sa mort ! Son atelier, sa collection, tout ce qu'il possède est vendu, bradé ! On le transfère de la prison à la clinique du docteur Duval, dans un état de déréliction totale. Sitôt rentrés de leur exil choisi, Boudin et Monet l'y visitent. L'affliction ne le quitte plus.

Hélas Courbet n'est que le premier d'une longue liste de malheureux qu'on exile, emprisonne, ou fait disparaître. Seul Victor Hugo a l'élégance de condamner la Commune sans jamais la vouer aux gémonies. Comme toujours, Hugo fait figure d'exception. Alors que George Sand parle de « saturnales de la folie », et que Leconte de Lisle appelle à passer par les armes « ces infects barbouilleurs qui, comme Courbet l'ignoble, et la bande de peintres qui lui font escorte, Renoir et Manet, qui ne peuvent être que communards pour faire de pareilles horreurs ».

L'heure n'est pas à la nuance.

Manet n'en peut plus, il écrit à Berthe... « Quels terribles événements et comment allons-nous en sortir ? Chacun rejette la faute sur son voisin, en somme nous avons tous été complices de ce qui s'est passé... Nous voilà tous à peu près ruinés, il faut tirer parti de son industrie... J'ai appris avec plaisir que votre maison avait été épargnée. Je pense Mademoiselle que vous n'allez pas rester longtemps à Cherbourg. Tout le monde revient à Paris ; du reste il n'est pas possible de vivre ailleurs... »

Tout est dit. Plus un mot.

De fait, Cornélie songe à faire rentrer Berthe dans l'idée de repartir à la pêche au bon mari !

Comme il n'y a pas eu de Salon cette année pour cause de guerre civile, on ne peut pas dire que les affaires reprennent. Et si, pourtant, peu à peu, la douceur de l'air d'une saison renaissante et timide laisse penser que la guerre est finie.

Non, c'est juste une bouffée de beau temps. Le printemps s'achève dans un climat saturé de douleurs. Il est temps de songer à prendre des vacances.

Chapitre XII

1872-1873

SORTIR DE L'ENTRE-DEUX ?

Syphilitiques, fous, rois, pantins, ventriloques,
Qu'est-ce que ça peut faire à la putain Paris,
Vos âmes et vos corps, vos poisons et vos loques ?
Elle se secouera de vous, hargneux pourris !

ARTHUR RIMBAUD

Plus rien jamais ne sera comme avant. Ébranlé au profond de son âme, Manet a donné le change jusqu'à la réinstallation de tous les siens à Paris. La rue Guyot dévastée, plus d'atelier. De toute façon, plus envie de peindre. Plus envie de grand-chose. En attendant d'en trouver un qui lui plaise, plus grand, plus chic, Manet pose son chevalet dans le rez-de-chaussée loué pour Léon. Une fois encore on sacrifie Léon. Mais la guerre est finie et l'artiste doit peindre.

Tout le monde est rentré à Paris, tout le monde sauf Bazille qui n'y reviendra plus. Jamais. Et Berthe. Mais a-t-il encore le droit de la compter parmi les siens ?

Cornélie Morisot saute sur l'occasion pour le dénigrer auprès de Berthe. « Il est moins sain d'esprit que jamais », lui écrit-elle.

Après avoir respecté ce qu'il juge un délai légal, Manet s'autorise à courir chez Berthe. Sa mère se fait un malin plaisir de lui apprendre qu'elle n'y est pas.

« Elle a décidé de rester à Cherbourg.

— Combien de temps ?

— Oh, on ne sait pas, personne n'en sait rien. Quand elle voudra. Si elle veut. »

Elle le fait exprès. Elle se moque de lui.

La déconvenue de Manet est gigantesque, il n'arrive pas à la cacher. S'il s'écoutait, il s'écroulerait là, dans le caniveau, et sangloterait.

Pour la première fois de sa vie, il se sent pauvre. Après avoir tapé Duret en exil, il a emprunté à sa mère. En plus de cohabiter avec elle, il doit en permanence composer entre elle et sa femme, subir les jugements croisés des deux sous prétexte qu'elles l'aiment. Face à sa constante irascibilité, elles se liguent. Léon a beau aller dormir seul au 51 rue Saint-Pétersbourg, il est présent à tous les repas que, du coup, Manet évite de prendre chez lui.

Il déjeune chez Tortoni, erre dans d'autres cafés, où, rien n'y fait, il s'engueule avec tous ses commensaux.

L'avenir est sombre. Aucune perspective, aucun projet qui tienne. Difficile de ne pas sombrer dans l'acédie. Le petit Verlaine appelle sa mélancolie du *spleen*, il parle le Baudelaire sans faute. L'abbé Hurel cite Saint-Augustin, « la tristesse est un péché mortel », tandis que le docteur Siredey parle de « délectation morose », et décrète que ça se soigne. Première prescription : fuir Paris, regarder la mer. Ne pas la quitter des yeux. Vient d'ouvrir en Normandie une « Maison de santé mentale pour riches », c'est écrit comme ça sur le fronton. Alors si la mer ne remplit pas son office, seconde prescription, il l'y fera enfermer.

« Et la mer qui eût dû me laver comme d'une souillure... » C'est Rimbaud, l'ami de Verlaine qui lui envoie d'aussi belles phrases. Dans la bande des symbolistes, on dit que c'est un petit salopiot mal embouché qui leur a chapardé à tous quelques sous. Mais de si belles phrases.

Et Berthe est toujours absente. Et l'été arrive. Manet s'en va avec femme et mère à ce port de Boulogne qui toujours lui a rendu son âme lavée. Il se repose, reste sans peindre quelques semaines, ne revient pas à Paris fin août. Effectivement, la contemplation de la Manche rassérène l'ancien pilotin, il s'apaise peu à peu. Silence et oisiveté cèdent sous la pression des brosses et des pinceaux.

Dans les jardins du casino, il peint une *Partie de croquet* où figurent Léon, la sœur d'Eva Gonzalès et un camarade de collège trouvés là. Le huis clos familial lui pèse mais cette peinture signe les prémices de sa guérison. Une autre toile brossée comme ça de chic, en excursion, représente *Le Port de Calais*. Il se dévoile davantage dans une petite nature morte représentant un tas d'amandes vertes et tristes. En vrai, son inspiration est en panne au point qu'il reprend une composition de 1864. Ses natures mortes scandent ses humeurs. *La vie tranquille des choses* demeure son refuge. En les composant, il exerce son art sans se colleter aux vraies difficultés. Pas besoin de modèle vivant, ni de séance de pose toujours un peu mondaine. Ses natures mortes traduisent sa détresse à assumer son rôle social, ce rôle de peintre maudit où on l'enferme en dépit qu'il en ait. À l'atelier, des pommes achèvent de pourrir sans cesser de poser...

Il a vraiment perdu le goût de vivre. Il comprend mieux ce mot de déréliction, et ne sourit plus de l'état dans lequel se trouvait Berthe pendant la guerre. Comme elle lui manque, et comme il se repent de n'avoir pas été à la hauteur de ce qui lui est arrivé durant le siège, mais qu'il ignorait alors. Cette grossesse manquée lui est un crève-cœur. Qu'aurait-il pu faire ? Quitter Suzanne ? Épouser la seule femme qu'il a jamais aimée avec pareille intensité ? Sans trêve, il ressasse. Le plus grand amour de sa vie, quelques heures de passion pure. Il n'imagine plus pouvoir s'éprendre à ce point d'une égale.

Il a besoin d'être consolé par les bras de Berthe, las, c'est le vaste giron de Suzanne qui s'offre. De plus en plus vaste. Elle gonfle énormément comme pour compenser la perte de son amour. Il ne la voit plus, il ne l'aime plus, aussi redouble-t-il de bienveillante courtoisie envers elle. Comment effacer ses sautes d'humeurs des mois précédents ? De mars à août, il l'a maltraitée, considérée comme quantité négligeable, rudoyée à l'occasion... Il a honte mais il ne peut empêcher Berthe de l'occuper entièrement.

Près de l'océan, repousse lentement l'appétit de peindre, il lui manque de pouvoir parler peinture, parler techniques, avec les siens, Berthe, Degas, Fantin, Prins, Pissarro, Monet... Il se laisse aller à pleurer tout son saoul la perte de Bazille. Enfin. C'est maintenant qu'il accuse le coup. La guerre, le siège, la mort, les privations, tant de privations... Son cœur débonde.

Fin septembre, il rentre à Paris, guéri de sa faiblesse mais toujours désespéré. Comment oublier qu'il aura 40 ans en janvier ? Qu'a-t-il fait ? Qu'a-t-il devant lui ? Toutes les questions de sa mère tambourinent sous son crâne.

En cette terrible année de 1871, Stevens, à qui Manet se juge supérieur en peinture, a gagné pas moins de cent mille francs : il a honte. Lui, pour peindre, tous les jours, il coûte de l'argent à sa mère, il dilapide son héritage...

À Stevens justement, Manet confie son angoisse de l'avenir. Celui-ci achève d'aménager au 65 rue des Martyrs un somptueux hôtel particulier doté d'un parc immense avec une pièce d'eau : pour faire plaisir à Monet qui aime tant ses reflets. Stevens jouit d'une coquette collection d'œuvres de ses amis, et d'autres de pure spéculation. Aussi Manet, qui n'a plus d'atelier digne de ce nom, le prie de prendre en dépôt quelques-unes de ses œuvres. Dans son atelier meublé à la chinoise Stevens reçoit tous les soirs une foule bigarrée. Peut-être s'en trouvera-t-il un pour lui acheter ? Marchand, amateur ou collectionneur ?

Manet ne peint plus que par impulsions, et elles sont rares cet automne. Le 51 n'est pas propice. Entre Léon qui ne fait rien, et la présence oppressante de ses femmes tout près, il étouffe.

En fin d'année, il use des grands moyens. Il se rend à Satory pour l'exécution de trois condamnés à mort. Leur crime : avoir participé à la Commune. Manet assiste à cet atroce cérémonial du petit jour dans un effroi tel qu'il se sent à l'intérieur d'un tableau de Goya. Il hait tant cet instant qu'il doute de parvenir à en tirer un tableau.

Il retouche son *Intérieur à Arcachon*, repeint trois fois sa femme qui, décidément, ne lui plaît plus, même en peinture, offre à Léon un rôle de premier plan comme quand il était petit, et relègue Suzanne au fond d'un grand silence rêveur, où l'on ne sent la présence ni de Manet, l'homme de la famille, ni du peintre. Absent comme étranger à ses plus proches. Il ne dissimule pas son rejet poli de sa femme qu'il protège autant qu'il ne la désire plus. Idem pour Léon qui lui inspire un désintérêt au moins aussi grand que sa vacuité. Manet ne peut s'en prendre qu'à lui. Il traite Suzanne et Léon avec la même sorte d'empathie qu'il a pour les chats ou les chiens. Ils lui sont comme des animaux domestiques envers qui il se sent engagé et responsable.

Depuis Berthe, il sait qu'il ne les quittera jamais, mais il s'en veut et leur en veut. Il se hait de les si mal supporter. Trop intègre pour manquer de lucidité, il sait que Suzanne grossit pour tenter de reprendre de l'importance à ses yeux et que Léon est un fils raté parce qu'il l'a manqué. C'est irrémédiable. Ils sont tous enfermés dans des rôles qui ne leur vont plus. Trop dandy pour ne jamais se plaindre, Manet continue de donner le change. C'est aussi et d'abord un bourgeois. Le *faire comme si* est dans sa nature.

Avant de fêter ses 40 ans, il voudrait exister. Mais comment ? Jusque-là il n'a pu se faire voir que par le scandale. Mais il ne peint plus rien de sérieux. En attendant que ça revienne, si ça revient, il se retricote un réseau d'amis. À force d'insulter les anciens, peu à peu ils s'éloignent. Du coup il « change de crémerie », et investit le nouveau quartier de la place Blanche. Il erre, lamentable. Il est remis des privations et autres maux du siège, c'est le cœur qui n'y est plus. Ses troubles de l'humeur, comme on dit pudiquement, relèvent d'atteintes plus profondes, antérieures à l'aventure avec Berthe.

L'absence de reconnaissance l'accable davantage que ses vieilles douleurs au pied. Qui passent toujours. Tiraillé entre ses exigences d'artiste sans complaisance et son désir d'être aimé, médaillé, officialisé ! Traversé de ces paradoxes qui l'accablent. Pourquoi les critiques le font-elles souffrir si démesurément ? Il se sent physiquement attaqué par ces rejets successifs, pourtant il retourne chaque fois dans l'arène avec des œuvres qui les provoquent toujours davantage.

Est-ce de n'avoir jamais bénéficié du jugement de son père sur la réalité de ses amours qui accentue son manque de confiance en lui ? Définitivement irrésolu, puisque jamais récompensé, reconnu, émancipé ?

Comme si d'avoir manqué d'amour paternel à l'origine, tandis que sa mère le surévaluait, lui donnait mission de la venger, et lui interdit aujourd'hui de les quitter jamais. L'ambivalence de ses relations avec sa mère fait souffrir tout le monde, à commencer par Suzanne, Léon et ses frères aussi, sûrement. De leur être toujours préféré n'a pu les laisser indemnes. Édouard ne parvient pas à se détacher de madame Mère, à se réparer hors d'elle, loin d'elle. Dans l'état où il est, il n'envisage pas de se priver de son regard.

Aussi ne cesse-t-il d'osciller entre découragement et arrogance. Il enrage de sa dépendance, mais est incapable de s'envoler comme Gustave. Il lui est vital de demeurer son petit garçon. Il est même devenu celui de Suzanne qui, pour le garder, imite sa belle-mère et le traite en gamin immature, jusqu'à usurper la place de Léon.

Berthe aurait pu se morfondre jusqu'à la nuit des temps, jamais Manet n'aurait eu le courage de l'aimer. Il souffre de le savoir trop bien. Le désespoir de ne pas oser changer sa vie se double d'une ataxie qui vient de plus loin. Des belles mulâtresses qui l'initièrent à l'amour, de la morsure du serpent ? Pour l'heure, le déni en est l'unique traitement. Et le chagrin, sa meilleure excuse à l'inertie.

En son absence, pendant le siège, ses pairs l'ont élu membre d'un comité de seize artistes parisiens soutenant les principes de la République communale, présidé par Courbet. Il l'ignorait. On ne l'a jamais consulté, mais ça ne le flatte pas. Jamais il ne s'est senti communard. En prime, aujourd'hui ça peut être dangereux. Ceux qui tiennent les rênes de la France poursuivent sans merci tout ce qui, de près ou de loin, peut être assimilé à la Commune. Manet est revenu à Paris après sa chute, il n'a jamais siégé à ce comité. Il ne craint donc rien ? Hélas si. Cette sinistre fin de la monarchie n'en finit pas d'accoucher d'une république qui ne correspond vraiment pas aux rêves des frères Manet.

Berthe est enfin rentrée à Paris mais refuse toujours de le voir. Enfin début janvier, elle accompagne sa mère au Jour restauré d'Eugénie Manet. La bande est au complet, elle n'a pas été aussi nombreuse depuis l'avant-guerre. Ils sont tous revenus s'asseoir autour du piano de Suzanne. Qui joue, qui joue, qui joue... Durant l'exil, son répertoire s'est étoffé, elle fait la fierté de sa belle-mère à qui elle offre un lustre de son salon, tandis qu'elle fait honte à son mari. La pauvre, écrit Cornélie à Edma, « dans le Sud-Ouest, où l'on fait le foie gras, ils ont dû la confondre avec une oie, et l'engraisser de force ».

Berthe passe la soirée en tête à tête avec Eugène. Pour la première fois de sa vie, Édouard est jaloux, et il faut que ça tombe sur son frère. D'autant plus jaloux qu'Eugène est sous le charme. En même temps, c'est la moindre des choses : Berthe n'a pas repris de poids mais beaucoup de couleurs, elle n'a jamais été si belle. Elle irradie. D'ailleurs, devant tout le monde, pour ne pas donner prise aux commérages, Édouard lui demande de reposer pour lui. Berthe éclate de rire et demande à sa mère, à voix bien haute, si ça ne la dérangera pas de l'accompagner à nouveau chez Manet.

« Quand me voulez-vous ? » persifle la fausse ingénue, en s'attardant sur le double sens de sa question. Au tour d'Édouard de se troubler. Et même de bafouiller. Finalement, il promet de lui envoyer un mot pour lui proposer un rendez-vous quand l'atelier sera prêt.

Manet ne retrouve pas la vieille fraternité qui les liait hier. Sauf parfois en tête à tête, quand se retissent les anciens liens. Stevens, Champfleury, Bracquemond, Prins, Renoir, Monet, Whistler, Jongkind, Pissarro sont de vrais amis, les alliés de Manet. Manque Degas. Il a filé régler des problèmes d'argent à la Nouvelle-Orléans. Mais il lui manque vraiment.

Tous se voient moins. L'absence d'argent en expédie beaucoup à la campagne où ils se dispersent. Même le doux Fantin s'éloigne, conspué par la bonne société. Après avoir passé huit mois reclus, transi, affamé, paralysé de peur, sitôt le régime stabilisé, il quitte la rue Saint-Lazare pour sa rive gauche d'origine. Il persiste à immortaliser ses amis, mais la guerre l'a changé, et il change d'amis. Pour le Salon de 72, il achève son *Dîner des vilains bonshommes* où figurent en coin de table, ses poètes choisis, dont Verlaine près du garçon nommé Rimbaud qui écrivait durant le siège ces phrases incandescentes. Il passe pour odieux, Manet ne l'a pas rencontré alors que parmi les autres buveurs attablés il compte des amis comme Léon Valade ou Camille Pelletan...

Quant à Zola, à force de ne rien comprendre à la peinture de ces jeunes loups, mais de pérorer comme un qui sait tout sur tout, plus personne n'a envie de le fréquenter. Manet a beau se sentir en dette envers lui, il n'a plus assez de complaisance pour servir son ego. Car, même avec une sensibilité d'orang-outang, il est impossible de ne pas se rendre compte du mépris où l'ignare Zola tient le travail des peintres. D'autant que pour régner, il établit des hiérarchies entre eux. Et il met Cézanne tout en bas, alors que Manet ne peut s'empêcher de l'admirer. À Pissarro, il chuchote « m'est avis que cet hargneux aixois a les moyens d'aller plus loin que nous tous ». Cézanne ne semble pas lui rendre son admiration.

Rentrés de Londres, Monet et Pissarro, qui n'ont plus les moyens de vivre à Paris, s'installent sur la ligne de Saint-Lazare, l'un en Seine-et-Marne, l'autre en Val-d'Oise, histoire de rejoindre aisément leurs amis aux Batignolles.

Une incroyable et assez microscopique invention est réellement en train de révolutionner l'approche, la conception de leur art, et même leur manière de peindre. Cet objet est un morceau d'étain dans lequel on est parvenu à introduire des pigments déjà liés et préparés, prêts à l'emploi ! Jusque-là, la couleur ne pouvait se faire qu'à l'atelier, après plusieurs phases de préparation, nécessitant toute sorte d'ingrédients, de l'eau, de l'huile de lin, d'œillette ou de noix, ou d'autres types de liants, plus les boîtes protégeant leurs précieuses poudres, enfin toute une cuisine encombrante et compliquée où chacun déployait ses propres secrets de fabrication. Il fallait aussi les utiliser vite avant qu'elles sèchent, sinon tout était à recommencer. Oh, ils n'y renoncent pas complètement, à l'atelier ils continuent de mixer leurs poudres avec des liants plus ou moins épais, mais au-dehors il leur est désormais loisible de copier la nature jusque dans ses nuances de couleurs. L'étain a succédé aux vessies de porcs qui servirent de premiers contenants mobiles aux pigments déjà broyés mais qui les conservaient mal.

De toute façon, broyer, mélanger, lisser les pigments prenait un temps fou. Une fois mis au point, le tube d'étain permet de stocker des pigments prêts à l'usage et, du coup, d'amener son matériel dehors pour peindre loin de chez soi. Peu à peu, cette minuscule et légère invention transforme la manière de peindre de ses adeptes. À terme, toute la peinture. Parce que, depuis la Révolution, les artistes n'ont plus d'apprentis pour préparer leurs couleurs à la demande. Le tube envahit les ateliers : on va s'en servir même pour de la peinture d'intérieur. Si, au début des années 60, le tube en était à ses balbutiements, les artistes après guerre n'en finissent plus d'échanger de nouvelles recettes. Ils s'en servent de mieux en mieux, les améliorations se succèdent de plus en plus vite. Les tubes multiplient les nuances de couleurs, toujours mieux protégées et stabilisées.

Des pigments transportables, Léonard en aurait rêvé, et on les a, s'émerveille Monet !

Les pionniers qui l'ont adopté en premier tentent d'y amener les autres. Manet et Degas résistent un peu mais, après guerre, ils l'adoptent à leur tour, à la suite de Renoir, Pissarro, Monet, outre quelques barbizonniens. Désormais, le tube les accompagne partout.

Comme Degas est en Amérique, Renoir et Sisley le remplacent auprès de Manet le soir au café. Euphorique Sisley, et généreux, temporairement libéré de ses soucis d'argent, il vient de vendre 25 toiles à un nouveau marchand. Ça vient ! Ça va venir ? Vaille que vaille, on continue, on s'entête... On y croit. Ensemble on entretient la flamme. Un jour, ça marchera, bientôt, c'est sûr... Les temps sont durs, la guerre n'a pas engendré une grande nécessité d'art ni de beauté. Se distraire ? Oui, mais regarder, voir vraiment ? De toute façon, comme dit Degas, « entre ceux qui n'ont jamais vu de tableaux et ceux qui ne les voient pas même en les regardant... ».

Un jour glacial de janvier 1872, Stevens pousse la porte de l'atelier de Manet en criant victoire. Un marchand sort de chez lui après lui avoir grassement payé les deux toiles qu'il avait en dépôt.

« *Le Clair de lune sur le port de Boulogne* et un

Saumon ! Devine ? Il m'en a donné pour six mille francs ! Tu te rends compte ?

— Six mille francs ? »

Aussitôt les deux amis s'enlacent et entament une folle gigue au milieu de l'atelier.

Manet a 40 ans demain ! Et il n'est plus pauvre !

D'autant qu'effectivement le lendemain, ce fameux marchand frappe directement à sa porte. Ah oui, sa joie le débordait tant que Stevens a oublié de prévenir Manet de sa visite incessante. Il se présente avec beaucoup de déférence, se dit infiniment honoré de rencontrer l'homme qui a fait ces chefs-d'œuvre qui, depuis hier soir, le tiennent en état de bonheur fou. Il veut en voir d'autres, il veut voir tout ce que Manet possède. Tout ce qu'il a peint.

Fils de négociant en œuvres d'art, Paul Durand-Ruel a commencé par s'éprendre et acheter – les deux étant pour lui synonymes – Delacroix puis Corot, des barbizonniens. Comme il a passé la guerre à Londres, il a rencontré et sympathisé avec Monet et Pissarro. Intuitivement leur peinture lui a plu, il a compris très vite leur démarche. Il leur a acheté quelques toiles mais il a surtout accoutumé son œil à leurs façons de peindre. D'où son coup de foudre avant-hier pour leur maître à tous !

Les deux Manet trouvés chez Stevens l'ont réellement tenu en éveil toute la nuit, il en est fou, il en veut d'autres. Il saute de joie dans l'atelier du 51, chaque fois que Manet sort un tableau, un dessin, une aquarelle. Tous, il les fait tous mettre de côté. Il en choisit un, deux, trois, quatre, dix,... vingt-trois ! Et propose de lui donner tout de suite trente-cinq mille francs. Il supplie Manet de rassembler pour la semaine prochaine toutes ses œuvres dispersées dans les ateliers d'amis.

N'y tenant plus, il n'attend pas que la semaine s'écoule et revient trois jours plus tard. Là, il lui fait un nouveau chèque de seize mille francs en échange d'autres œuvres.

Pareille vente, pareil montant font vite le tour de Paris. Tant d'argent ? Et pour Manet !

Aussitôt, de nouveaux collectionneurs lui achètent un, deux, trois chefs-d'œuvre ; lui achètent tout son fond.

Dans la foulée, Manet reçoit une lettre des fameux frères Hecht connus pour être de ces collectionneurs qui font et défont les modes.

« Êtes-vous définitivement installé quelque part ? Où et quand vous rencontre-t-on ? »

Henri et Albert Hecht veulent à tout prix ses *Bulles de savon*.

À tout prix ?

Manet leur cède pour cinq cents francs.

D'autres collectionneurs osent franchir son seuil. Manet découvre qu'il est finalement assez connu dans ces milieux. Il y a même des *aficionados* qui n'osaient se déclarer, compte tenu de sa mauvaise réputation. Mais si maintenant il vaut autant d'argent, il devient fréquentable, à tout le moins collectionnable.

Ah, fortune, destinée, hasard… !

Il est riche !

Il se rue au Guerbois en s'époumonant depuis le seuil.

« Qui est le peintre qui ne vend pas pour plus de cinquante mille francs par an ?

Les Batignollais rassemblés le désignent d'évidence.

— Mais non ! Non, non, non ! Vous n'y êtes pas. Je viens d'empocher cinquante-trois mille francs or ! À boire pour tout le monde. Et du meilleur. »

Sitôt les soucis d'argent oubliés, sa mélancolie s'évanouit, et son mal au pied avec, il rechausse ses fines bottines anglaises. Peu importe qu'on menace ce Durand-Ruel des petites maisons, Manet triomphe. Au Salon ou ailleurs. Pour son premier Salon d'après guerre, il doit marquer le coup. Mais avec quoi ? Il n'a rien fait depuis près d'un an. Alors il va frapper politique, chiche ? Il envoie le *Combat du Kearsarge et de l'Alabama*. Après tout, on est en République, la censure est morte !

Faux, archifaux. Ordre a été donné au jury de n'accepter aucune bataille. Rien qui porte atteinte à la fibre morale ou politique du nouveau régime catholique et royaliste ! Retour à la censure, le jury décide sur des bases idéologiques.

Cet idiot de Meissonnier, son supérieur dans la Garde nationale, ne trouve pourtant rien à redire à sa « *Marine* » ! En revanche, sont sévèrement censurées toutes œuvres exécutées par un communard. Pauvre Courbet ! Beaucoup d'autres comme lui sont exclus d'office.

Si les batailles sont interdites, ignare ou aveugle, le jury ne voit qu'une marine dans la Bataille navale ! Meissonnier doit ignorer la découverte de l'Amérique.

Et le 11 mai 1872 pour la première fois de sa vie, il pénètre au palais de l'Industrie comme chez lui. Il n'y présente qu'une seule toile, vieille de huit ans, mais Durand-Ruel vient de lui faire cadeau d'une neuve assurance.

Pour la première fois depuis longtemps, Manet ne déclenche pas une hostilité déchaînée. Duranty s'enthousiasme, et non par peur du duel, il est sincère. Même Barbey d'Aurevilly l'adoube magnifiquement : « Je suis de la mer. J'ai été élevé dans l'écume de la mer. J'ai des corsaires et des poissonniers dans ma race... Et cette mer de monsieur Manet m'a pris dans ses vagues, et je me suis dit que je la connaissais... » La réalité historique passe à la trappe. Tant qu'on ne parle pas de la Commune...

Même Wolff, le mondain du *Figaro* que Manet redoute plus que tout, le décrit comme « une élégante personne au sourire ironique d'homme du monde ». Que Durand-Ruel l'ait payé si cher fait de lui la dernière célébrité du boulevard. Avoir pénétré le marché de l'art banalise sa peinture, dégoupille les grenades cachées dans ses œuvres. On ne remarque plus sa modernité. Petite revanche, ce Salon suscite un grand nombre de plaintes contre un trop-plein de scènes mythologiques peuplées de personnages chichiteux qui commencent à exaspérer : « Si nous sortons de la Commune, ici nous sommes toujours captifs des Prussiens. »

Dans ce fatras de mignardises poils du cul léchés, Manet tranche. Mais chut, n'en parlons pas, des fois qu'on s'en rende compte.

Trop fraternel et trop dépendant de ses amitiés, Manet souffre de l'absence des meilleurs d'entre ses amis. Pissarro, Sisley, Guillaumin, Monet, Cézanne, Renoir ont tous été éliminés d'emblée... trop clairs, trop modernes, trop... politiques ! Un comble.

Avec ses poètes attablés à un *Coin de table*, Fantin est là, Eva aussi, avec son *Indolence*, Puvis et son *Espérance*... Berthe a vu sa toile censurée, ils ne lui ont accroché qu'un malheureux pastel. Manet se soucie un peu tard qu'elle est peintre aussi et même un peintre selon son cœur. Le meilleur d'entre nous ?

Un Salon où on ne l'a pas attaqué ? Il va mieux. La saison s'achève. Il retourne aux sources, en Hollande, avec sa femme, histoire de faire pardonner ses sautes d'humeur. Le reste, il n'essaie plus. D'autant qu'avant le départ un petit drame a ébranlé l'équilibre précaire de sa famille. Léon a atteint l'âge de la conscription, il reçoit ses papiers militaires pour partir soldat à Belfort. Et c'est le choc. L'administration l'appelle, non Léon Leenhoff comme on lui a toujours dit qu'il s'appelait, comme sa mère l'a toujours appelé, puisqu'il est son fils, même si pour de sombres raisons elle le fait parfois passer pour son petit frère, mais Léon *Koëlla*. C'est quoi ce nom ? D'où vient ce Koëlla ? C'est qui celui-là ? Et c'est quoi ce silence ? Ni sa mère adorée ni son « parrain » ne sont capables de répondre à ses questions. Léon s'énerve.

« C'est quoi Koëlla ? C'est qui ? C'est moi ? Comment ? Pour quoi, par quelle opération du Saint-Esprit ? »

Suzanne comme Manet avaient oublié ce nom inventé jadis pour sauver l'honneur de Suzanne. Ferdinand Leenhoff, pourtant très proche de Léon, tombe aussi des nues. Ils ont à peine dix ans d'écart, il n'en savait rien, alors qu'il ne l'a jamais laissé tomber. Il est certain de n'avoir jamais été au courant de cette supercherie supplémentaire, trop jeune à l'époque ? Comme Eugène, Ferdinand commence à trouver qu'on traite leur neveu par-dessus la jambe.

« Comment expliquer Koëlla ?

— Qui a une réponse ? »

D'abord Léon insiste. Il s'énerve après sa mère. Mais tant de gênes naissent de ses questions, tant de malaises plombent le climat, que devant son air désespéré il laisse tomber. Après tout, au milieu de cette pelote de mensonges, un de plus, un de moins, Léon n'est plus à ça près. Quand on manque tant d'identité, qu'est-ce que ce mot de Koëlla pourrait changer à sa vie ? Encore un absent inutile qui ne l'a ni aimé ni aidé à s'en sortir. Enterrons-le avec ses rêves.

Léon regarde ses pseudo-parents partir en voyage. Il ne les rejoindra pas chez ses grands-parents qu'il connaît à peine et qui ne lui ont pas non plus témoigné beaucoup d'amour. Définitivement sacrifié sur l'autel des convenances, il hausse les épaules. C'est fichu, Léon sait au fond de lui que son avenir est condamné depuis l'origine. Il va continuer de bricoler à la marge, dans ses ruelles...

Il va s'en aller tout seul faire soldat. S'il en mourait, ça dérangerait qui ?

« La peinture ? Un œil, une main »..., résume Manet face aux Rembrandt et aux Hals d'Amsterdam, qui le rechargent d'énergie. Il brosse sa *Vue de Hollande* sur le motif, et *Un moulin*, à la manière de Jongkind, le pleinairiste qui a sa préférence.

Grâce aux primitifs flamands, son amour de la peinture l'emporte sur la mélancolie. Il rentre à Paris débordant de désir et de toiles rêvées.

Il va enfin s'installer dans un atelier à la mesure

de son succès, sinon de son talent qu'il fait aménager à sa convenance depuis quatre mois. Sa famille demeure au 49 rue Saint-Pétersbourg, Gustave les a quittés pour le centre de Paris où vit Gambetta avec qui il passe près de vingt heures par jour, le rez-de-chaussée du 51 qui lui a servi de remise et d'atelier sera pour Léon à son retour de l'armée, et il achève d'aménager le 4 de la même rue dont il se sent quasiment propriétaire en la descendant chaque matin.

Le 4 est une ancienne salle d'armes en rez-de-chaussée surélevée, orientée au couchant par quatre grandes fenêtres à balustres ouvrant sur le pont de l'Europe, et la rue Mosnier où demeure Emmanuel Chabrier. Le piano est aussi là pour lui. La musique est un lien très fort entre eux, aucun ne saurait s'en passer, la partager leur est toujours un bonheur.

Le plafond à caissons coupé de poutres y réfléchit une lumière parfaite, une grande loggia domine l'ensemble, dissimulée par un rideau propice à de futures rêveries, voire pis. Il meuble le tout d'un ensemble hétéroclite, le piano est une promesse à Suzanne qui souffre de ne jamais recevoir leurs amis, puisque c'est Eugénie la maîtresse de maison en titre. Elle aimerait être un peu chez elle, exister davantage.

Manet a fait tapisser un petit cabinet pour que s'y changent les modèles. Un divan grenat chargé de coussins présage d'étreintes fugaces... L'air de Paris s'y engouffre, mais surtout un grand soleil, il n'a jamais joui de tant de lumière. Manet revit. Les trains jettent leur fumée blanche et sifflent jusqu'à lui, selon le vent, les murs tremblent comme s'ils respiraient aussi. Manet se fait imprimer des cartes de visite avec pour légende « *Tout arrive* ».

Eva et lui sont devenus si amis qu'elle le consulte sur le choix de son futur mari. Quant à Victorine, alertée par la nouvelle fortune de son premier protecteur, elle revient sonner chez lui. Elle a mûri, plus distinguée, elle a presque l'air d'une dame. Pour se venger d'*Olympia*, Manet la croque en jeune mère, sagement assise un livre sur les genoux.

Renaît immédiatement leur ancienne intimité érotique, mais en toute indifférence sentimentale. Du coup, s'estimant guéri, Manet envoie un mot de billet à Berthe pour lui fixer le rendez-vous annoncé. Elle a déménagé. Enfin ses parents ont quitté la rue Franklin pour la rue Guichard toujours à Passy. Ils ne se sont croisés qu'à la vente de soutien aux réfugiés où tous ont donné des œuvres.

Sitôt le rendez-vous pris, il congédie Victorine. Faire place nette. Tant pis si son *Chemin de fer* n'est pas fini. Berthe arrive, Berthe va revenir...

Manet aimerait sortir de l'entre-deux, entre deux époques, entre deux femmes, voire plus, entre deux ambitions contradictoires. S'il adore Rembrandt et Vélasquez, il aime aussi Cézanne et Degas, Monet le passionne, Jongkind le touche de plus en plus. Pourtant il ne quitte jamais l'entre-deux inconfortable. C'est peut-être sa place ?

Les traditionalistes le haïssent pour sa modernité et pourtant il s'inspire de la tradition. C'est d'ailleurs son penchant pour la tradition qui rend ses œuvres si choquantes, l'évidence du présent y démontre que le passé est passé. Les révolutionnaires lui reprochent sa tiédeur, les orléanistes, sa fronde ouverte. Tandis que les Batignollais, fauchés, quittent un à un Paris pour peindre où ils vivent, Manet s'est installé luxueusement dans cet immense atelier derrière Saint-Lazare. Tous souhaitent que Manet les rejoigne, au moins sur les murs, qu'il éclaircisse sa palette et adopte le plein air. Ce qu'il fait mais seulement de temps en temps, quand il en a besoin, sans jamais renoncer à son noir fabuleux, ni à travailler hors du calme de l'atelier, même si à l'occasion, il va planter son chevalet dans un jardin ami. Voisin de préférence.

Un amateur lui passe commande d'une scène de course au bois de Boulogne. D'accord, mais quand Degas sera rentré. Une scène hippique, c'est forcément avec lui, les chevaux lui appartiennent. Même absent, même le pire des râleurs, Degas demeure le meilleur de ses amis. Dès son retour d'Amérique, Manet l'entraîne aux courses, où bras dessus, bras dessous, ils peignent côte à côte en se racontant leur vie, le peu que leur pudeur autorise. Assez pour fertiliser l'amitié. Manet choisit d'attraper ses chevaux de front, se plaçant face au départ de la course, les coursiers fonçant sur lui. Ce qui constitue pour le spectateur un choc pictural et visuel. Frontal ! Tandis que Degas peaufine les chapeaux des belles dames dans les tribunes. Ils se regardent, regardent leurs toiles et explosent de rire. Manet ose lui dire qu'il s'est langui de lui. Pour toute réponse, Degas grommelle plus fort que de coutume. On atteint le summum de leur intimité.

Pour le Salon de 73, il renoue avec sa veine classique, s'inspirant autant du *Chanteur espagnol* à la Vélasquez que des *Buveurs* de Hals et s'en prend au thème consensuel entre tous du *buveur de bière*. Et c'est l'ami Bellot, graveur, lithographe et pilier du Guerbois, qui s'y colle. Il est l'image même du bon vivant. Connu de la bande des peintres à qui il sert régulièrement de modèle – et de lithographe –, Manet le croque au café et, jugeant qu'il pose vraiment bien, le convie à l'atelier. Bellot se pliera lui aussi à plus de quatre-vingts séances de pose.

Pendant ce temps, Berthe s'annonce. En dépit de la sempiternelle présence de sa mère, elle prend possession des lieux, étrenne le canapé comme une maîtresse, s'y laisse glisser, s'y affale. C'est elle qui décide : « Ici un chevalet. Là, je verrai bien un canapé. » Elle dit aussi : « Je poserai dans cette lumière, non ? Ou comme ça ? »

Manet entre dans son jeu et déménage à sa convenance, ils jouent à s'installer ensemble.

Ça donne cette toile inouïe que Manet appelle *Le Repos*. On ne sait le repos de qui, tant leurs nerfs sont à vif. En la peignant, Manet sent qu'il fait là un grand tableau, dont il espère qu'il signe leur réconciliation d'amis revenus de la passion. L'amour n'est jamais loin, mais le poids de tant de douleur les contraint à un autre type d'intimité. Étrange tout de même qu'un artiste poste ce genre de billet à un modèle : « Je vous prie de remettre à plus tard la visite que vous avez promis de me faire jeudi. Je ne suis pas assez avancé pour risquer votre jugement. » Il la redoute, comme enfant il craignait celui de son maître Couture.

Sur la pointe des pieds ils parviennent à échanger des confidences voilées par l'omniprésence de madame Morisot.

Berthe lui révèle à demi-mot ce que Manet redoutait, Eugène est amoureux d'elle. Elle lui demande son avis. Elle hésite entre lui et Puvis de Chavannes qui lui fait aussi une cour sérieuse. Manet est au supplice, mais n'ose dire combien ça l'horrifie. Pour se venger ou faire diversion, il lui parle de sa dernière conquête. Homme du monde, il ne la nomme pas, mais montre à Berthe la toile où la brunette pose nue.

Comment sublimer les sentiments qui les font tant souffrir ? Ils s'y emploient éperdument. Désormais Manet fait ostensiblement passer la peintre avant la femme, il lui trouve plus de talents qu'à tous ses confrères. Sauf Degas. Que tous deux révèrent.

Ses derniers portraits de Berthe la montrent plus tranquille. Vœu pieu ou début de réalité ? Manet pense qu'elle doit se consacrer à son art et ça, même devant sa mère, il le lui répète à loisir. La peinture avant tout.

Berthe ne cherche plus à le séduire ni à le convaincre, elle vit, elle aime et souffre sous ses yeux, demain exposée au public qui sans comprendre ce qui se passe dans ces étranges portraits sent malgré tout quelque chose de fort. Puisqu'on ne peut détacher les yeux de ces tableaux, happés par les successifs regards de Berthe. Ému, Manet ne fait pas semblant, sa toile en témoigne, seule l'absence de perspective empêche de déchiffrer plus crûment son message.

Comment s'en dépêtrer, ils sont si embarrassés par leurs conventions, leurs aspirations, leurs ambitions…

Édouard ne peut s'arrêter de la peindre, il la dévore du pinceau, il la veut dans tous ses tableaux… Il la veut en sachant que c'est impossible. Lasse et moqueuse mais triste aussi, elle se laisse faire. Elle le dévisage, ne le quitte pas plus des yeux qu'il ne la lâche, mais c'est professionnel, n'est-ce pas ?

Comme Berthe est sans cesse flanquée de sa mère, leur conversation sèche sur pieds, le double langage a ses limites, alors il lui adjoint autant d'accessoires que de symboles. Il croque des *Berthe « à l'éventail »*, *« à la voilette »*, *« aux souliers roses »*, *« au bouquet de violettes »*...

Dans le langage des fleurs en vogue cette année, la violette signifie gage d'amour, mais aussi symbole de modestie... L'entre-deux, toujours. Manet n'en sort pas. Violette et éventail incarnent définitivement Berthe Morisot : plus besoin de paraître. Comme la canne ou le chat noir ont subrepticement remplacé Manet, jusqu'à le symboliser.

L'essentiel pour Manet, c'est qu'elle pose, et revienne chaque jour le toiser à l'atelier. Oui, mais le temps passe, et le Salon arrive. Il accompagne son envoi d'une Berthe à demi étendue, à demi scandaleuse.

Le succès énorme, stupéfiant même, du *Bon Bock* fait passer *Le Repos*, et lui vaut de nouvelles ventes.

Mais comment après tant de haine se suffire de ces quelques lauriers ? Il a besoin de réparation.

À l'inauguration du Salon, Manet cherche Berthe des yeux, elle n'y est pas. Degas et Duranty l'escortent jusqu'à la salle des M. Où trônent *Le Repos* et *Le Bon Bock*. Et un malheureux pastel de Berthe, magnifique, son portrait d'Edma. Elle avait envoyé un autre chef-d'œuvre, *Le Berceau*, Manet s'en rappelle, c'est lui qui l'y a encouragé. Ces imbéciles n'en ont pas voulu !

Enfin Berthe paraît, exceptionnellement sans escorte. Ensemble, tous deux, ils font le tour du Salon, lentement, et savourent cette si rare intimité. Pour autant, ils s'imposent de ne parler que peinture. Ils parcourent les allées côte à côte et critiquent ce qu'ils voient, comme s'ils n'avaient pas plus intense, plus ardent à échanger. Ils se le sont interdit. Et y parviennent.

Toujours Manet recherche mais redoute le jugement de Berthe sur son travail. Si l'inverse est vrai, c'est plus normal puisqu'il est considéré comme leur chef à tous. Ça le fait enrager mais il sait qu'elle répète ce que disent les autres.

Aussi ressent-il une crispation quand Berthe critique son *Buveur de bière* au visage rougeaud, au gros ventre, trop serré dans son gilet avec l'ironie qu'elle lui a volée.

« Ah, tu as fait ton Bertin ! » Elle sait flatter l'admiration qu'il a pour Ingres, tout en le traitant luimême de gros bourgeois.

Pas un mot sur *Le Repos*. Elle le fait languir, se réserve pour plus tard. Alors que les critiques ne la ménagent pas, elle, comme modèle : « ... Créature morte, chétive et chétivement habillée, ses bras étiques sentent le fil de fer, et de son visage maussade à son petit pied, elle est on ne peut plus sèche, souffrante et de mauvaise humeur. » Quelques semaines avant de mourir, le célèbre Théodore de Banville l'a pourtant vue en muse de la modernité baudelairienne. Ça compense. Un peu. Mais un peu seulement. Reste que ce « spleen » dont elle paraît la représentation symbolique, sinon l'incarnation, est autant le sien que celui de Manet. Elle n'a jamais tant douté d'elle.

Salué comme chef-d'œuvre, *Le Bon Bock* déclenche une unanimité suspecte à force de louanges. « Enfin une peinture sage qui ne fait peur à personne, enfin un Manet rangé, apaisé, réconcilié avec lui-même. » La cécité du jury comme du public, et cette fois même de la critique est aveuglante. Cette chope de bière au premier plan sous-entend la perte tragique de l'Alsace, et personne n'y voit goutte, enfin ne veut voir ! Au mieux, ça passe pour une œuvre patriotique, et on ne cherche pas plus avant. On se contente de saluer cette béatitude d'estaminet.

Si *Le Repos* est davantage critiqué, *Le Bock* fait tout passer. Manet a beau n'en parler à personne, il sait, lui, qu'il a encore été salement censuré par le jury. Il avait envoyé quatre toiles, deux lui ont été rendues : pas à la hauteur ! Le succès ne lui ôte pas la mémoire. Les critiques et même ses meilleurs amis ignorent les deux pièces refusées. Il ne veut pas que ça se sache. Car il ne changera pas de conduite : son entrisme au Salon est son unique stratégie, il refuse d'en changer.

Tout de même, on commence à lire dans la presse : « Le moment est venu pour le public d'être convaincu, enthousiaste ou révolté, mais non ébahi : Manet appartient encore à la discussion mais plus à l'ahurissement. On vient d'acheter son *Bon Bock* 120 000 francs... » Sitôt qu'il lit ces lignes, Manet se rue au journal pour exiger le nom de ce fou trop riche. Erreur, c'était 12 000 qu'il fallait lire !

Et c'est Faure finalement qui l'achète 6 000 francs. Les choses sont plus normales. Faure est en passe de devenir son plus gros collectionneur privé.

Maintenant qu'il a un marchand, Manet se croit riche. Toujours partageux, à peine Durand-Ruel lui a-t-il acheté ses derniers tableaux qu'il lui recommande le meilleur peintre de plein air qui existe à l'heure actuelle.

« Allez-y voir, vous m'en direz des nouvelles, aujourd'hui il n'y a pas mieux. Mais je dois vous prévenir, ce peintre n'est pas un homme. »

Durand-Ruel se précipite l'après-midi chez Berthe Morisot. Effectivement conquis, il lui achète un certain nombre de toiles et d'aquarelles. Dont sa *Vue de Paris* et *Le Berceau* !

Fantin s'est trouvé une famille et du succès outre-Manche, il y reste. Alors que Manet a toujours autant besoin de ses amis et confrères, besoin de confrontation, Fantin et son jugement limpide lui manquent.

Les pleinairistes se convient mutuellement dans leur campagne. Manet hésite toujours à montrer sa femme à ses confrères hors de sa maison et de son piano. Il en a fait une personne décalée. Elle n'est plus l'artiste dont il est jadis tombé amoureux, elle est son épouse, la seconde madame Manet, et comme officiellement ils n'ont pas d'enfants ensemble... Difficile de la mêler à ses amis qui pourtant, chacun leur tour, sauf Duret, ont pris femme et ne les cachent pas. Au contraire, leurs épouses ou concubines, ou seulement maîtresses de l'heure, participent joyeusement à leur vie quotidienne. Manet n'en est pas capable et le regrette amèrement. Il s'en prive autant qu'il isole Suzanne. Mais une sale honte ne le quitte jamais, autant d'elle que de ce qu'il a fait, ou n'a pas fait pour elle, l'existence qu'il lui a imposée. Mais qu'il ne peut changer.

Au dernier Salon, trop de ses amis ont été évincés et ne l'ont pas supporté. Aussi ont-ils organisé un nouveau Salon des Refusés, pompeusement nommé *Salon des naturalistes*. Qu'ont à voir les tableaux de Jongkind, de Daubigny, de Pissarro, de Fantin, de Monet, de Renoir, de Sisley, de Cézanne ? C'est une famille plus humaine que picturale.

Leur nouveau Salon des Refusés est un fiasco. Rien à voir avec celui qu'avait inauguré Manet sous l'impulsion de Napoléon III. Déjà, il n'a pas lieu au palais de l'Industrie mais dans une baraque en planches décrépie et branlante. L'accrochage est trop tardif, donc hâtif et médiocre. Ils ne se mettent pas mutuellement en valeur. Manet s'y rend avec Berthe et Eugène qui sont quand même très souvent ensemble. Et les questionne.

« S'il y avait autant d'unité picturale entre vous, ça se saurait, ça se verrait, ça crèverait les yeux, vous ne croyez pas ? Groupe naturaliste ? En quoi, comment ? D'où vient ce mot ? Qu'est-ce que ça veut dire ? De qui, de quoi Zola est-il le parrain ? »

Non. Manet n'a aucune raison de les rejoindre. Lui, il trône au Salon et plastronne en ville. La meilleure preuve qu'il a raison, cette exposition naturaliste fait le vide. Pas le moindre succès, fût-ce de scandale. Un coup d'épée dans l'eau. Une perte de temps et d'argent, tente-t-il de convaincre Degas et Berthe, qui lui opposent un étrange front commun.

« C'est au Salon qu'il faut être, c'est le Salon qu'il nous faut occuper », explique inlassablement Manet à Monet et aux autres, revenus à l'assaut pour qu'il les suive et même les précède.

— Ce qu'ils ont en commun ? Ils finissent par le

lui dire : « Ils ne veulent plus se laisser faire par le système. »

D'abord ils créent une revue pour se défendre eux-mêmes, où ils développent cette volonté forcenée d'exposer ensemble, de rassembler ceux qui pensent comme eux... Ils n'en sont qu'à leurs débuts.

« Si ça n'a pas marché cette année, c'est faute de préparation ; l'an prochain, tu vas voir, on va exploser, promet Monet.

— Non, je ne veux pas en être, je ne vous rejoindrai pas, rétorque Manet qui refuse même de faire partie de cette nouvelle revue. *Renaissance littéraire et artistique*, tu parles ! Il faut pénétrer les institutions, toutes y compris la *Revue de l'Académie*, occuper tous leurs terrains. Si on prend des sentiers de traverse, le public ne nous suivra pas, ou quand il viendra, on sera tous morts. »

Manet ne s'imagine évidemment pas que la période qui s'ouvre marque l'avènement d'un nouvel « ordre moral ». Une période horrible pour l'art et la pensée. Comment le deviner ? Seul Pissarro le rouge, l'unique partageux de la bande, qui, lui, milite vraiment pour un avenir socialiste, le leur prédit. Mais qui l'écoute ?

Pourtant les preuves s'accumulent. Pendant le Salon, Thiers a été démis et remplacé par pire. Un comte monarchiste, maréchal de France, nommé Patrice Mac-Mahon, exerce une sorte de régence qui ne dit pas son nom. Pissarro craint que ce ne soit qu'un trompe-l'œil le temps de rétablir la monarchie.

« ... D'où le succès de ton *Buveur de bière*, il a un aspect pacificateur qui ne fait peur à personne. Au contraire, un petit air fédérateur du côté du plaisir le plus simple qui, moi aussi, m'enchante parce qu'il donne de la joie mais qui du coup cesse de les inquiéter. » Malin Pissarro.

À l'automne 1873, Gambetta autorise Manet à assister au procès du maréchal Bazaine qui passionne l'opinion, il n'arrive pas à en tirer un tableau d'histoire contemporaine. Ça l'énerve. Eugène lui en fournit l'explication :

« Tu n'es pas en accord avec toi-même. Tu ne peux pas être à la fois contre les institutions en rêvant d'être adoubé par elles. À la fois militariste tout en souhaitant que soient châtiés les mauvais chefs de l'armée française qui ont mené ce siège atroce et cette épouvantable guerre civile. »

Son frère a raison, Manet est perclus de contradictions, mais sincère toujours.

Admis et refusé à la fois, Manet s'arc-boute sur ses positions, il ne s'offrira pas en victime expiatoire, il persistera dans cette dignité absurde. Bourgeoise ? Sans doute, Monet a raison, c'est sa fierté. Son entêtement surtout, grogne Degas. Berthe ne dit rien. Elle a été choisie par ses pairs pour convaincre Manet de les rejoindre à leur première exposition collective. En dépit de la mauvaise réception de ce premier Salon décidé à la va-vite, ils récidivent. Ils ont adoré exposer ensemble, se battre pour la peinture en laquelle ils croient, rester soudés, solidaires, proches, s'aimer autant dans la vie que sur les cimaises. C'est si réconfortant de voir sur les murs qu'on sent, qu'on pense, qu'on peint pareil, explique-t-elle à Manet, qui refuse d'être réconforté. Il ne croit résolument pas à un prochain Salon indépendant.

« Avec quel argent ? Qui vous suivra ? Pas moi en tout cas.

Et persistant dans ses refus, il accentue sa solitude et sa peine.

— Le public ne comprendra pas que toi qui es considéré comme notre chef de file n'y soit pas.

— Je ne suis le chef de rien. Je ne serai jamais membre d'une école, j'ai payé assez cher le droit d'être seul, et libre. Et j'en suis sûr, le public s'en apercevra un jour. Avec le Salon de 1873, ça a un peu commencé, non ?

— Viens avec nous, tu y as ta place, la première, l'implore Berthe.

— Et qui va choisir, sélectionner ?

— Personne ! Tout le monde peut accrocher ce que bon lui semble.

— Mais vous êtes fous. Pas le moindre jugement, le moindre tamis ?

Manet en tient pour un jury et une sélection. Tout ce qui l'a torturé jusque-là.

— Je me suis promené tous les jours dans votre Salon des Refusés. Honnêtement, il y avait quand même des grosses merdes.

— Parce qu'il n'y en a pas, peut-être, au Salon ? s'énerve Degas.

— Si évidemment, mais ça n'est pas pareil. Vous, vous avez une obligation d'excellence.

— Tu déraillles complètement, s'agace Degas. Le mouvement réaliste existe, et doit se montrer en ordre de bataille, pas se disperser selon le bon vouloir de ces petits marquis qui nous éliminent par pure malveillance. On doit se montrer à part mais groupés pour que les gens nous identifient : des peintres, des artistes à part, mais à part entière. Le

Salon réaliste doit vivre, et il vivra ! Il doit devenir annuel et le deviendra. J'y mettrai tous mes sous s'il le faut, et je ne suis pas le seul. »

Manet résiste aussi à cause de l'idée sociale qu'il se fait du rôle du peintre. Outre ce qu'il n'ose dire à personne : sa terreur de se voir assimilé à ces bohèmes excentriques. Seule Suzanne le comprend, vu le mal qu'ils ont eu ensemble et séparément pour ne pas être déclassés, en formant ce couple si désassorti avec, en prime, un enfant caché !

Il lui est d'autant plus aisé de refuser de les rejoindre qu'il a enfin l'impression d'être reconnu au Salon pour ce qu'il sait faire le mieux.

Est-ce d'avoir renoncé à Berthe ? Il a d'étranges superstitions pour un cynique.

Indéniable, son inspiration hollandaise pour le *Bock*, et pourtant il manque en venir aux mains avec Stevens qui dit pour rire que Bellot boit de la bière de Haarlem. Allusion à sa proximité avec Hals.

« Tu me traites de plagiaire... ? »

Ça se voulait un bon mot, mais Manet est de plus en plus susceptible quant à son travail.

L'ami Bellot profite de sa soudaine célébrité pour ouvrir une brasserie au Quartier latin et un club d'amateurs de bières, nommé *Au Bon Bock*. Il pavoise comme jadis Victorine qui rêvait qu'*Olympia* la fasse reine de Paris. Manet rend ses modèles riches et célèbres.

Pissarro, Desboutin, Renoir, Monet,... ceux du Guerbois émigrent. Le Guerbois est décidément hanté par la longiligne et inoubliable silhouette de Bazille. Un vrai crève-cœur. Cette étoile filante reste dans leur cœur comme une promesse trahie. Un chagrin inconsolé.

Vive la Nouvelle Athènes, place Blanche, ou le Rat Mort à Pigalle. Manet continue de déjeuner chez Tortoni. Fidélité à Baudelaire ou snobisme invétéré ? Les deux, évidemment. Pour les soirées, quand il ne reçoit pas, il s'arrange pour sortir. Édouard adore le théâtre, Suzanne l'opéra, aussi y vont-ils souvent et chacun de leur côté avec leurs amis. Pour la première pièce de Flaubert, il s'accoquine avec Astruc. Gros chahut, la pièce est retirée après quatre représentations. Manet est très content de l'avoir applaudi contre les huées. Au cirque, selon un ancien rituel, il amène Léon depuis qu'il est petit, il rit toujours d'aussi bon cœur. Oh, ça, il a cœur bon, ce gosse qui n'en est plus un ! S'il n'a pas d'ambition, à qui la faute ? Manet ne saurait le lui reprocher. Le coupable c'est lui. Il préfère n'y pas penser. Retour de Belfort, comme s'il n'avait jamais quitté les siens. Si, il s'est mis à fumer du tabac.

Quand revient l'été, malgré son succès au Salon et l'amitié recouvrée avec sa bande, il les quitte pour amener mère et épouse à Étaples près du Touquet, où Gustave et Jules Dejouy les rejoignent en fin de semaine. C'est là qu'il comprend qu'Eugène est réellement tombé en amour pour Berthe. Et espère ne pas la laisser indifférente. Pour l'heure, celle-ci attend la demande en mariage de Puvis de Chavannes. Elle préférerait. Ce serait plus facile pour oublier les Manet.

Mais Puvis a peur d'elle et ne se décide pas. Eugène passe son été à lui écrire son amour depuis

Paris où, rue de Saint-Pétersbourg, il jouit d'une solitude inaccessible en temps normal.

Manet mène une activité intense, il a rarement autant peint que cet été-là. Comme avant guerre !

Sur la plage, Suzanne de dos avec Gustave. La liberté dans l'espace implique l'inertie du motif, ce qu'il brigue. Il fait beaucoup de natures mortes, mais aussi en mouvement, d'où ces *Pêcheurs en mer*. Pour les attraper au plus près de l'eau, il embarque sur un sardinier mais doit retourner à terre rapidement. Vexé, l'ancien pilotin souffre d'un violent mal de mer. Il a perdu son pied marin. Il n'y retournera plus.

Alors il peint des *Marées montantes* qui le rendent mélancoliques.

Berthe lui manque, il se console en se persuadant qu'il est un homme heureux, un homme en vue, un homme riche et comblé, un peintre enfin accepté. Reconnu ? Presque, ça vient. Et qu'à son retour à Paris il mènera enfin la vie de ses rêves. Ouvrir son existence en grand afin de ne pas retomber dans la délectation morose de l'après-guerre.

Auparavant il doit engranger d'autres œuvres.

Ainsi passent les saisons…

Chapitre XIII

1873-1874

SAUVÉ PAR L'AMITIÉ

L'hiver a cessé : la lumière est tiède
Et danse, du sol au firmament clair.
Il faut que le cœur le plus triste cède
À l'immense joie éparse dans l'air.

PAUL VERLAINE

Installé au 4 de *sa* rue, Manet revit. Depuis l'avant-guerre, il ne s'est pas senti si bien. Oublier Berthe ? Ça n'est pas si simple, elle rôde dans son âme, vient le hanter sitôt qu'il se laisse aller à la rêverie. Mais comme elle vient poser autant qu'il la sollicite, sa vie est réenchantée.

Il fait livrer des bottes de violettes, ses fleurs préférées pour en pavoiser l'atelier. À chaque nouvelle toile, il aménage un autre coin afin qu'elle se sente attendue, préférée. Et, tant que faire se peut, à l'écart des regards de sa mère, qui ne la quitte toujours pas. Édouard invente des angles de pose d'où elle ne peut surveiller leurs échanges muets. Ils deviennent spécialistes du dialogue badin, sans aspérités. Leurs yeux se disent tout, leurs mots rien. Chaque fois qu'ils se font face, ils retombent sous une emprise mutuelle. À quoi bon s'en défendre ? C'est ainsi. Il y a dans ces échanges un attrait fou, chargés d'une force destructrice dévorante qui remplace toutes les étreintes. Chacun d'eux est convaincu d'exercer une certaine maîtrise sur cette folie…

Visible et secret à la fois, ce pouvoir qu'exerce Berthe sur lui. Le plus sage est de ne pas s'en cacher mais de le déplacer sur leur art.

À l'aide d'une mule rose, il lui offre une évocation de son ancêtre Fragonard, le virus était dans la famille ! Il ne lui traverse pas l'esprit de la faire poser nue, ni de la costumer comme la plupart de ses modèles. Elle ne pose pas non plus comme un peintre. Quand il lui fait tenir un objet, ce n'est pas un pinceau mais une arme de séduction féminine, un éventail, des violettes. Leur connivence est totale quand, grande bourgeoise impeccable, Berthe s'amuse à enfiler quelques accessoires de la panoplie de Victorine comme le fameux ruban de cou d'*Olympia !*

Berthe s'épanouit sous son pinceau, elle n'a jamais été si lumineuse. L'incarnation de la beauté moderne, rêvée par Baudelaire. À propos, le petit poète voisin, si proche depuis l'enterrement du grand et pendant le siège, ce Paul Verlaine à qui Manet s'est silencieusement attaché a disparu. Après avoir défrayé la chronique à cause des frasques de son ami voyou, il a totalement disparu. On raconte que le jeune diable aux yeux bleus l'a enlevé. Très lié avec sa bande de poètes, Fantin le rassure, on les aurait vus à Londres.

Manet est toujours en peine d'échanges sur le tableau en cours. Là, avec l'énorme production du nouvel atelier, il quête le regard froid, cynique de Degas. Pissarro, Monet, Renoir, Sisley, Stevens, Prins sont trop élogieux. C'est agréable mais inutile. Manet a besoin de critique plus aiguë. Cézanne pourrait, son œil est vindicatif et follement exigeant, mais il ne daigne pas salir ses croquenots crottés sur les riches tapis des bourgeois ! Toujours ce faux clivage « pauvre-riche » qui, dans son cas, n'a pas de raison d'être. Zola lui a dit que son père était un gros banquier, réactionnaire et catholique, un notable aixois. Assez proche du milieu de Manet, le côté province accentuant son archaïsme aux yeux du Parisien raffiné. Alors, à quoi joue-t-il ?

L'immense succès du *Bon Bock* n'a d'équivalent que le scandale disproportionné de l'*Olympia*. Un an après, on en parle encore comme d'un bouleversement dans la peinture ! Pour un tableau qui sent sa Hollande à plein nez ! La critique préférée de Manet prétend que « l'ami Bellot a l'air joyeux parce qu'il fait un travail qui rend heureux ». En dépit ou grâce à son radicalisme politique, Manet fait œuvre de cohésion sociale ! Gambetta acceptera-t-il de poser pour lui ? Il rêve de portraiturer le seul grand homme à ses yeux. Il lui propose un troc : lui offrir n'importe lequel de ses tableaux en échange de quelques heures de pose. Non. Gambetta n'a pas le temps de poser, et surtout il refuse de posséder un tableau qu'il n'aurait pas les moyens de se payer. Manet est navré, ce portrait lui tient à cœur depuis la guerre, faute de peindre ses idées, au moins représenter celui qui les incarne. Il admet mal qu'en république ces meneurs, qui exaltent la force de rébellion du peuple, aient en art des goûts d'une frilosité si réactionnaire. Il est attristé de n'être jamais apprécié par les siens.

Comment transformer ce début de reconnaissance tant convoitée en consécration ? Manet croit avoir le mode d'emploi de la réussite, donc de la légitimation, cette étrange chose dont il a autant besoin que du regard de Berthe. Il croit son heure venue. Il retrouve sa joie de vivre, la mélancolie se recroqueville dans le coin sombre de son âme. Il l'oublie. Il abonde de projets. D'abord Berthe. Surtout Berthe à peindre, sans trêve. Et Suzanne qu'il repeint, histoire de la rassurer, et de faire bon poids ! Oh, le méchant jeu de mots. Des natures mortes, oui, et des amis aussi, des déjeuners sur l'herbe avec la bande, des scènes de café, de bal, de cabaret. Il se sent revivre, vivre en grand cette fois.

Sauf que Berthe ne viendra plus poser. Ni pour Manet. Ni pour personne. Son père est mort le 24 janvier, elle prend le deuil de cet homme avec qui elle s'entendait si mal que, forcément, elle se sent coupable. La famille Manet au complet se rend aux funérailles orléanistes de cet homme qui ne l'aimait pas. Il ne peut même pas prendre Berthe dans ses bras, alors qu'il peut étreindre Edma, sa sœur mariée à l'ami Pontillon.

Précautionneusement, dans le petit bonheur-du-jour de l'atelier, Manet range éventail, gants et voilette, pour Berthe, si elle revient jamais… Et parachève pour le Salon, le premier tableau entrepris ici avec Victorine dans un rôle sinon de dame, du moins de jeune mère, que le retour de Berthe avait renvoyé aux calendes. Ce *Chemin de fer*, sur fond de fumée blanche, laisse voir le porche de son immeuble. C'est une œuvre douce, étrange, qui ne devrait ni scandaliser ni laisser indifférent. Assise sur un muret, adossée aux grilles, Victorine tient un chien sur ses genoux et un livre, tandis qu'une petite fille délicieusement vêtue tourne le dos au public, fascinée par les trains qui passent en contrebas. La douceur le dispute à l'étrangeté.

Sans trêve, Manet invite des nouveaux modèles à étrenner ses canapés. Le 4 doit vivre, c'est un lieu magique. Il convie ses relations du jour et les anciennes. Si l'abbé Hurel a toujours son tabouret, Zola se fait plus rare. Ça tombe bien, avec sa volonté de régenter les arts et lettres, et d'imposer son mot de réaliste à tout ce qu'il approche, il finissait par dire de grosses bêtises, au moins sur la peinture.

Pour se détacher de Berthe, puisque l'oublier est impossible, ou alors il doit s'oublier lui-même, tous les moyens sont bons. Il multiplie les aventures d'un jour, renoue furtivement avec Victorine le temps d'achever ce tableau, où l'éventail de Berthe du *Balcon* se retrouve plié dans son corsage.

Puis il y a cette Marguerite... N'est-elle pas ravissante ?

« Non, elle a seulement 17 ans », réplique Suzanne qui passe tout à son mari sauf l'aveuglement.

Mais c'est bien 17 ans, c'est très bien. Surtout quand on a poussé dans les meilleurs milieux, on est en meilleure santé, plus en forme, insiste la placide Hollandaise.

Il se lance dans une série de portraits de femmes très jeunes, très belles, très... qui lui font battre le cœur, un instant, ce dont il a un vif besoin.

Marguerite de Conflans pose, Manet flirte avec elle, avant de la faire entrer dans l'intimité du salon des dames Manet. Il vient de rencontrer Nina de Callias, l'ancienne amante de Bazire, dont Charles Cros est amoureux. Elle demeure très près de chez Manet aux Batignolles, rue des Moines, où elle anime un salon d'un exotisme certain. Tous les hommes en sont fous. Elle est assez torride, Manet a moins froid. Nina lui apprend que Verlaine vient d'être emprisonné en Belgique. Insensé. Tant de talents derrière des barreaux.

Nina est un personnage étrange, née Anne-Marie Gaillard, ou Villard, elle n'a pas assez de noms pour sa personnalité multiple. Libre et bohème, elle n'est pas une demi-mondaine, ses amants ne sauraient lui rendre sa générosité, sauf en vers, en dessins, en musique... Elle touche une bonne rente de son père. Bonne pianiste, gaie, séduisante, tous ses amants ont du talent. Son cœur est bon et son jugement plus sûr encore. Aux soupers de minuit, elle accueille qui veut. C'est là que Cros amène Manet et lui présente Mallarmé... Les amis de Nina constituent le bottin mondain de la saison. L'hédoniste caché sous la toge de professeur d'anglais rêve d'elle, Manet va la peindre.

Privé de sa muse, Manet multiplie les sujets, les rencontres, les diversions. Il adore le salon de Nina, où la faune étrange et bigarrée fait son miel. Elle lui tourne bien un peu la tête, et c'est la première fois depuis Berthe, il y a... cinq ans !

Mon Dieu !

Il peint Nina avec bonheur. De part et d'autre de la toile, la séduction opère. Le tableau promet. Une amitié naît, forte, non dénuée de sensualité. Nina ne peut s'en empêcher, et Manet a besoin de réconfort.

Si la toile est belle, elle va pourtant rester cachée. Monsieur de Callias, le mari, en décide ainsi. Un matin glacial de février, il attend Manet devant le 4, lequel s'efface pour le laisser monter, qu'il ne voie pas son léger boitillement. Là règne, posée triomphalement sur le chevalet, sa femme. Elle n'est pas sèche. Monsieur de Callias la regarde, longtemps, se tait, longtemps. Tourne autour :

« Oui, c'est bien elle. J'y ai beaucoup tenu. Aujourd'hui je tiens à mon nom. Et elle le porte. Il n'est pas dans mes façons de reprendre ce que je donne, mais je préfère qu'elle ne salisse pas ce nom qu'elle utilise un peu légèrement. Auriez-vous l'élégance, tant que je serai vivant, de ne pas laisser exposer cette toile pourtant fort belle. Je vous en remercie. »

Et il est sorti, avant que Manet ait rien pu dire. Entre hommes élégants, n'est-ce pas !

Que va-t-il bien pouvoir envoyer au Salon ? La question reste entière.

Le Bal bien sûr ! Il doit immédiatement finir son *Bal*. Comment n'y a-t-il pas pensé plus tôt ? En plus, il bénéficiera d'une actualité encore brûlante, s'il ose dire. Le 28 octobre dernier, un incendie terrible a entièrement dévasté l'opéra de la rue Le Peletier où Manet avait entrepris un grand nombre de croquis. Des mois qu'il y passait irrégulièrement pour le traquer sous différentes lumières, choisir ses angles...

Tous les ans à carnaval, « le bal des artistes »

attire le Tout-Paris qui se concélèbre durant la folle semaine du mardi gras. Costumée et masquée, la bourgeoisie se mêle au petit peuple et s'offre le grand frisson de côtoyer la racaille. L'atmosphère est aussi irrespirable que l'ambiance enivrante. Véritable institution depuis la monarchie de Juillet, ces nuits étaient des événements considérables, que même Suzanne n'aurait ratés pour rien au monde. La frénésie ouvrait la porte à toute licence. « À carnaval tout est permis. » En toute saison, Degas eut ses habitudes à l'opéra, il y a croqué nombre de petites danseuses au travail, n'aimant que la coulisse, là où la douleur et l'effort conjuguent la vérité de l'art. Là, il partageait, lui qui jouit si peu.

Et tout a brûlé. En une nuit, tout. Brûlé, calciné, il ne reste rien.

Manet achève son *Bal,* sûr de tenir le sujet le plus à la mode du moment. Dans l'urgence, il convie amis et relations à un amusant défilé à l'atelier. Sur la toile, le cadre est prêt, c'est celui de *feu, le célèbre foyer de l'opéra,* avec beaucoup d'esquisses de petites femmes légères et vêtues comme tel. Au tour de ses amis en frac et haut-de-forme de se presser sous ses brosses pour figurer la foule des amateurs. Des prédateurs.

Manet a longtemps rêvé ce *Bal* à la manière de sa *Musique aux Tuileries,* en tableau choral mêlant ces deux mondes interlopes. L'incendie lui force le pinceau qui l'oblige à achever à toute vitesse. Rendre ces bals de la mi-carême où l'éros et la gouaille se pressent en un climat unique, le retrouver sur les murs, ne peut que plaire. Manet peint comme un fou : il sera au Salon.

Rendre grâces à Baudelaire : « L'habit noir et la

redingote ont non seulement leur beauté politique qui est l'expression de l'égalité universelle mais encore leur beauté poétique qui est l'expression de l'âme publique : une immense défilade de croque-morts, croque-morts politiques, croque-morts amoureux, croque-morts bourgeois. Nous célébrons tous quelque enterrement... » Tel est son *Bal*.

Ainsi défilent à l'atelier un grand nombre d'amis « chaussés très haut ». Comme Chabrier demeure en face rue Mosnier, il monte et se met au piano dès qu'il voit du monde, Albert Hecht le collectionneur voisin aussi devient un familier, Guillaumin, Duret mondanisent tuyau de poêle sur la tête ou à la main, prennent les collations que Manet fait livrer du café d'à côté. On s'attarde. Le 4 devient un lieu à la mode. On s'y donne rendez-vous. Manet est aux anges, le tableau vient bien.

« Posez votre haut-de-forme sans y songer, comme si je ne vous croquais pas. Soyez naturel, tenez votre tête comme à la maison. »

Il est ravi de sa batterie de hauts-de-forme qui ont d'abord l'air uniformes, et se révèlent tous différents, comme si Manet venait de percer le secret de l'unicité de l'homme, de sa singularité absolue. Le chapeau abrite un être toujours unique. Et ce noir, ah ! Côté noir, il s'est surpassé. À l'extrémité de la toile, il s'est représenté, ambigu, distant, étrange. Dedans et dehors à la fois, toujours l'entre-deux.

Tant de gens finissent par y figurer que tout Paris bruisse de ce *Bal à l'opéra*. L'incendie en garantit un succès international. Avant même le Salon, l'acteur Faure lui achète 6 000 francs, et devient son meilleur collectionneur.

« Restez avec moi, je tiens la corde, prédit Manet

à ses amis impressionnistes. Demain Degas aura sa mention, et tous vous me rejoindrez au Salon, on y sera chez nous. »

Degas tient les médailles pour des radis et n'aime pas les radis. Quant aux autres, ils ont avalé assez de couleuvres pour rompre avec ces falbalas académiques. Depuis leur mini-Salon des Refusés bricolé l'an dernier pendant l'officiel, ils n'ont pas chômé. Cette fois, ils sont prêts. Quinze jours avant l'ouverture de l'officiel, ils inaugurent le Premier Grand Salon des Réalistes.

Pari gagné, ils ont réussi à organiser la plus grande exposition de Pleinairistes jamais vue au monde. En dépit des tentatives réitérées de la bande pour débaucher Manet et le convaincre de les suivre, il a résisté violemment. Tous s'y sont mis sauf Cézanne. À commencer par leur hôte qui rêvait de l'avoir chez lui en souvenir de leur jeunesse autour de Baudelaire. Car c'est Tournachon, autrement dit Nadar, désormais célèbre pour ses ballons, et son génie de l'amitié qui leur cède son premier atelier du boulevard des Capucines. Offenbach, Baudelaire, tant d'autres ont bénéficié de sa bonté, de son sens de l'amitié, il donne toujours sans compter. Outre l'espace, il offre son temps et son œil pour aider à l'accrochage. Trente artistes seulement mais plus de deux cents tableaux ! Et des impératifs édictés par Renoir pour obtenir une égalité au moins formelle. Renoir est un puriste de l'égalité, et Pissarro du partage communiste. Comment donner la meilleure place à tout le monde ? Première règle : n'exposer que des moyens et des petits formats. Seconde règle : ne les accrocher que sur deux rangs pour laisser de l'espace entre eux. « De l'air, que ça respire, de l'air… »

Isoler chaque toile pour la mettre en valeur, voilà le principe que Monet adopte sur-le-champ.

Ça surprend d'abord mais ça reste la meilleure idée de ce drôle de Salon. On s'y accoutume au point de ne plus supporter demain l'accrochage à touche-touche de haut en bas de l'Officiel.

Pour rompre définitivement avec les institutions, ses amis s'échinent à pérenniser leur *Société Anonyme,* ils échafaudent des combinaisons savantes pour exister autrement et ailleurs.

Ils répudient le système du Salon. Ce que Manet ne comprend pas, n'accepte pas. Il enrage, n'en dort plus. Il meurt de peur. Ce qu'ils font là risque de les ramener tous, et même lui puisqu'il passe pour leur inspirateur, à l'état de misérables rapins, peinturlureurs insoumis, pataugeant dans une médiocrité et une amertume dont beaucoup ne se relèveront pas. Le scandale ne suffit pas, l'auteur de l'*Olympia* a payé assez cher pour le savoir.

Quinze jours avant le Salon, les réalistes font le plein. Si le plus gentil des critiques écrit « on croirait des enfants qui s'amusent... Des amateurs ! »... ça ne masque pas le fleuve de crachats qui recouvre immédiatement l'exposition. Un mépris à en mourir.

Louis Leroy du *Charivari* devant *Impression, soleil levant* de Monet, écrit : « Je me disais aussi puisque je suis impressionné, il doit y avoir de l'impression là-dedans... » et titre sa chronique « L'exposition des impressionnistes. » Fût-ce pour s'en moquer, le mot est jeté. Intelligemment, lesdits *impressionnistes* le ramassent et vont le revendiquer. Maintenant ils ont un nom officiel, et Manet est leur père ! Lui qui n'en fait pas partie. Il le crie assez sur les toits. Mais le scandale est tel justement qu'on ne peut pas l'entendre.

S'il soutient ces artistes de tout son cœur, de toutes ses forces, ses plus chers amis, il professe toujours que faire salon à part est une erreur. Aussi se met-il dans un état de colère terrible car ils y sont tous, sauf Fantin et Guillemet, que les autres méprisent pour leur soumission au Salon ! De Nittis, même Astruc qui avait promis à Manet de ne pas l'abandonner. Et Bracquemond d'écrire : « Nous sommes tous des impressionnistes. »

Manet a eu beau jeter méchamment « jamais je ne me commettrai avec monsieur Cézanne », celui-ci lui rend hommage avec une œuvre justement titrée une *Moderne Olympia*. Il l'a fait pour prouver qu'il a plus de tempérament que Manet, mais du coup il rend la sienne classique. Plus belle, presque acceptable.

Rétrospectivement, sa peur se justifiait. Nul n'avait encore assisté à pareil déferlement de haine. Les injures n'ont plus de limites. C'est l'*Olympia* multipliée par cent. Pourquoi pas une vraie mise à mort ? On chuchote qu'ils le méritent.

Trois mille cinq cents visiteurs aux impressionnistes. Si c'est peu en regard de l'amoncellement des crachats, c'est pourtant insuffisant pour couvrir les frais.

Aux Impressionnistes – maintenant qu'ils ont un nom, on s'en gargarise, et on trouve qu'il sonne bien – Manet se rend tous les jours, il y a quelques formidables talents, de très belles réussites. De Degas, Berthe Morisot, Monet, Renoir, Whistler, ça ne l'étonne pas, ce sont ses amis, ses pairs, il les estime autant qu'on peut aimer un peintre vivant quand on l'est soi-même. Pissarro s'est surpassé au point que Manet lui achète un paysage. Neuf toiles de Berthe, davantage de Degas. Des autres, quelques belles surprises qui ne le font pas changer d'avis. Ce n'est pas là que ça se passe !

L'ailleurs n'est pas sa stratégie, il n'en démord pas. Mais ils ont le droit d'y croire, ça serait même formidable que ça marche, Manet le leur souhaite.

Malgré son désaveu pour leur démarche, ils l'ont une fois pour toutes élu leur chef. Difficile position, puisque ce sont ses amis. Aussi ça l'énerve qu'on les traîne dans la boue. On les moque comme aucun ne l'a jamais été individuellement. Manet a honte de ce qu'il entend sur Berthe, sur Degas, surtout envers Monet et Cézanne, qui raflent les pires insanités. À croire que public et critique sont des ânes bâtés. C'est bête, c'est méchant, ça se veut averti et c'est simplement lamentable.

« Quand on ne comprend pas, on se tait », jette-t-il à la face d'un visiteur qui, devant lui, crache bruyamment son venin.

Il est désolé d'avoir raison, malheureux de l'accueil qui leur est fait, et furieux de passer pour leur chef, leur meneur...

D'indicibles raisons lui interdisent d'exposer avec sa bande d'amis. Il veut laisser toute la place à Berthe Morisot, ne pas lui faire d'ombre. Des motifs moins nobles coexistent, comme ne pas déplaire au Salon, à sa mère, et, même mort, à son père. Son père ne rêvait que de reconnaissances officielles, de rosettes, et d'honneurs ! L'atavisme, finalement, le rattrape.

Le Salon demeure son seul champ de bataille possible.

Pourtant... à nouveau, cette année, il y est reçu comme un chien.

Si le jury accepte son *Chemin de fer*, en faisant la grimace, il lui renvoie tout le reste. Surtout son *Bal*. Rejeter le *Bal à l'opéra*, aujourd'hui ? Incroyable. C'est l'actualité de l'année ! Manet n'en revient pas. Après l'accueil du *Bon Bock* ! Il est à nouveau renvoyé comme un malpropre, un débutant, un rapin de dernière catégorie...

Cette année où les règles s'étaient assouplies pour accepter trois ouvrages par artiste, on refuse Manet et son *Bal à l'opéra* qui est peut-être son chef-d'œuvre ! Ils rejettent aussi son *Polichinelle*, sous prétexte qu'il ressemble à Mac-Mahon. Bizarre, parce qu'en le regardant mieux Manet lui trouve un faux air de Meissonnier ! Réactionnaire en art comme en politique, ce dernier n'a pas dû apprécier.

Refusé, le « chef » des impressionnistes ! En censurant ce *Bal* qui n'a rien d'impressionniste, en n'exposant que le *Chemin de fer*, qui au contraire s'en approche, on le réduit à un plein air de faux-semblant à palette claire, sans rien donner à voir de l'étendue de sa gamme.

À la mi-mai, quand ouvre le vrai Salon, il espère encore un bon accueil. Eh non. Il est à nouveau jeté aux chiens. En n'exposant que ce tableau de plein air, comme si c'était sa faute, on considère qu'il illustre le caractère provocateur du réalisme. Pis, qu'il introduit l'impressionnisme au Salon. On le renvoie chez ses amis tant hués.

« Et pourquoi l'enfant est-elle de dos ?

— Mais parce qu'il ne sait pas dessiner les visages. »

Même habillé en dame, ce visage rappelle quelque chose aux habitués du Salon. Oui, c'est la fille du *Déjeuner sur l'herbe,* la catin d'*Olympia*. Incorrigible Manet, il a remis ça ! Exhiber les turpitudes de sa classe, de son déclassement plutôt, au nez et à la barbe des gens bien.

Quelle honte. C'est comme si on venait de le surprendre sortant du bordel. Quant aux grilles de sa voie ferrée, elles inspirent ce stupide « en prison pour avoir manqué au respect qu'on doit au public ».

« Il règne dans cette œuvre une impression d'instantané, de plein air, de pris sur le vif pour un sujet tiré de la vie courante et la plus humble, aussi quelle coquetterie de ne pas aller chez Nadar », demandent les plus indulgents.

Cet accueil démontre par l'absurde qu'il est le chef de file, caché ou lâche des impressionnistes mais qu'il refuse de se commettre avec ses troupes. « Je n'exposerai jamais dans la baraque d'à côté. Moi, je veux entrer au Salon par la grande porte. C'est de là que je lutte avec vous. »

Dire qu'il pensait avoir gagné son ticket d'entrée ! C'est injuste. Ce camouflet ne saurait rester impuni. Manet est prêt à se battre en duel, mais contre qui ? Pourtant tout Paris espérait se voir à son *Bal*.

Timidement, la presse se décide à le défendre, à protester mais à mi-voix. Parmi ses nouveaux soutiens, une voix subtile dit singulièrement son indignation et fait honte à ce jury incapable de consacrer le meilleur des siens. Cette voix est celle d'un jeune professeur d'anglais croisé chez Nina. Encore inconnu, sauf de quelques poètes très symbolistes, il s'appelle Stéphane Mallarmé et se veut poète. Il a tout compris des talents de coloriste et de metteur en scène que Manet illustre dans ses œuvres censurées. Il demande à le voir dans son atelier. Avant de le rencontrer il ignorait ses talents de critique, mais sitôt qu'il le voit et l'écoute parler de ses toiles, il découvre l'aspect moral, spirituel et politique de son œuvre. Son papier « Le jury de peinture » paraît le 12 avril dans la *Renaissance des arts*.

Sur le coup, Manet se réjouit davantage d'avoir enfin obtenu l'adhésion de son ennemi de toujours, le vilain Wolff qui lui consacre une longue étude dans *Le Gaulois*. Ce même Wolff que Degas traite de « personnage simiesque dont on dit qu'il est venu à Paris par les arbres ». Le peintre Degas ne peut souffrir ces gens qui se décrètent juges d'artistes et en tirent profit. Outre que la laideur de Wolff se double d'une homosexualité, Degas en découvrant ses origines de juif allemand donne libre cours à ses plus bas instincts. Pour la première fois, sous l'homme du monde, Degas se montre un ignoble antisémite homophobe. Ce petit garçon, élevé par une aristocratie catholique bon teint, s'est converti tout seul à la bourgeoisie la plus conservatrice, réactionnaire, la plus rance aussi. Sa chasteté forcenée fait le reste. Il peint de mieux en mieux et pense de plus en plus mal.

Tandis qu'entre Manet et Mallarmé naît rapidement une véritable amitié. Le poète commence par être séduit par sa peinture, mais le talent de Manet pour arborer chaque jour une nouvelle cravate n'est pas étranger à leur rapprochement précipité. Mallarmé est médusé par les paradoxes du bonhomme, ébloui autant par son art que par son chic, le mot est tout neuf, et son élégance à couper le souffle qu'au lieu de jalouser il va louanger.

Passer chaque soir à l'atelier en rentrant du lycée, cet hiver-là, lui évite la dépression, et peut-être un passage à l'acte, sur le pont de l'Europe ! Sa reconnaissance ultérieure lui est infinie, il le pare de tous les prestiges, à commencer par celui d'avoir côtoyé Dieu, son Dieu, leur Dieu à tous ces nouveaux venus à la poésie, Baudelaire, qui par eux est enfin mis à sa place. La première.

Le reste relève de la magie des rencontres. La veille, ils ne se connaissaient pas, et ils ne passent plus une journée sans se parler. Par chance, Mallarmé enseigne rue de Rome à quelques mètres de l'atelier, et son appartement est rue de Moscou...

S'ébauche une de ces amitiés artistiques comme même avec Baudelaire, Manet n'en avait pas rêvé. La compréhension profonde de Mallarmé pour son œuvre en est la première marche mais tant d'autres choses les lient. Si ses cravates le font rêver, sa pensée le bluffe. L'épate encore plus la capacité de Manet de nommer chaque jour le nom de celle qui la lui a choisie ou offerte. Oui, toutes ses cravates sont des cadeaux de ses amies. Et il est capable d'en parler chaque fois comme on écrit un poème. C'est magnifique comme Manet parle des jeunes femmes sans qui il ne peut vivre. Mallarmé rêve de prendre en note les gestes qu'il dessine dans l'air pour les évoquer, poignants d'une grâce fragile, il veut s'en emparer.

À le regarder peindre, il découvre le sauvage sous le dandy. Une furie le rue sur la toile vide comme s'il n'avait jamais peint. Il lui avoue d'ailleurs que chaque nouveau tableau exige qu'il se jette à l'eau sans savoir nager. C'est dans cette ignorance délibérée que réside la solution, la capture de l'instant.

Ils ont en commun une passion pour les fanfreluches qu'ils considèrent tous deux comme des choses sérieuses. Mallarmé signe d'ailleurs des chroniques de mode dans une gazette pour dames sous le pseudonyme de mademoiselle Satin. Il adore ça.

Avec le noyau d'origine, Monet, Degas, Renoir, Berthe est membre à part entière de la première *Société Anonyme Coopérative* créée pour organiser leurs expositions. Pour 60 francs de cotisation, n'importe quel artiste peut y adhérer et partager les bénéfices à venir.

Édouard refuse toujours d'en être mais pas son frère. Cet E. Manet qui s'attache aux impressionnistes l'exaspère. L'attitude de Berthe aussi. N'en profite-t-elle pas pour prendre ses distances avec lui ? Il ne s'est pas assez soucié du peintre en elle. Bien sûr, elle se venge.

Force est de reconnaître que ses œuvres chez Nadar sont époustouflantes. Elle a raison, la confrontation avec ses pairs la met spécialement en valeur. Elle a beau être un grand peintre, elle est d'abord une femme, et il n'y en a pas dans les musées. Elle, mais elle seule, a raison de profiter de cet autre lieu d'exposition. Parce que femme. Mais pas dans l'idée de créer un autre public, un autre regard sur la nouveauté de leurs travaux. Il n'y a pas d'autre public. Il n'y croit pas.

Même si l'antique Salon est rétrograde, archaïque, réactionnaire, tout ce qu'on dit et même pire, Manet y veut son rond de serviette. Et occuper sa place, toute la place.

Bonne nouvelle : Meissonnier vient d'être destitué de sa fonction de juré ! Par solidarité, d'autres jurés aussi mal pensants démissionnent. Victoire ! La place est libre ! Les réalistes vont pouvoir y pénétrer en masse. Manet brigue le rôle du peintre classique ; après sa mort, il se verrait bien au Louvre ! Cet art nouveau dont il se sent porteur ne peut rester perpétuellement en marge. On va lui faire, on va leur faire de la place. Ce n'est pas le moment d'aller crécher ailleurs, « ils seront trop contents de te refuser sous prétexte que tu leur tires la langue... » C'est de l'intérieur qu'il faut les combattre.

Si, sous Thiers, il y avait peu d'espoir de progrès artistiques, aujourd'hui on respire. « On va pénétrer en force toutes les institutions. On est en république, abusons-en », proclame Manet à tous les dissidents qui le prennent par la manche pour l'attirer dans cet écart où ils le supplient de les rejoindre.

Plusieurs fois il a croisé Berthe en grand deuil, entourée de ses amis, sa mère, un groupe bruyant, d'où émergeait toujours la haute silhouette de son propre frère. Il ne la quitte donc jamais ! Ils se sont souri sans un mot. Il suffit que leurs regards se croisent pour que tout flambe alentour. Se fuir est plus sage. Mais il n'a pas fini d'extraire de son visage ce qui le fait trembler. Le feu couve toujours sous la cendre.

Depuis l'exposition *Impressionnistes*, il apprécie de plus en plus Monet, l'artiste l'épate, et l'homme aussi, pauvre mais si richement vêtu. Rue Croix-des-Vignes à Gennevilliers dans la maison familiale des Manet où il l'héberge chaque fois qu'il ne sait où loger, il le rejoint pour travailler à ses côtés et le regarder faire.

Impressionniste ? En tout cas Monet l'impressionne, répète-t-il à Suzanne, Gustave et Eugène qui l'accompagnent de temps en temps. Cet été est tellement chaud que la simple vue de l'eau rafraîchit. À force de séjours répétés, Monet découvre cette région et s'y attache.

Après le Salon, Manet l'héberge à nouveau, le temps pour Monet de dégoter une maison pas loin, ainsi voisineront-ils tout l'été. Amoureux de l'eau et de ses reflets, Monet n'imagine pas vivre loin d'elle. Il s'installe en face du domaine Manet, sur l'autre rive de la Seine à Argenteuil, 2 rue Pierre Guienne, au bord de l'eau. Ils décident de passer une partie de l'été à proximité les uns des autres histoire de peindre de concert, côte à côte, sur le même motif. À Gennevilliers, Manet reçoit tous leurs amis. Un nouveau voisin au Petit Gennevilliers, Gustave Caillebotte devient son voisin à Paris aussi où il peint un *Pont de l'Europe*, éblouissant. Ils voisinent surtout ici, aux bords de Seine, où il initie la bande à la voile. Jusqu'ici on ne pratiquait que le canotage, la voile, c'est autre chose, et Caillebotte est un amateur déchaîné. D'ailleurs il crée la première école de sa discipline aux Glénans où il entraîne Mallarmé et surtout Eugène, que cette activité enchante. À eux trois, Manet, Monet et Caillebotte, ils hébergent Pissarro, Whistler, Renoir, Sisley… ceux qui en ont envie.

Rudolph Leenhoff, le frère de Suzanne pose pour tous, notamment pour *Argenteuil*. Cet été-là Manet ne cesse de peindre, stimulé par la présence grouillante de joie et de création partagées de tant d'amis rassemblés.

Ça donne *En bateau, Claude Monet dans son atelier, La Famille Monet au jardin*... Ça donne surtout le meilleur moment de leur vie commune, jamais ils ne se sont si bien entendus, jamais ils ne se sont tant aimés. C'est si fort qu'ils en ont conscience au moment où se déroulent ces heures précieuses. Tous ensemble – tous d'accord ! Jusque-là, ils étaient des *modernes* partageant les mêmes codes, le même point de vue sur leur art : plein air, couleurs claires, suppression de la perspective, directs, rapides, sincères... Après ? Oh, après c'est dans longtemps, on verra bien. Seul compte *le vierge, le vivace et le bel aujourd'hui*. Chaque jour est la plus belle journée de leur vie, une journée d'été qui ne finira jamais. En tout cas sur leurs toiles.

Monet s'aménage un atelier sur une barque. Quand Renoir les rejoint, ils s'entre-croquent les uns les autres, femmes, enfants et bêtes mêlées.

Léon et Suzanne participent peu à ces agapes d'artistes. Ces derniers se mêlent au peuple des canoteurs qui, vulgaires et souvent ivres, osent des saillies susceptibles de faire rougir les dames. Ni son épouse ni Berthe n'accompagnent jamais Manet, alors que Degas, qui déteste la campagne mais pas cette compagnie-là, les rejoint de temps en temps pour des heures de vacances entre peintres, souvent flanqués de petites bonnes femmes de milieux plus modestes.

Un après-midi, Monet croque Manet en train de le peindre dans son jardin, Renoir arrive qui emprunte du matériel aux copains et peint à son tour la même scène. Mais on dirait que, lui, il fait poser le soleil en personne. Alors que Monet le reflète dans l'eau...

Même en bord de Seine, il fait chaud, c'est l'été 1874, le plus chaud de leur vie, du siècle dit-on aussi. L'amitié y est intense, Manet est heureux, sachant que ça n'excédera pas les vacances. Le projet de leur future exposition va à nouveau les braquer contre lui, et il ne cédera pas. Il s'entête à refuser comme ils s'obstinent à insister.

L'été fini, la chaleur demeure, intense, aussi la bande continue-t-elle de se retrouver entre Argenteuil et Gennevilliers en fin de semaine, jusqu'à la mauvaise saison.

Même quand Manet peint *impressionniste*, il s'en distingue. Chez lui, le visage prime, comme chez Degas qui, lui, se contrefiche de la nature. La lumière compte moins pour lui que le cadre. Pour son milieu d'origine, rien n'a changé : Manet reste un artiste maudit.

« Feriez-vous poser votre épouse devant Manet ?

— Pourquoi ? Quel risque court-elle ?

— Qu'il la traite en bohème. Plus elle est de bonne famille, plus Manet prend plaisir à lui donner l'air libre, affranchi, à la faire glisser d'une candeur naturelle à une sensualité qui ne l'est pas moins. »

Durant ces vacances, il fait parvenir à Berthe un petit tableau représentant un simple bouquet de violettes, à côté de « son » éventail rouge (celui du *Balcon*) sur un billet à demi plié où l'on peut lire « à mademoiselle Berthe... » Sublime nature morte si vivante, signifiante, sibylline.

Ne le lui aurait-il envoyé que pour la joie triste

de leurs deux noms accolés ? Où en est-elle ? Officiellement, elle se consacre à son art et ne veut plus entendre parler de rien, même si elle ne cesse de se référer à Manet. Professionnellement, elle affiche son ambition d'artiste. Dans le même temps, Eugène s'est épris d'elle et lui a fait part timidement mais élégamment de son attirance profonde. Lui aussi vit dans l'ombre de son frère, Berthe et lui peuvent communier dans le culte du grand maltraité du Salon.

Berthe a décidé de faire carrière, et Eugène l'y encourage, la conseille, se soucie d'elle et la comprend. Pour lui déclarer son amour, il lui propose de se mettre au service de son art. Il sait comme il est délicat d'avancer dans ce monde où son frère n'a cessé de recevoir des coups. Alors une femme ! Berthe est sensible aux propos attentifs et généreux d'Eugène. Ils ont tant d'amis communs, tant en commun. Sa demande en mariage est simple mais ardente quoique silencieuse, par lettre ! Il a si peur d'un refus. Le courrier le diffère.

Elle est touchée de son insistance à la protéger, à la défendre, elle et son travail. Depuis la mort de son père, elle sait le mariage inéluctable. De tous ses soupirants, Eugène est le seul à vouloir qu'elle devienne aussi un grand peintre et à proposer de tout mettre en œuvre pour l'y aider.

Si elle accepte de l'épouser, ce n'est pas tant pour son amour que pour sa bonté, la bonté d'Eugène la bouleverse. Comment s'en montrer digne ? Elle n'en est pas éprise, juste conquise par sa belle âme, avoue-t-elle à sa sœur. Bien sûr, personne ne se doute de rien, sa mère croit encore que Puvis de Chavannes va se déclarer et qu'elle lui dira oui.

Prendre Eugène pour époux lui permettrait paradoxalement de normaliser, de simplifier son existence sinon ses sentiments. Il est l'unique à ne pas se poser en rival d'Édouard puisque lui aussi l'aime et le révère. Une fois entrée dans la famille Manet, Berthe n'aura en commun avec celui qu'elle a adoré que la peinture et le nom. Et Berthe veut la paix des familles.

Elle croit pouvoir compter sur le dévouement d'Eugène et surtout espère que lui seul n'exigera jamais qu'elle joue à la bonne d'enfants. Qu'est-ce à dire ? Elle a vu ses sœurs cesser de peindre pour élever leurs progénitures, ses amies aussi. Elle redoute la réclusion des femmes mariées, réduites à leur ménage. Coupées de la seule vie qui compte pour elle, celle de l'art.

Ainsi, comme prévu et anticipé par la petite nature morte que Manet lui a envoyée, Berthe va accoler leurs deux noms. Le temps d'écluser le deuil de son père, elle va se fiancer. Pour l'heure, tous l'ignorent encore, elle n'a dit oui qu'à Eugène mais sous le sceau du secret. Elle veut l'annoncer personnellement à Édouard.

Elle le lui susurre ce matin de printemps glacé où il l'accompagne à l'exposition Nadar. À ces mots, Édouard ne dit rien. Pas un mot. C'est à peine s'il respire. Berthe pousse l'insolence jusqu'à lui demander d'être son témoin. Elle sent le corps de son ami se cabrer, se roidir, jusqu'au chapeau dans sa main qui se met à trembler tout seul. Mais c'est l'offre d'une amie si chère qu'il ne peut refuser, encore qu'il ne soit plus capable d'émettre un son. Il hoche la tête.

« Les fiançailles ont lieu dimanche à la maison, évidemment je compte sur vous. Votre épouse, Gustave et votre mère y seront. »

Ça, c'est le coup de pied de l'âne. Tout le monde est donc au courant sauf lui.

Il le prend mal, très mal, mais fait bonne figure en public. Sont-ils jamais ailleurs qu'en public ! Berthe joue sur du velours. Et insiste-t-elle, Eugène vous ressemble tellement !

Édouard n'en peut plus, il la prie de l'excuser, et se jette dans une voiture qui l'amène à la Nouvelle Athènes où, exceptionnellement, il se grise d'alcools forts et surtout rapides.

L'avantage de la Nouvelle Athènes, c'est sa terrasse qui donne sur la place, couverte en hiver. En été, tous les lundis se tient la foire aux modèles. Ils sont toujours une douzaine près de la fontaine à tenter de se faire repérer par les artistes et pour dix francs la séance jouer les vestales, les dryades, et même les Hercules. Ce n'est pas avec eux que Manet va oublier sa peine.

Des amis aussi traînent là, qui lui apprennent qu'avec son *Bock* beaucoup lui reprochent « d'être allé au public, à la soupe ». En gros de s'être renié. Manquait plus que ça !

La lutte est de plus en plus âpre entre ceux qui continuent d'insister pour qu'il se joigne à eux, et ceux, comme Cézanne, qui préféreraient ne pas. Au fond, Cézanne est comme lui, il convoite la reconnaissance officielle.

Un leitmotiv hante Paris, on n'y parle plus que mariage, c'est sûrement de saison, mais ça le déprime plus qu'il ne peut dire. Alors il se disperse, il illustre *Le Corbeau* de Poe, traduit par Mallarmé. Il se perd dans la délectation morose de ce poème du *jamais plus*. Ce *Corbeau* lui parle :

« Une fois par un minuit lugubre tandis que je m'appesantissais, faible et fatigué, sur maint curieux et bizarre volume de savoir oublié, tandis que je dodelinais la tête, somnolant presque : soudain se fit un heurt, comme de quelqu'un frappant doucement frappant à la porte de ma chambre cela seul et rien de plus [...].

Et le corbeau sans voleter [...] siège encore au-dessus de ma porte [...] et ses yeux ont toute la semblance d'un démon qui rêve et la lumière de la lampe ruisselant sur lui projette son ombre à terre et mon âme de cette ombre qui gît flottante à terre ne s'élèvera jamais plus. »

Lugubre et triste à la semblance de son âme, sauf qu'il n'a aucun titre au chagrin. Son frère chéri va épouser la femme qu'il aurait choisie s'il avait été libre, quelle joie ! La femme qu'il a le plus aimé peindre, et en prime le peintre le plus doué de la nouvelle génération, que demander de plus ?

En dépit de la publication des bans, au soir des fiançailles, en toute simplicité dans le jardin de la rue Guichard, madame Morisot soupçonne sa fille de flirter avec Édouard. À peine a-t-elle vu venir le discret Eugène. D'abord elle n'y a pas cru. C'est pourtant lui, qui en gants beurre frais lui a fait sa demande. Cornélie en est restée interdite. Berthe peut-elle être d'accord ? Cornélie a aussitôt écrit à ses autres filles pour en savoir plus sur le cœur de Berthe. Les trois sœurs ne se sont jamais rien caché. Edma lui avoue que cet Eugène fait une cour discrète à Berthe, depuis plus d'un an, en se cachant de tout le monde, surtout de son frère aîné. Depuis des mois, ses sœurs l'encouragent à l'accepter pour époux.

Donc ce soir-là, dans le jardin des Morisot, Édouard n'écoute pas les serments qui s'échangent, il s'est mis à part avec le mari d'Edma, son futur beau-frère, pour évoquer leur ancienne traversée et les saturnales brésiliennes, autrement moins guindées que ces fiançailles. Bizarrement cette joyeuse évocation a le don d'angoisser Manet au-delà de toute raison. Ensuite il fait mine d'admirer la bague de Berthe. Il n'a jamais pensé à en offrir une à Suzanne et, toute honte bue, dévasté de chagrin, il file à l'atelier.

« Oui, même le dimanche, navré, j'ai vraiment du travail en retard. Excusez-moi. »

Et allez, il se jette sur la demande de Charles Cros d'illustrer son *Fleuve*. Il lui offre huit eaux-fortes. Superbes. Il s'applique, il adore ce garçon, sa fantaisie le distrait. Puis lui aussi souffre d'amour : la volage Nina n'est pas du tout exclusive.

Après un somptueux mois de juillet chez lui à peindre sur l'eau avec ses amis, Manet part en vacances familiales à Fécamp où, par une coïncidence qu'il juge exagérée, les familles Morisot et Manet prennent du repos aux mêmes dates, au même endroit ! Curieux tout de même. Même Degas est installé dans l'hôtel des Manet. Il en profite pour faire un magnifique portrait d'Eugène. Son cadeau de noces à leur confrère chérie. Ils s'y mettent décidément tous. Degas le misogyne. Ça agace Manet plus qu'il ne peut dire.

Combien d'années déjà que Berthe oscille entre de graves crises d'anorexie mentale et des dépressions caractérisées par la rupture de tout échange. Quand tout est normal, donc rarement, elle se morfond en caressant l'idée de demeurer célibataire pour mieux servir son art. C'est pourquoi sa mère n'en revient pas de cette annonce de mariage. Oh, et puis ces Manet, tout de même, elle espérait bien en être débarrassée. Ils manquent d'envergure, non ? Surtout celui-là, c'est le plus effacé, le moins ambitieux.

Oui, mais Berthe a trente-trois ans.

Et parce qu'il a prononcé ces mots : « J'ai l'ambition de rendre Berthe très heureuse et libre », elle a dit oui.

Par ce mariage, la vitrine sociale est sauve. Berthe Morisot devient Manet, ce qui est pour elle la moins mauvaise issue à un célibat de si honteuse réputation. Elle éprouve une immense gratitude envers celui qui la sauve de l'infamant statut de vieille fille, et la délivre de sa duègne de mère, impossible chaperon, intrusif et pesant. Elle va enfin la quitter et vivre à son compte. Eugène lui a promis de respecter son art. Elle le croit.

À peine rentré de Fécamp où Eugène est passé corps et biens côté Morisot, Édouard est dans un tel état de fureur que Suzanne fait venir le docteur Siredey. Édouard lui propose un alcool de poire ? Non, il est là pour l'ausculter. Et ne le trouve pas à son meilleur. Aussi préconise-t-il de repartir en vacances sur-le-champ. Et de changer d'air. Venise en automne, rien n'est mieux. Filez. C'est plus un ordre qu'un conseil.

Suzanne est enchantée de contribuer à lui faire passer son chagrin. Elle n'est pas sotte, elle sait bien que les épousailles de son frère l'ont mis à terre.

Venise, c'est toujours bien pour raffermir un amour. D'ailleurs ça marche. Oh, mais ça marche toujours quand Berthe est inaccessible.

Content de fuir, il ne sait même plus quoi, Édouard accompagné de Suzanne sympathise chez Florian avec James Tissot, un modèle de réussite sociale et mondaine comme Manet se rêve ! Mais lui ne cède jamais sur son travail.

Dans cette ville d'eau : « opaline embuée de moire miroitante », très vite Manet s'ennuie. N'y voit qu'un décor. « Des culs de bouteilles de champagne qui surnagent sur le grand canal. » Aidée par Tissot qui a de l'entregent et de la fortune, Suzanne passe une nuit au milieu de la lagune à jouer sur un piano calé sur une barge afin que l'eau porte sa musique alentour. Manet assiste à ce concert de plein air nautique, avec quelques amis de Tissot à l'affabilité infatigable, chacun sur une gondole entourant Suzanne. Le public est ébaubi, émerveillé. Manet applaudit. L'exploit. Ah, oui, Venise ! Ah, oui, peindre ? Il dresse son chevalet en ronchonnant tandis que Suzanne ravie papillonne au bras de ce Tissot si charmant. Des gondoles noires, du batelier rouge, du canal bleu, Manet tire toute une palette colorée. Ponctuée de son noir si étrange. Il a le sentiment de comprendre enfin les faiblesses de l'impressionnisme. Il peint Venise comme Argenteuil.

« En vérité, j'ai fait du Manet », dit-il à Mallarmé en rentrant au seul endroit où il aime à vivre.

Rien n'est changé.

Avant qu'elle ne devienne sa belle-sœur, Manet exige de la peindre une dernière fois. En vêtement de deuil s'il le faut, mais il a besoin de passer quelques heures encore face à ce visage adoré. Les dernières ?

Quel hommage que cette exigence ! Berthe y consent, flattée et triste à la fois. Au retour d'Italie, l'automne est là, et Manet exécute son dernier portrait de Berthe, aux trois quarts dissimulée.

Pourquoi ?

Parce qu'il souffre trop de la voir.

De quoi se punit-il ?

Au centre de la toile, il place la main baguée de la fiancée. Comme un doigt vertical sur des lèvres pour dire chut. Mais l'essentiel c'est qu'elle est là, qu'elle pose pour lui, une ultime fois. Il la croque en quelques heures et l'achève en deux journées irrespirables. Lui si lent.

Mais quel traitement, il lui fait subir !

Cette Berthe hagarde en chapeau de deuil à longs voiles a l'air si vieille ! Comment supporte-t-elle de se voir ainsi ? Son admiration pour l'artiste. On dirait qu'il l'enlaidit à plaisir. Chacune de ses touches la soufflette, ces coups de brosse sont si épais qu'on les croirait trempés dans du plâtre, avec des rehauts sur son visage pour l'enlaidir intentionnellement. Ses bras striés de noirs, pourquoi ? Il y a là comme une volonté de destruction que Berthe semble approuver.

Pour cet ultime portrait, d'un commun accord, elle ne le regarde plus de face mais détourne les yeux sur le côté. Enfin prude, enfin rangée ? Mais belle, belle comme jamais, et fermée et dure. Sculptée au scalpel. Un adieu à leur amour de tant de douleurs.

Désormais elle sera sa belle-sœur. Rien de plus. En même temps, si elle ne se mariait pas, leurs relations deviendraient plus impossibles encore. Leur lien finirait par les trahir. Si elle épousait un étranger, et qu'il l'amène vivre au loin ? Manet la perdait pour toujours. C'est le mieux qu'elle pouvait faire pour ne pas tout perdre.

« Et, ajoute-t-elle, je m'appellerai madame E. Manet »... Terrible argument.

Manet ne décolère pas.

Pour se faire pardonner, il repeint Suzanne, plus laide qu'il ne l'a jamais peinte. Sur *Le Canapé bleu* de leur petit salon, on dirait un monstre marin échoué par disgrâce. À croire qu'il immole son épouse à Berthe dans l'espoir fou que...

Oh, mais cet automne n'en finit pas.

Depuis son retour de Venise, Manet piaffe en attendant le mariage de son frère, au premier jour d'hiver. Il piaffe et ne fait rien de bien.

Redeviendra-t-il jamais normal, courtois, souriant, charmeur ? De quoi souffre-t-il tant ? Y aurait-il une rivalité profonde entre les deux frères censés s'aimer plus que tout au monde ? En l'épousant, Berthe ne transgresse-t-elle pas un interdit ?

Certes l'aîné est plus brillant, plus talentueux, plus vivant, plus célèbre... Mais l'aîné est marié avec la grosse Suzanne, comme se moquent les femmes Morisot. Son embonpoint n'est tout de même pas une raison pour la quitter. Eugène est l'idéal substitut de son frère aux yeux de Berthe.

Arrive enfin ce redouté 22 décembre. En renâclant toujours, Manet accompagne son frère à l'autel. C'est l'abbé Hurel qui officie. Eh oui, son ami est aussi celui d'Eugène, il n'y a pas de raison.

« Ce mariage, célébré l'année de notre première exposition va nous porter chance à tous », se rengorgent artistes et amis présents. C'est un mariage sans cérémonie. Et c'est en soi incroyable de la part de ces deux familles de la bourgeoisie cossue et m'as-tu vu ! C'est même incompréhensible.

Berthe se serait-elle mariée si son père n'était pas mort ? À son âge, elle avait besoin d'un statut. Dans son milieu, seul le couvent ou le mariage en offrent un. Artiste, pour une fille ? Non, sauf en chambre. Eugène est sa solution. Riche, célibataire, parlant la langue des artistes, et follement épris d'elle, il faisait l'affaire.

Madame veuve Morisot ne flambe pas, ce mari-là ne lui plaît guère, trop oisif, sans ambition et de faible constitution. Toute mère redoute pour sa fille un veuvage précoce. Personne n'ignore de quoi est mort leur père, cette ataxie locomotrice est toujours l'euphémisme de la syphilis. C'est vrai qu'il n'est pas vaillant, le marié. Mais il a 41 ans, et la mariée 34. Il est quasiment le sosie d'Édouard sans l'élégance ni le maintien, sans les cravates ni les souliers trop fins. Mêmes cheveux blond cendré portés mi-longs, même barbiche second Empire, mêmes favoris, même regard clair, beaucoup plus ironique chez l'aîné mais encore assez espiègle chez le cadet, long et svelte, élancé et nerveux, Eugène est un Édouard plus léger, moins oppressé. S'il peint un peu, pour lui ce n'est qu'un passe-temps, c'est en dilettante qu'il s'intéresse aussi à la chose publique comme Gustave. Il se promet d'écrire des livres, un jour... Berthe l'a accepté tel quel sans en être amoureuse. Quand on se marie à son âge, c'est peut-être normal.

Le deuil de son père, il y a onze mois, ne justifiait pourtant pas ce mariage réduit à sa plus humble expression : des anneaux échangés à la mairie du seizième, et une messe des plus humbles à Notre-Dame-de-Grâce-de-Passy, sa paroisse.

Même pas de robe de mariée, ni de traîne, mais une tenue de cocktail beige, lequel en revanche n'a pas lieu. Les mariés ont refusé de donner le moindre lustre à leur mariage. L'armée de leurs amis ne trinquera pas à leur bonheur ou alors sans eux, au café.

Manet se demande si, à sa façon de se marier tristement, pauvrement, elle n'expie pas leur faute.

À la messe, n'assistent que les proches, Monet, Renoir, Degas, Puvis, Prins. Le premier fiancé de Berthe, Jules Ferry, a préféré ne pas paraître, pour divergence politique. Selon la volonté de la mariée, Manet est le témoin de son frère, et Pontillon, son beau-frère, celui de Berthe.

Premier bénéfice de son mariage, sa mère lui laisse l'appartement de la rue Guichard, pour aller vivre à Cambrai où elle se partagera entre ses autres filles. Tiburce préfère ses garçonnières à l'appartement familial qui, du coup, devient l'atelier de Berthe et la maison d'Eugène. Chez soi, tous deux, ensemble et séparés. Berthe conserve sa chambre de jeune fille et son atelier, Eugène consent à tout pourvu qu'il puisse s'occuper d'elle. Édouard est ulcéré. Leur mère aussi. Son acrimonie contre le mariage d'Eugène est telle qu'il arrive à la persuader que c'est une mauvaise union. Eugénie adhère au raisonnement de son fils et se rapproche de Suzanne pour maugréer contre cette nouvelle bru qu'on lui impose et qui n'a envers elle aucune des attentions qu'elle se sent en droit d'attendre et que Suzanne lui prodigue en abondance.

En plus, Berthe « travaille » et ne semble pas disposée à s'occuper d'autre chose que d'elle-même.

Ne dirait-on pas qu'elle a pris Eugène à son service comme un domestique ? Son mariage n'a pas d'autre cause. Ainsi s'exprime Eugénie, dans les mois qui suivent le mariage de son fils.

Berthe, qui a nourri contre Suzanne une terrible jalousie, se retrouve à nouveau en butte à ce sentiment qu'elle déteste.

Pourtant, elle ne renonce pas au projet de la bande d'amis d'aller peindre côte à côte à Gennevilliers aux premiers beaux jours. La maison Manet lui est ouverte, puisque désormais c'est aussi la sienne, pourquoi n'en profiterait-elle pas ? Mariée, elle y a droit. Ce qu'ils lui ont raconté des échanges de l'an dernier, ce qu'ils ont rapporté comme chefs-d'œuvre, Berthe en veut sa part.

Et tous de partir passer leurs fins de semaine, parfois davantage, travailler et rire auprès de Monet, Renoir, Caillebotte et les autres amis de leur première exposition. Ils comptent récidiver et se cherchent activement mécènes et finances pour y parvenir. Là c'est Édouard qui se sent en trop.

À voir vivre son mari au sein de sa famille, Berthe ressent le défaut d'estime de sa belle-mère envers ce fils-là, en même temps qu'elle se voit traitée en intruse.

« Ça passera, *lui écrit sa propre mère.* Penses-tu que ta belle-mère ait accepté avec empressement l'arrivée de Suzanne ? Et vois la place qu'elle occupe aujourd'hui. Il lui a sûrement fallu du temps pour la conquérir, sois patiente. Tu es tellement supérieure à Suzanne en tout point que tu ne devrais pas plus penser à elle que si sa grasse personne n'était pas de ce monde. »

Entre frères, pour la première fois, les relations sont difficiles mais jamais rompues, Édouard et Eugène ne sauraient se passer l'un de l'autre.

Le temps aidant, Berthe s'attache à cet homme qui s'occupe d'elle, de son œuvre, de la mettre en valeur comme artiste, sans se lasser jamais. Comme il a été aux premières loges des difficultés de son frère, sa connaissance des arcanes du monde et du marché de l'art est très utile à Berthe.

Édouard ne la peindra plus. Jamais plus. Et, sottement, il en pleure. Alors que Mallarmé et Degas lui vantent sa beauté, son talent, ses mérites, comme s'il les ignorait ! C'est eux maintenant qui s'en émeuvent, quand lui n'y a plus droit.

Mariée, Berthe peut recevoir ses amis dans son salon, tous leurs amis qui, à leur tour, s'attachent à elle. Très vite, son Jour fait le plein. Son salon est particulièrement chaleureux. Degas et Mallarmé en sont les permanents, et, sitôt qu'ils sont à Paris, Monet et Renoir, qui pourtant déteste les mondanités, y prennent leurs quartiers : chez Berthe ça n'est pas pareil, elle rend tout plus familier, simple et amical.

Édouard n'en peut plus. Tout Paris bruisse du prénom de la femme de son frère. Il lui faut vite autre chose, une nouvelle bonne fortune, une autre femme, un vrai projet qui le dépayse, et ne plus entendre tous ces gens, sans trêve, chanter les louanges de Berthe Morisot-Manet.

Chapitre XIV

1875-1876

TOUTE LA FRÉNÉSIE DE L'ÉPOQUE !

Je vous vois encore en robe d'été
Blanche et jaune avec des fleurs de rideaux.
Mais vous n'aviez plus l'humide gaîté
Du plus délirant de tous nos tantôts.

PAUL VERLAINE

On est très cadeau chez les Morisot. On s'en offre à tout bout de champ. Maintenant qu'on est de la même famille, les Manet se plient aux nouvelles coutumes qui semblent réjouir Eugène et, bizarrement, Léon.

Manet offre à Tiburce, sa *Barricade*, son grand tableau sur la Commune. Une pierre républicaine dans le jardin royaliste du gandin. Tous s'entre-offrent évidemment des tableaux, dont le thème ou le titre est censé signifier pour chacun. Pour y mettre le moins de sens possible, Manet offre des fleurs en bouquet. À sa mère, à Suzanne, à Berthe, pas de jalouses. À Léon des cravates…

Si Argenteuil est le nouveau rendez-vous du canotage, c'est aussi le cœur battant de l'impressionnisme. Les œuvres de plein air que Manet compose à côté de Monet, Prins, Pissarro, Caillebotte ou Renoir prouvent que cette aventure le concerne et l'engage. Mais jamais complètement.

Chaque dimanche pendant la belle saison, les deux rives de la Seine, exactement entre chez Monet et chez Manet, sont envahies par des groupes tapageurs et follement joyeux de femmes de petite vertu, enrobées de longues jupes à tournure, et de « Grenouillards » en pantalon de flanelle, torse nu, moulé de maillots et coiffé de chapeaux de paille aux rubans de couleur, qui glissent, légers ludions rieurs, sur ces embarcations rivalisant de vitesse, dans la joie et la peur feinte, leurs voiles gonflées de couleur claquent au vent, comme leurs rires. Toute la bande se met sinon au canotage du moins à la peinture au bord de l'eau.

De *L'Atelier sur l'eau*, aux *Canotiers* où Rudolph, son autre beau-frère pose en couple avec une petite grisette des guinguettes, ça n'arrête plus.

Des chansons, des rires, du vin s'échangent tard dans la nuit… Sur la Seine, on navigue, on rame, on danse, on chante, on s'étreint. On s'aime. C'est la folle vie des guinguettes, Renoir et Monet ne s'en lassent pas, c'est pour eux un sujet d'étude et de vie. Manet n'est là qu'en fin de semaine, eux y vivent. Leur peinture est toute tournée de ce côté, Manet de temps en temps. S'échangent là le meilleur de l'impressionnisme et de leur amitié.

Si, au Salon, *Argenteuil* déclenche un tel tollé, une réaction presque aussi violente qu'*Olympia* dix ans plus tôt, c'est qu'on le perçoit comme le grand manifeste impressionniste. Manet fait du plein air sur l'eau ! Un comble.

Picturalement, il y développe en grande largeur ce que Monet ne montre pas, sa focale est plus serrée, moins classique, donc moins déviante. C'est toujours Manet qu'on traîne dans la boue comme s'il était seul pourvoyeur de scandale. Ou par habitude.

Redevenu l'inacceptable monsieur Manet, sans qu'il comprenne pourquoi, on lui fait grief de la trivialité de son sujet, comme s'il avait inventé les mœurs indignes des canoteurs. Que diantre, Maupassant est passé par là ! Et cette facture ? Obscène. Décidément il est irrécupérable. Les blâmes portent sur le bleu méditerranéen de la Seine, « une boue d'indigo », qui déclenche le plus méchant fou rire du monde. Le bleu d'*Argenteuil* est immédiatement aussi célèbre que le vert du *Balcon* ou le noir d'*Olympia*. Personne ne dira au public que son bleu est d'abord le résultat d'un rapport optique entre les tons contrastés poussés au paroxysme de l'été. Un peu à la façon dont les vendeuses d'oranges tapissent leur boîte de papier bleu pour les faire ressortir.

Ses personnages aussi déchaînent les passions. Pour ne pas faire poser Monet pendant ses heures de peinture, il se rabat sur son Rudolph, qui est encore à Paris. Il le prie de passer à la foire aux modèles de la fontaine Pigalle, d'en choisir une qui lui plaît vraiment et de l'embaucher pour la saison. Rudolph est un homme à femmes impénitent. Pour la première fois de son œuvre, Manet veut peindre des sentiments sinon d'amour au moins de désir. Son canoteur doit regarder la femme de plaisir avec concupiscence. L'ennui sur les traits de la petite pierreuse est bien le sien, oisive et sans entrain, sans intérêt pour le canotage ou pour le canotier, elle attend que le temps passe, que la pose s'achève pour rentrer à Paris, tableau achevé. Pendant qu'en direct et en plein air Manet s'empare des miroitements de la Seine sous le soleil du solstice de juillet. La violence de ses contrastes est impardonnable. Comme la maîtrise avec laquelle il restitue la vibration de l'air d'été. Son bleu tourne au noir tempête.

D'être si conspué au Salon le poserait en victime, si dans le même temps il n'y était admis. Jamais en totalité mais assez pour occuper un strapontin. Ambiguë et incertaine sa situation, comme le jugement qu'on porte sur lui. Toujours l'entre-deux.

« Je veux rester soumis au jugement du public plutôt que de m'enfermer, m'isoler avec eux, dans une esthétique réservée. »

Ami des bohèmes, il en tire des portraits on ne peut plus classiques, tels Desboutin ou Bellot, alors que, de l'excentrique George Moore, il réussit son portrait le plus impressionniste.

Bracquemond et Poulet-Malassis, l'ancien éditeur de Baudelaire, gravent un *ex-libris* en son honneur où est écrit : « *Manet et Manebit* ». Ce qui donne en latin « il reste et restera ».

Car oui, quelque chose est en train de changer : la critique. Si certains parlent toujours de « la banqueroute d'un excentrique, ou de la marmelade d'*Argenteuil* », à côté, il y a ça : « Vous voyez la nature, vous ne la regardez pas, sinon vous verriez aussi l'art de Manet, il peint l'eau bleue. Grand grief ! Et si elle l'est ? On le siffle, j'applaudis. » C'est signé Chesneau. Il l'a si souvent attaqué que ces lignes tiennent du miracle. Pour la première fois il le défend, et de quelle manière !

Il hérite aussi de trois colonnes de Castagnary. Au

milieu du hourvari, c'est une manière de triomphe : « Chef d'école, sa place est marquée dans l'histoire de l'art contemporain... »

Manet a désormais des avocats de premier rang. Pas de médaille pourtant, alors que de Nittis, si ! Et une Légion d'honneur en prime ! Ce qui fait hurler Degas de dégoût. À quoi Manet, jamais dupe, console de Nittis : « Tout ce mépris, mon petit, c'est de la blague, vous l'avez, voilà l'essentiel, et je vous félicite du meilleur de mon cœur. »

À Degas, il explique.

« Je n'inventerai pas les récompenses si elles n'existaient pas, mais il y en a, et il faut avoir de tout ce qui vous sort du nombre, quand on peut, c'est une étape franchie...

— Naturellement, l'interrompt Degas, furieux, ce n'est pas d'aujourd'hui que je sais à quel point vous êtes bourgeois.

— Ouais ! Bourgeois tant qu'il vous plaira, j'ai fait mes preuves au reste... »

Manet surnomme Monet, le Raphaël de l'eau. Dans ses flaques d'eau, croupit l'azur... C'est dire l'admiration qu'il lui voue. Même Renoir l'épate, « c'est un beau peintre, il n'est même que peinture ».

En vacances, ou en fin de semaine, Édouard bénéficie de la joie ambiante. *En bateau* témoigne que sa palette s'éclaire, son trait s'illumine.

Heureux ? Le peintre ne peut nier de vrais bonheurs d'artiste et d'amitié. Quant à l'homme ? Il se dissimule de mieux en mieux. En voyant Monet travailler, il comprend que le plein air engage sa vie entière, pas lui. Il partage l'expérience de la lumière mais ne saurait renoncer aux exigences des regards.

Sa conversion à l'impressionnisme est chaque fois occasionnelle, circonstancielle, quand l'ambiance s'y prête, le sujet ou l'humeur. La beauté de certains Monet le cloue d'admiration. Grâce à lui, Manet glisserait aisément vers la pure sensation visuelle, mais le diffus toujours l'inquiète, il s'y perdrait, croit-il. Il aime trop le solide. Seul à résister à l'envoûtement du papillotement de la lumière sur l'eau. Dans sa palette éclaircie, il cherche sa voie à lui, plus construite, mieux tenue mais aussi plus étroite. Et solitaire. Il définit son ambition : « Ne pas demeurer l'égal de moi-même, ne pas refaire le lendemain ce que j'ai fait la veille, m'inspirer constamment d'aspects nouveaux, faire entendre une note nouvelle. Les immobiles qui font des rentes… ne sont pas des artistes. »

Plus il refuse de s'associer aux impressionnistes, plus on le considère comme leur inspirateur. Après la boue d'*Argenteuil*, on l'accuse d'être un charlatan. Pourquoi ne veut-il exposer qu'au Salon, alors qu'on le prend pour un des leurs ? Il n'en est pas, il ne peint que comme Manet, comme il a toujours peint, longtemps avant l'arrivée de ces joyeux pleinairistes. Il y a erreur non tant sur sa personne que sur son travail. Qu'on le blâme ou qu'on le loue, c'est toujours à côté.

Il n'a pas envie d'aller à Fécamp cette année, et pour cause, il laisse Suzanne et sa mère rejoindre seules la famille Morisot-Manet. Berthe ne le laissera plus questionner son visage, interroger son regard, adieu aux chimères et à l'impossible.

Il reste avec ses amis et se laisse aller à une peinture sans contrainte. Un temps. Il ne peut faire ça tout le temps.

Les jeunes mariés, eux, ont passé une partie de l'été à Londres où ils se sont liés avec James Tissot, rapin hier à Paris, désormais riche et célèbre de l'autre côté de la Manche. Il ne cesse de répéter à Eugène toute son admiration pour Édouard qu'il a rencontré l'an dernier à Venise si malheureux !

Manet retrouve avec bonheur Paris, Mallarmé. Et Nina. Le lien entre eux, leur grande amie. Pour lui témoigner son amitié, il surveille la gravure des bois du poème de Poe. Il descend dans la nuit du Corbeau après avoir glorifié le soleil d'*Argenteuil*. L'eau-forte à l'encre autographique reportée sur zinc enchante Manet, qui se plaît à traduire en image la fantaisie verbale du poète. Il adore cette forme de travail et s'engage à illustrer l'*Après-midi d'un faune* de Mallarmé. Quand l'éditeur découvre que Manet est l'illustrateur choisi par le poète, il se retire du projet et les laisse en plan, leur volatile sur les bras. Mallarmé doit trouver un autre éditeur, ce qui en reporte la parution à l'année prochaine. Ça le peine parce qu'il ne cherche qu'à mettre en valeur le travail si intelligent de son ami. Même un éditeur de poésie craint pour sa réputation à l'idée d'être associé à Manet ! Ça n'en finira donc jamais ? Le nom de Manet brûle toujours.

Reparaît Desboutin, l'ancien pilier du Guerbois qui les y a cherchés en vain. Degas s'est installé à Pigalle, Renoir aussi. Ils font de la cité Frochot un petit phalanstère de peinture. La Nouvelle Athènes ou Le Rat Mort les accueillent comme seconde maison. Manet y arrive ponctuellement à 17 h 30, sitôt que la lumière ne lui permet plus de travailler. Même en été, parce que alors ce sont ses jambes qui n'ont plus envie de rester sur place. Il vient en marchant et rentre en fiacre. Là, il boit peu, parle beaucoup, il est drôle, et surtout, enfin, il s'amuse.

Après une longue disparition, Desboutin leur revient très abîmé. Il est pourtant allé dépenser un petit héritage au soleil d'Italie. Rentré ruiné pour se réchauffer à l'amitié sous les brumes de Paris. Vague cousin de Rochefort, ancien élève de Couture, poète autant que peintre, il vit dans un taudis, un atelier de plomberie, rue des Dames, mais, fier et indifférent, il affiche l'orgueil des grands à qui ne reste que la grandeur. Il misère comme on dit pudiquement, sans une plainte. Ses propos dénotent une haute culture. Il vient tous les soirs parader à la Nouvelle Athènes où il a accroché aux murs sa collection de pipes qu'il fume méthodiquement de huit à onze heures. À ses yeux, Manet est le peintre des peintres ! Son amitié n'a pas souffert de l'absence. Il grave à la pointe sèche un portrait de Manet qui lui offre de venir poser cet hiver chez lui, au chaud.

Des heures, ils demeurent ainsi tête à tête. Le résultat est surprenant. « Je n'ai pas la prétention d'avoir résumé une époque mais d'avoir peint le type le plus extraordinaire d'un quartier. » Un Vélasquez, pas moins, déclare Degas qui décide de faire aussi son *Desboutin*.

Au premier rayon de soleil, rue de Rome dans le jardin d'Alfred Hecht, ce fidèle collectionneur devenu un ami, Manet joue tout seul au petit impressionniste. Il peint *Le Linge*, le plus clair de ses tableaux. Sa blanchisseuse est le modèle chéri de Stevens, Alice Legouvé, et l'enfant, celui de la concierge. Ah, ils ont haï *Argenteuil*, ils vont adorer mon *Linge* !

Stupéfait, Eugène écrit à Berthe, « je suis passé à l'atelier de mon frère, il a entrepris un tableau qui va dépiter tous les jaloux du plein air et de la peinture claire. Pas une goutte de noir. Il semble que Turner lui soit apparu en rêve. » Il fait son Monet, jette Berthe quand elle le visite à son tour quelques semaines plus tard.

Qu'est-ce qui lui prend ? Et pourquoi pas une maternité triomphante, pendant qu'il y est !

Il passe l'hiver à râler. Son expression favorite, « c'est le diable », lui sert à tout mais surtout à se plaindre. C'est si nouveau que Suzanne s'inquiète. Elle n'arrive plus à prendre soin de lui, c'est un oursin, il pique dès qu'elle l'approche. Seul Léon y a accès, mais sans dialogue. Père et fils font de longues marches dans ce Paris qu'ils aiment, côte à côte, sans un mot.

L'offensive recommence, cette fois les impressionnistes se servent des morts pour l'attirer : « Bazille disait que tu es aussi important pour nous que Cimabue ou Giotto aux Italiens du Quattrocento, lui rappelle Astruc, rejoins-les, rejoins-nous, on a besoin de toi.

— Non. Je veux toujours entrer par la grande porte. Et laissez Bazille tranquille. »

Les Batignollais, comme Durand-Ruel continue de les appeler, crèvent de froid. Du coup, on décrète qu'on vit là l'hiver le plus froid du siècle. Et c'est vrai, la Seine gèle. Pissarro envisage de brûler des œuvres pour réchauffer ses enfants. La dèche partout, et le froid là-dessus leur font mesurer leur précarité et leur isolement. Aucun impressionniste n'est mieux loti. Durand-Ruel qui a manifesté tant d'intérêt, et tant investi pour eux, est ruiné. Plus aucun crédit ! Il ne peut continuer de faire vivre Monet, Renoir, Pissarro ni à aider les quelques autres qui dépendaient de ses mensualités aléatoires pour survivre.

Monet court l'amateur fortuné. Introuvable. Les prêteurs ne sortent pas en hiver. Il doit se rabattre sur Manet qui ne lui dit jamais non, et lui fait porter son aide dans la journée.

La nécessité qui les prend à la gorge les envoie à la salle des ventes. Berthe et Eugène se jettent dans l'organisation de la *Première vente aux enchères impressionniste*. Des fois que l'odeur du scandale fasse rentrer des sous.

Hé, non, ce sont près de soixante-dix œuvres qui vont être bradées dans une tempête de haine, aux bas prix de 170 frs en moyenne, sous une telle explosion de passions anti-impressionnistes qu'ils vont connaître à leur tour l'état d'affliction de Manet. Lequel aux yeux du public est responsable de cette déroute !

Leur nouvelle expo a trouvé son mécène. Caillebotte finance secondé par Durand-Ruel qui ne peut faire plus que les accueillir gratis dans sa galerie, rue Le Peletier à la place de l'ancien opéra. Ce qui souffle à Wolff : « Une nouvelle catastrophe dans le quartier ! Cinq ou six aliénés dont une femme sont affligés de la folie de l'ambition... prennent des toiles, de la peinture et jettent quelques couleurs çà et là et ajoutent une signature... »

Beaucoup d'artistes de la première expo impressionniste se font porter pâle. Bracquemond, de Nittis, Astruc, même Cézanne, le grincheux, ont peur de risquer leur place au Salon. Gustave Caillebotte, le petit nouveau prend les choses en main, et met sa fortune au service de leur art.

À l'ouverture les seize œuvres de Berthe Morisot fendent le cœur de Manet. Elle est aussi belle dans ses toiles que dans sa mémoire ardente. Elle a beaucoup progressé. Le mariage ? Le bonheur ?

Monet est fidèle à ce qu'il prise le plus dans l'impressionnisme, l'eau et ses chatoiements. Renoir le suit, à son rythme, toujours le bouchon. Degas, qui n'a fondamentalement rien à voir avec l'impressionnisme, plastronne comme chez lui, content d'être entouré d'amis et hors des circuits officiels. Cézanne, qui n'a rien envoyé cette année, y passe pourtant ses journées. Eh oui, c'est là que ça se passe. Là que la peinture vibre. Manet est furieux. Quel gâchis font ces jurés imbéciles de les refuser ! Ils doivent tous entrer au Salon et sur un tapis rouge encore.

Manet s'intéresse aux modifications du motif dans le temps, son évolution lente, silencieuse. Il souhaite donner à lire le passage du temps sur la toile, figure ou paysage, alors que Monet veut qu'on lise l'heure précise où la toile a été peinte. D'ailleurs son obsession exaspère tout le monde. Il veut peindre des cathédrales à toutes les heures du jour et même de la nuit ! En toute saison… Quoi qu'il en soit, les questions de Manet sur le passage du temps ne font pas de lui un impressionniste. Il se sent proche d'eux quant aux techniques déployées, mais la technique n'est pas une fin en soi. « J'ai plus de points communs avec les Symbolistes, les poètes. » En quête de sujets modernes, il refuse d'être réduit au peintre qui fait des taches, ou à celui qui a supprimé les demi-tons. Déjà Zola avait tenté de l'embrigader dans son concept de réalisme.

Mallarmé découvre qu'il est bien davantage, qu'il pense vraiment ce qu'il peint.

Mais quoi qu'il fasse ou ne fasse pas, on le considère toujours comme le chef des impressionnistes. Qui désormais se proclament tels haut et fort. Ce mot qui fait impression leur va comme un gant. Et ils ont raison, pense Manet, qui se revendiquerait bien, lui, du mot classique. Il ne veut rien abandonner de la tradition tout en jouant des formes nouvelles. Ce qui rend Cézanne fou de rage.

« Moi j'ai osé exposer avec les modernes contrairement au bourgeois Manet ! Moi je peins comme je vois, comme je sens, les autres, Courbet, Manet, Monet, Degas, ils sentent et voient comme moi, mais ils n'ont pas de courage. Ils font des tableaux pour le Salon. Moi, par contre je prends des risques.

S'il a été constamment refusé au Salon, c'est bien qu'il s'y est présenté, non ? Et on ne peut pas dire que Manet en soit la coqueluche. Alors qui prend des risques ? Manet qui refuse toujours d'aller voir ailleurs ou Cézanne qui fait des va-et-vient entre les deux ?

— Si on réfléchit bien, dit Proust, toujours là depuis l'école, à part toi, qui prend des risques politiques ? Ni Monet que ça n'intéresse nullement, ni Degas le conservateur, et là, franchement tant mieux, ni Cézanne prétendument anarchiste. Aucun n'ose faire des œuvres proprement engagées, comme ta *Barricade*, ou ton *Maximilien* ? Seul Pissarro applique ses idées dans sa vie comme dans sa peinture. Toujours sincère, il te rejoint parfois. Mais en persistant dans ta stratégie d'entrisme au Salon, tu prouves que tu ne cherches pas à prendre la Bastille.

— Ça me désespère de passer pour un enragé. Si tu savais... »

Ses amis exposent sans lui, certes c'est sa volonté, mais à sa façon il en souffre. Leur groupe, cette année, va se draper dans le beau mot d'Intransigeant. Une idée de Degas qui sait bien au fond qu'il n'a rien d'un impressionniste même s'il est terriblement novateur.

Aussi, quand au Salon de 1876 on déclare Manet plus sulfureux encore, il tombe des nues. Comme tous les ans ! Dire qu'il était si content de son envoi. *L'Artiste* et *Le Linge* lui paraissent des œuvres sans aspérité, de la peinture à l'état pur : « on ne peut plus tranquille ». Rien à craindre côté scandale. Ces toiles-là devaient lui apporter, une fois de plus, cette reconnaissance qu'il n'en peut plus d'attendre. Et c'est encore la claque, refusé. Interdit de paraître, tel un vulgaire rapin débutant.

« Refusé haut la main et à l'unanimité, triomphe *Le Gaulois*. On lui a donné dix ans pour s'amender, il ne s'amende pas, il s'enfonce au contraire ! Qu'il reste chez lui avec ses deux tableaux. » Refusé à vie n'ose-t-il ajouter.

Il tombe d'aussi haut qu'il croyait s'être élevé. Mais cette fois pas seul. Une partie de la presse est avec lui qui titre « Histoire du jury et de Manet : Il aurait été *"blackboulé"* sans un mot de protestation ». Par un jury qui en revanche reçoit un autoportrait, devinez de qui ? Victorine Meurant. L'*Olympia* est peintre !

Quand, avec tous les siens, il se rend à l'inauguration, il comprend leur absence : rien ne dépasse ! Comme il va pour sortir, un grand nombre de gens lui tend la main et sollicite son avis sur l'exposition, il ne parvient pas à avancer et a pour tout jugement critique : « Il est aussi difficile d'en sortir que d'y entrer... »

Intelligemment Burty prend sa défense mais dans sa *Préface aux impressionnistes* : « ... exposer au Salon, acte de courage susceptible de faire évoluer le goût du public, mais ce faisant Manet abandonne ses amis et gaspille ses forces. » C'est assez proche de son état. Épuisé, seul, triste, il marronne.

Son *Polichinelle* a beau ressembler davantage à Meissonnier qu'à Mac-Mahon, ça n'empêche pas sa saisie. Une descente de police chez le lithographe voit les gendarmes s'acharner à en détruire la pierre...

« Interdit de s'en prendre au boucher de la Commune et à son ordre moral, ponctue Desboutin. Tu ne réfléchis pas, toi, tu me peins parce que tu me trouves une bonne gueule mais sais-tu que je suis aussi l'auteur de dangereux libelles ? » plaisante-t-il à demi.

Cette figure de Polichinelle existe depuis le *Bal*, même s'il était perdu dans la foule.

« Si tu le réutilises là, c'est qu'il a effectivement une valeur particulière à tes yeux.

— Oui, il représente bien le double du maréchal Bâton. »

Pour l'accompagner Manet a réclamé des vers à tous ses amis. Il choisit ceux de Banville qui sont les moins explicatifs. Et aussi parce que Banville l'a souvent défendu. Le poète le considère comme le meilleur chroniqueur de la vie moderne, outre son intérêt soutenu pour la poésie qui, de Baudelaire à Mallarmé, ne s'est jamais démenti, il apprécie dans son œuvre le dépouillement de toute anecdote.

Féroce et rose avec du feu dans sa prunelle,
Effronté, saoul, divin, c'est lui Polichinelle.

Après un énième refus du Salon, il ne les compte plus, quel caprice ou dépit le pousse à ouvrir son atelier au public. Sous prétexte de lui permettre de juger sur pièces ses fameuses toiles refusées. Pour *faire salon chez soi*, il faut une autorisation de la préfecture. Qui traîne à répondre. Un coup de main de Proust et, le 15 avril à 10 heures du matin, l'entresol du 4 rue Saint-Pétersbourg est officiellement visitable jusqu'à 17 heures, et ce jusqu'au 15 mai. Aux dates exactes de la seconde exposition des impressionnistes ! À croire que la préfecture les a fixées pour empêcher Manet d'en être.

Avant le vernissage, on s'agite dans le salon de Nina, où une nouvelle activité occupe tout le monde, la rédaction des invitations. Chacun prévient le ban et l'arrière-ban de ses relations les plus influentes qu'à l'aide de ce laissez-passer il leur sera loisible de visiter l'antre du célèbre Manet. L'invitation comme ticket d'entrée chez le diable. Son carton est à lire au troisième degré, traversé d'une banderole en relief avec un liseré d'or, les lettres elles-mêmes à l'or fin proclament : « Faire vrai, laisser dire. » Une pochade.

Dans la nuit du 15, les rapins de la Nouvelle Athènes déploient sous la fenêtre du 4 un grand drap où ils ont tracé : « À la concurrence du jury ! »

Manet ne souhaite pas tant le tapage que la publicité, mais l'un va-t-il sans l'autre ? Il ne cherche à démontrer que la justesse de sa démarche et la sincérité de son travail. Officiellement, il n'expose que ses deux œuvres refusées, mais n'est-il pas chez lui ?

Un cordon doré isole et donc signale au public les deux refusées, mais bah, il peut arriver que d'autres œuvres traînent le long des murs, entreposées de bric et de broc.

Oh !

Oui, on peut regarder.

Le bouche-à-oreille fonctionne, bientôt on s'y presse. Manet reçoit plus de 4 000 personnes en deux semaines.

Les concierges n'en peuvent mais. Désormais, aux conditions coutumières de location : avez-vous des enfants, des chiens, un piano, un métier bruyant ?, s'ajoute la clause Manet : « Ferez-vous des expositions en chambre ? » Histoire de ne jamais plus louer à des peintres.

L'exposition du plus célèbre des Refusés est finalement appréciée des gens de goût, riches bourgeois, amateurs, collectionneurs, artistes arrivés...

Manet met les rieurs de son côté en faisant des mots. « Qu'attendre d'un... (un juré) qui a un pied dans la tombe et l'autre dans la terre de Sienne ? »

Malicieusement, derrière ses deux Refusés qui déplacent les foules, il pose sa *Fille à la guitare, Le Balcon, Olympia, Les Courses à Longchamp, La Leçon de musique, Argenteuil...* Puis varie. Au fur et à mesure, il en ajoute d'autres, il en change, il teste les réactions du public. Enfin, un vrai public ! *Le Linge* plaît mais paraît au critique Leroy, parrain malgré lui des impressionnistes, une folie picturale digne d'*Olympia* ! : « Si Manet n'a pas sa place au Salon, c'est qu'il ne fait que des esquisses ! Il ne sait pas finir un tableau. Comment regarder ses toiles ? Sont-elles à l'envers ? »

Tant de monde que le préfet de la Seine dépêche

un service d'ordre devant le porche du 4. On se croirait dans un petit Louvre ! La corde dorée devant les œuvres refusées fait grand effet.

La presse parisienne et même provinciale ne peut faire moins que d'envoyer un reporter. Les autres œuvres aperçues au hasard lui valent des descriptions laudatives par ceux qui normalement le déchirent : « Il ne sent pas du tout la Révolution ». Ou « de la race des Révolutionnaires corrects, bien élevés, très gens du monde, se lavant la figure, ayant horreur des barbes mal rasées et des souliers crottés, en fait il est comme Robespierre, très élégant, et riche, comme lui ».

Le public en personne commence à passer de son côté.

L'atelier du paradoxe fait de lui un paradoxe incarné. Dandy du réalisme, chantre des impressionnistes, mais bourgeois comme tout le monde. Pour autant, l'artiste dépouille le bourgeois, le bourgeois ignore l'artiste.

Les critiques hargneux passent de chez Manet seul chez lui à sa bande, pour mieux les confondre.

« Tu ferais mieux de venir avec nous, ça ne sert à rien de t'acharner, ils refusent de te voir différent de nous. Et tu aurais plus chaud, plaide Degas pour une fois gentiment. La preuve : le second Salon des Intransigeants n'est pas un échec complet. Plus de monde, mais davantage d'hostilité. »

En s'acharnant à n'exposer que chez les Officiels, Manet met en question la définition d'un tableau. Concrètement, *Olympia* ou *Les Canotiers* ne sauraient en être ! Quand l'idée que ces œuvres puissent un jour représenter la peinture française a traversé ces Académiques, elle les a horrifiés. Ils refusent

Manet faute de pouvoir le brûler. Pauvres jurés, qui s'acharnent parce qu'ils viennent de comprendre que ce mouvement était irrépressible. Pour eux, le coupable, l'unique nom à maudire, c'est Manet ! Manet remet en cause le concept de tableau ! Ils tremblent sur leurs bases que Manet fragilise chaque année davantage.

« Ce portrait de Desboutin en *Artiste*, que vous avez refusé en 76 eût été l'œuvre phare du Salon ! Cette toile traduit le dédoublement de personnalité du jury. Vous imaginez Manet en Desboutin et vous le jetez, or c'est le contraire qui se passe. Vous l'imaginez en rapin parce qu'il les représente. Vous êtes stupides ! Il est tellement plus grand que vous », s'emporte Degas.

Connaisseur politique des cafés, brasseries et autres bouges, Manet les décrit mieux que personne. Degas aussi peint son *Desboutin* mais il oublie son chien, véritable pseudopode du personnage qui ne le quitte jamais. *On partage tout même nos puces*. Pour Baudelaire, Desboutin et Manet, le chien représente le plus bel attribut de la liberté. Degas n'y songe même pas. Pour dissimuler le genou cagneux du modèle, Degas l'assoit, alors que Manet le met debout, sa jambe meurtrie en relief, au nom de la sincérité. Degas cède au stéréotype et l'installe au café devant une absinthe, fumant sa pipe. Manet en fait l'archétype du portrait vrai.

Sa tête de foudroyé est exposée aux Intransigeants de 76, le *Desboutin* de Manet est rejeté du Salon. Degas rêve de les accrocher côte à côte. Pas encore cette fois.

Manet aime le vrai Desboutin, à peine si Degas

l'estime. Et si c'était les sentiments qui faisaient la différence entre leurs portraits ? Degas traite tout le monde comme des chevaux. Manet prise la vérité de tout ce qu'il peint. Tous s'accordent à dire que ce portrait-là résume l'époque, toute cette bohème de l'art qui s'aime et s'entraide.

En juillet, Manet passe quelques jours avec Suzanne chez Hoschedé à Montgeron, histoire d'éviter Berthe et Eugène. Il y esquisse des projets, un portrait du maître, trop souvent absent, de sa fille, mais l'animation est telle qu'il ne mène rien au terme. Il croque aussi le voisin dont la réussite l'époustoufle, ce Carolus-Duran si décrié par les siens mais dont il se rapproche, à l'affût d'univers toujours renouvelés. Sa tendresse pour les mondains ne tarit pas. Pourtant Manet est fatigué. Il n'a jamais ressenti un plus grand besoin de répit. Et si sa mauvaise humeur n'était que de la fatigue ?

Cet été, Gennevilliers est sa plus lointaine destination. Jules Dejouy a l'hospitalité généreuse, d'une journée à un mois, tant qu'il veut avec qui il veut, la maison est si grande. Besoin de vacances mais d'abord de calme. De répit dans l'inquiétude.

Berthe et Eugène prennent en Angleterre des vacances qui se prolongent. Si Eugène envoie des mots filiaux à leur mère, à charge pour elle d'embrasser tout le monde, Berthe ne donne plus signe de vie, même à ses sœurs. Ses premiers mois de mariage ne sont pas heureux. Et la voilà coupée du monde avec un Eugène plus taciturne qu'elle, parlant encore moins bien l'anglais. Grâce aux leçons de Caillebotte, il fait de la voile toute la journée, et se montre capable de reprocher à son épouse de laisser son chapeau s'envoler. En plein vent ! Et de se laisser voir en cheveux ! Des débuts difficiles, vraiment. L'ajustement de ces deux adultes mariés sans passion se fait péniblement.

Sûr de ne pas l'y trouver, Édouard passe quelques jours à Fécamp, où il se sent mal. La mer n'opère plus, sa magie s'est envolée avec sa belle humeur.

En rentrant à Paris, il s'attelle au portrait de Mallarmé. Portrait de l'amitié, de leurs échanges de haute tenue. On croirait qu'il saisit la pensée en train de penser. Ce portrait de Mallarmé raconte aussi leur amitié. Manet ne s'y représente pas mais c'est comme si on le voyait. On les sent si proches, en train de fumer, de parler, de réfléchir, de rebondir l'un sur l'autre. Proches à se toucher. Manet a peint l'âme de Mallarmé.

Depuis ses 40 ans Manet est mal dans sa peau. Sa peinture en témoigne. Les temps à venir sont incertains. Sa conception de la nature poétique de l'image se précise. Faute de pouvoir arrêter le temps, il tente d'en fixer l'épaisseur. Merci Mallarmé. Leur proximité s'alimente de leur correspondance artistique. Hermétique, Mallarmé l'est quant aux idées mais dans une langue incandescente. Incompris et haï, Manet, certes, mais ses moyens sont immédiatement perceptibles aux yeux innocents.

L'un et l'autre parlent de choses complexes en des langages lumineux et tortueux à la fois. Dans leur lexique personnel, sincérité est le mot-clef, en peinture comme en philosophie, il est chargé de tout le radicalisme de l'époque. Il est républicain de se vouloir sincère. Pour lutter contre les boursouflures de l'académisme, chacun sa sincérité. Son portrait de Mallarmé dit tout cela. Confortablement installé, la main posée sur un livre tenant un cigare et scandant sa parole, l'autre dans la poche, le poète est pensif et disert à la fois. Il parle, se tait, répond au peintre, partage les plaisirs de la vie, fume en conversant. Mallarmé pense, Manet peint. On y est. Pour marquer l'intimité, le peintre use du plus petit format possible, rendant la proximité évidente.

L'éventail de Berthe remisé au fond d'un carton, il ne peint plus avec sa fougue amoureuse, seulement avec son désir quand une tocade, une passade, un béguin...

Lors de l'ouverture de l'atelier au public, un drôle d'incident l'a enchanté. En général quand les visiteurs se promenaient, Manet restait à couvert caché derrière son rideau. Un jour il entend une voix de femme s'exclamer, « mais c'est très bien ça ! », il surgit alors de sa cachette pour voir de quelle toile elle parlait, et il la trouve en arrêt devant *Argenteuil* !

« Qui donc êtes-vous madame, pour trouver bien ce que tout le monde trouve mal ? »

Et il en est ridiculement ému. Se sent-il si rejeté que l'appréciation d'une inconnue le mette dans tous ses états ? Il se fait un devoir de lui expliquer ses œuvres. Devant *Le Linge*, elle a la grâce de lui dire : « Oh, c'est la vraie vérité. On sent courir l'air autour de cette femme et de cet enfant... »

Elle lui sourit, lui dit son nom, et promet de revenir.

Manet s'en alla répétant : « Il y a des femmes qui savent, qui voient, qui comprennent... »

Bien sûr que Méry Laurent est belle, exceptionnelle même, dotée d'un corps de rêve, de cheveux somptueux, blond vénitien... mais pas seulement.

Danseuse de cabaret peu vêtue à ses débuts, quand fraîche débarquée de sa province, elle devint chanteuse d'opérette et incarna Vénus dans *La Belle Hélène* en 67. Elle fit tant d'effet au dentiste anglais de l'empereur qu'il lui offrit un revenu, un appartement, et sa compagnie hors des heures dévolues à son épouse. Et son prénom. L'accent anglais fit de Marie, Méry.

Quand elle rencontre Manet, elle est déjà liée à un grand nombre de leurs relations communes. De Verlaine à Huysmans, de Whistler à Chabrier, et demain à Mallarmé.

Avant de poser pour lui, elle lui remonte le moral. Car ses ennuis continuent. Les plaintes se sont accumulées dans l'immeuble, son propriétaire est furieux. « C'est un immeuble respectable ici, monsieur. » Le concierge le fait virer. Manet refuse de partir tant que la préfecture ne lui signifie pas son congé. Mais ça le contrarie, il se sentait si bien au 4, chez lui, pour toujours, ou presque. Eh bien non, dehors ! Décidément... tout s'effrite.

Son refus d'exposer avec les impressionnistes est aussi massif et net que les fois précédentes, ce qui ne l'empêche pas de mettre son carnet d'adresses à leur disposition, et de les aider tant qu'il peut. Ils comptent tellement sur cette troisième expo. Mais d'abord se renflouer en organisant une seconde vente à Drouot. Sa lettre à Wolff est un modèle du genre.

« Mes amis Monet, Sisley, Renoir, Berthe Morisot font une exposition-vente salle Drouot. Ils m'ont demandé cette lettre d'introduction près de vous [...]

vous n'aimez pas encore cette peinture-là, mais vous l'aimerez. Et en attendant, vous seriez bien aimable d'en parler un peu dans *Le Figaro*. [...] »

À son corps défendant Manet sert toujours de Prométhée aux jeunes peintres, sa peinture leur donne lumière et moyens de s'affranchir des Académies ! Même s'il lui déplaît d'être pris pour un vulgaire homonyme de Monet, il lui avance plus d'un millier de francs pour sa femme malade, son enfant souffrant. Il paie aussi sa boulangère, le docteur, le boucher, sans jamais rien en dire à personne. Qui ça regarde ? De temps en temps, mais les temps sont de plus en plus durs, il fait appel à Duret pour l'aider à les aider, en faisant acheter leurs œuvres par des tiers, y compris par ses frères. Jamais il n'a douté du talent de Monet. Pourtant il déteste qu'on confonde leurs noms.

« Voyez ce Degas, quel talent, et ce Monet, quelle lumière ! Et ce Renoir...

Ils sont mes amis. Je les connais. De grands artistes vraiment. »

Il sait s'entremettre pour eux comme peu d'amis. Surtout peintres.

La troisième exposition impressionniste a lieu au second étage d'un appartement rue Le Peletier, que Caillebotte a loué. Malheureusement sa générosité extrême, on peut même dire son mécénat, éclipse son talent, que Manet trouve pourtant très grand. Mais à cette expo-là, dès l'entrée, Pissarro crève l'écran. Il est génial, se dit Manet, fâché de le connaître depuis plus de dix ans et de ne s'en apercevoir qu'aujourd'hui.

Sur la porte, ils ont collé l'article de Leroy qui les baptise « Impressionnistes ». Ainsi c'est officiel.

Après *la Capucine, les Indépendants, les Modernes, les Réalistes, les Intransigeants, la Société Anonyme, les voilà* Impressionnistes !

Douze œuvres de Morisot, davantage de Monet et de Degas qui n'ont rien à voir entre elles. Comment concilier le réalisme urbain de Degas, des fanatiques du paysage comme Monet et ses thuriféraires ? En les appelant tous Impressionnistes, tiens donc.

Trois clans s'opposent, celui de Manet ou Fantin qui refusent d'en être mais qui les aiment. Celui de ses promoteurs-rêveurs, Pissarro, Degas, Sisley, Monet, Berthe, le noyau dur. Et celui des « artistes associés » dont l'aide surtout pécuniaire est vitale. Un conflit majeur les traverse : est-il possible, voire licite, de jouer sur les deux tableaux, exposer au Salon et aux Impressionnistes ? Si on décrète incompatible d'exposer au Salon et avec le groupe, les Impressionnistes perdent Renoir, Sisley, Cézanne, Degas, Berthe et Monet qu'on ne peut voir que là aujourd'hui mais qui continuent d'envoyer régulièrement des œuvres au Salon, tout aussi régulièrement refusées.

Un bal du moulin de la Galette contraint Manet à revenir sur son jugement, Renoir est un très grand peintre. De plein air. Jusque-là, il prisait surtout le compagnon.

C'est Mallarmé qui définit le mouvement avec le moins de mots : « Peindre non la chose mais l'effet qu'elle produit. » À quoi Manet soi-même pourrait souscrire s'il ne campait sur sa position de principe.

Dans sa brochure pour accompagner la *Nouvelle Peinture*, Duranty l'exhorte à les rejoindre.

« Jamais dans la baraque d'à côté », répète-t-il en rugissant et le menaçant d'un nouveau duel. Ce qui les fait tous rire, ils s'aiment énormément.

Manet s'énerve, « je peins comme je l'entends. Le plein air, d'ailleurs, le plein air, ah bah ! Au diable leurs histoires ». Il ne supporte plus qu'on le taxe de « roi des impressionnistes ». Il refuse de se laisser emprisonner. Il se prend de bec avec Monet qui cherche à l'attirer, mais ils s'aiment trop pour se fâcher. Sur le tard, Manet reconnaît que son côté Fournier le pousse vers eux, mais que l'influence souterraine et profonde de son père exige plus de rigueur, voire de raideur. Et lui interdit de déroger à la ligne choisie.

Depuis ce 16 mai 1877 où Mac-Mahon en plein Salon a raté son coup d'État, on est enfin dans une vraie république. Est-ce celle qu'on attend depuis toujours ? En tout cas, Manet espère voir cette fois leurs envois au Salon récompensés.

Pour afficher que la France va mieux, le nouveau pouvoir décide d'une nouvelle Exposition universelle. Comme d'habitude ! Du pain et des jeux ! Ça distrait toujours le petit peuple. La dernière remonte à dix ans, Manet en avait été exclu comme du salon.

Et cette fois ? Il envoie la liste des treize titres qu'il souhaite y exposer. Rejetés à l'unanimité du jury !

« Il y a une question Manet comme il y a une question d'Orient ou une question d'Alsace-Lorraine ! » Pour être flatteur ça n'en est pas moins une catastrophe de lire ça dans le journal.

Mais pourquoi donc ? L'explication usuelle ne le convainc pas. Manet ne croit plus aux formules creuses parlant de ces « œuvres plus polémiques les unes que les autres aux yeux d'un jury qui n'a plus d'indulgence envers ce trublion vieillissant ».

S'il envisage une expo personnelle à côté du Salon, à la seule évocation du fiasco de la fois précédente, il renonce à jouer son Courbet. Il n'en a plus les moyens ni surtout l'énergie. Reste le Salon mais c'est le même jury qu'à l'Exposition !

Pourtant, la troisième République ramène de la gaîté. Manet en témoigne à sa façon cynique, à la manière d'Offenbach et d'Halévy, son rire est encore plus grinçant. Il persiste dans son éloge de tout ce qui réjouit, du *Chemin de fer* au *Bal à l'opéra*, et de tout ce qui se consomme, des gros cigares à l'absinthe. Il ne recule devant la représentation d'aucun plaisir. Il n'avait pas prévu le choc que provoquerait un portrait de dos !

Il ne s'inspire plus de l'histoire de l'art, mais du passage du temps, de l'illusion de la durée, de l'inexorabilité de la mort. C'est vrai, il ne se sent pas très bien.

Offenbach, Halévy, Labiche, ce goût pour les spectacles populaires, c'est avec Mallarmé qu'il le partage aujourd'hui. Davantage que l'opéra, ces deux-là prisent l'opérette, le cabaret, le Skating, tous les bastringues et autres bataclans. Ils se font voyeurs de leurs contemporains avec bonheur. Ils ont quand même été très heureux à la générale de *Carmen* du jeune Bizet connu jadis pour sa vaillance dans la Garde nationale, même s'ils ont été les seuls. Le four est considérable au point que Bizet en meurt une semaine après. Mallarmé sait que c'est le risque encouru pour une création sincère.

Du lien qui se tisse avec Méry, Manet ne parle à personne, même à Proust qui sait tout de son ami d'enfance, sauf l'enfant perdu de Berthe. Il fait cependant appel à une autre femme pour la « machine de Salon » qu'il a en tête. Il jette son dévolu sur « Citron » : cette grande cocotte qui porte le nom banal d'Henriette Hauser est appelée Citron parce qu'elle est la maîtresse du prince d'Orange. Manet la veut en déshabillé galant, qu'ils vont commander ensemble et faire ajuster aux mesures de la belle. Leur séance d'essayage dans la cabine des arpètes reste un souvenir très drôle où Manet joue l'amant de cœur, un Arthur qui paie et assiste aux essayages. Elle classe ses amants lui avoue-t-elle en payeurs, martyrs (soupirants sans espoir) et caprices, les élus du moment. Manet adore sa compagnie. Il lui choisit un corset de satin bleu, une chemise de mousseline blanche qu'elle essaie longuement devant lui. Face au miroir, il la fait se cambrer outrageusement et se maquiller d'un air audacieux... Elle est vraiment bandante. Derrière elle, en retrait, assis, très digne, en habit noir, canne à pommeau et haut-de-forme, le monsieur sérieux attend son tour. Si Manet a compris la leçon impressionniste, il montre comment la mettre au service de la forme. Comme toutes les demi-mondaines, la sienne doit avoir un nom qui corresponde à sa pratique. Il la baptise Nana. Et son tableau aussi. Et c'est elle qu'il envoie au Salon, accompagnée du portrait de Faure dans son rôle fétiche d'Hamlet.

Quand il pose chez Manet, ce chanteur exceptionnel est au faîte de sa gloire. Une vedette telle que Verdi lui écrit le rôle du marquis de Posa dans *Don Carlos*. Depuis la faillite de Durand-Ruel, Faure est devenu plus gros collectionneur. Parti en tournée triomphale, il n'a pu assurer la fin de la pose. Absent pour les dernières retouches, ce ne sont donc pas ses jambes qui sont représentées. Au retour, Faure ne s'aime pas, se trouve l'air vieux. L'usuel « j'ai fait ce que j'ai vu » de Manet a le don d'énerver ce cabotin au faîte du succès. Ils se fâchent. La presse titre : « Le roi des barytons se brouille avec le roi des Intransigeants ». Et Faure n'achète pas son portrait. Na !

L'ironie de Manet les réconcilie quand, devant un autre portrait de Faure mais par Boldini, celui-ci lâche tout de go :

« C'est mal dessiné et mal peint.

— C'est exactement ce qu'on dit de vos œuvres, réplique le chanteur vexé.

— Vous connaissez Berthelier ? Vous savez qu'il a la voix rauque et chante du nez ? Eh bien, je connais des gens pour prétendre qu'il a plus de talent que vous.

— En revanche, vous avez infiniment d'esprit, mon cher Manet. »

Et Faure de lui commander derechef un portrait de sa vaniteuse personne.

Heureusement car sa *Nana* est renvoyée une fois de plus « à l'unanimité » par le jury. Seul *L'Acteur en Hamlet* est accepté.

Pourquoi *Nana* est-elle si violemment attaquée ? Trop moderne ! Une demi-mondaine, vous trouvez ça moderne ?

Manet se doutait bien qu'un corset de satin choquerait davantage qu'un nu. Sa Nana est taxée d'atteinte aux bonnes mœurs ! Des nymphes de crème fouettée s'offrant à des satyres, ça, on expose, on exulte, on adore, on y amène les enfants. Mais une jolie femme en déshabillé ? Shocking ! Défendu, interdit ! Pouah, commente Bazire.

Qui a copié l'autre ? Dans son dernier opus, *L'Assommoir*, Zola fait naître une pauvre petite Nana blonde, aussi fait-il croire qu'il en est le père. Celle de Manet est rousse, dans l'épanouissement de son âge, et vit dans l'aisance, alors que chez Zola on pleure tout le temps. Manet a commencé à peindre Citron bien avant que l'écrivain n'y songe, même si Zola a intérêt à faire courir le bruit contraire. Qu'ont-elles en commun ? Jamais Manet ne moralise, contrairement à Zola qui ne fait rien d'autre. Sa *Nana* est une victime, celle du peintre une héroïne joyeuse. Ni puritain ni hypocrite, Manet l'aime sa *Nana*, la connaît et la pratique depuis toujours. Il lui en a beaucoup de reconnaissance. Et une certaine admiration. Chez Zola elle ne fait que commencer, au berceau, une carrière condamnée par la misère...

Sitôt qu'on a vent du refus de *Nana* au Salon, Giroux offre de la mettre en vitrine dans sa luxueuse galerie d'objets d'art rue des Capucines. Ainsi le jour de l'ouverture du Salon, les Parisiens font la queue rue des Capucines, pour apercevoir la dernière provocation de Manet. Assorti de scandales, de menaces de police, il triomphe à la marge. Piètre revanche contre ce jury qui s'acharne.

Sa Nana n'est jamais qu'une réalité d'époque, alors d'où vient le scandale ? De la ressemblance du monsieur assis et qui attend son tour, avec tout mâle visitant le Salon ? Elle transforme chacun en pornographe en redingote et tuyau de poêle, à qui tous peuvent s'identifier. Le scandale vient aussi de ses dimensions. *Nana* est au format des peintures d'histoire, ce qui lui confère une insupportable dignité. Le demi-monde défiant la chronique mondaine ! Anatole France fait de Miss Citron la muse de la galanterie. Célèbre et célébrée, Nana alias Citron inspire Dumas fils pour sa madame de Gantis. On peut reconnaître dans sa grande cocotte tout l'esprit de Marivaux. Son charme est sans âge.

Quant au portrait de Faure, s'ils avaient pu l'accrocher plus haut, ces messieurs haineux l'auraient fait. On le voit à peine. Ça n'empêche pas la critique de l'éreinter. Alors que Manet invente pour cette œuvre la formule de *portrait d'action*. Hamlet au moment crucial.

Pourquoi cet homme si indépendant, si au fait des mœurs artistiques, s'entête-t-il à vouloir séduire, convaincre et même amener à lui cet Albert Wolff du *Figaro*, critique aussi célèbre pour sa laideur que pour sa méchanceté ? « Il fait la loi et n'a aucun goût, il aime Meissonnier, c'est dire », crache Degas. Pourquoi diantre lui proposer de poser pour lui, de lui offrir son portrait ? Que cherche-t-il ? À séduire son pire ennemi, bizarre.

Pour son portrait, Wolff viendra une, deux fois, il déteste la manière de Manet. S'il le voit se reprendre, c'est qu'il tâtonne, tout confirme son incompétence ! Manet ne sait pas peindre ! Sans même s'excuser, il ne vient pas au rendez-vous suivant, plus jamais. Certes Wolff était physiquement impossible à flatter mais il se vantait d'être l'homme le plus laid du monde à la seule condition qu'on lui reconnaisse le plus d'esprit. Hélas Manet fait toujours profession d'être sincère. Et sous son pinceau, Wolff était vraiment hideux, sans rémission possible.

Suite au scandale de *Nana*, il se lance dans une série de nus. Tant qu'à faire peur... Et multiplie les scènes de café. Rien n'est obscène quand tout est vrai. Il connaît la pauvreté des réduits sordides, il sait la misère qui dégrade et tue ces filles, mais il leur veut du bien, et les drape dans de belles couleurs, pour éclairer leur nuit de gloire.

Il est très atteint par ses échecs au Salon, et l'isolement qu'il cultive en refusant d'exposer avec les siens. Et immensément fatigué. Sous prétexte de découvrir de nouveaux modèles, de nouveaux sujets, il sort le soir, se perd un peu, noie sa fatigue dans le travail et les rencontres. Il a besoin de nouvelles jeunes femmes autour de lui.

À Eva Gonzalès qui fut son unique élève et qui depuis expose tous les ans au Salon, il envoie ces mots : « Mademoiselle il y a longtemps que vous ne m'avez appelé pour une consultation. Serait-ce mon manque de succès qui me vaut votre mépris ? »

Il va vraiment très mal. Le Salon n'est pas seul en cause. Son corps aussi l'abandonne. Et sa force. Et son espérance.

Chapitre XV

1879-1880
DERNIÈRES ÉTREINTES…

Par délicatesse j'ai perdu ma vie
ARTHUR RIMBAUD

Gustave Courbet est mort le dernier jour de l'année. En Suisse. En exil. Tout seul. Manet est sous le choc. Même s'ils n'étaient pas d'accord sur leurs modes d'expressions picturales ou politiques, c'était un géant. La médiocrité au pouvoir l'aura tué, Manet n'en doute pas, aucun des siens n'en doute. Victime d'un tel acharnement, si loin, si seul. Résistant jusqu'au bout, il a refusé de rentrer en France tant que tous les exilés de la Commune ne seraient pas amnistiés. L'abus de chagrin et d'alcool a eu raison de sa constitution pourtant la plus puissante que Manet ait connue. On l'inhume le 3 janvier 1878 à La Tour-de-Peilz dans cette Suisse d'asile trop petite pour lui. Là encore, seul.

Déjà, la fin de Corot l'an dernier l'avait chagriné, lui rappelant qu'on peut mourir avant d'avoir rencontré une vraie reconnaissance. Or il était plus vieux. Mais Courbet ! C'est un signe terrible. Même Degas en est ébranlé.

Les dernières élections ont pourtant sorti les réformateurs, cette fois la Chambre a une majorité républicaine, les artistes espèrent que les changements atteindront le monde de l'art. Pour commencer, la République s'autocélèbre, comme d'habitude.

Passionnés par la chose publique, comme Manet et Pissarro, ou indifférents comme Degas et Renoir, ils n'ont pas le choix, leur peinture est politique, et même fortement marquée à gauche, ou, pis, communarde. Même si Cézanne s'en défend avec la même rage que Degas qui refuse tout embrigadement, après la mort terrible de Courbet, personne n'ose plus s'en démarquer. Aux yeux du plus grand nombre, leur art demeure révolutionnaire.

Au début de l'année, Proust l'avertit : quoi qu'il propose, il sera éliminé de l'Exposition universelle. Pareil provocateur ne saurait représenter la peinture française à la face du monde ! Du coup, comme un gosse puni qui boude, Manet n'envoie rien au Salon.

Si la bande des peintres ne loupe pas ces agapes républicaines, c'est la République qui les refoule. Aucun n'aura droit aux honneurs du Salon, encore moins à l'Exposition. À l'heure de chanter les mérites de la fée électricité, elle n'allait pas se dévaluer en exposant les artistes les plus modernes de l'époque !

Le chantier de la future exposition ne peut s'oublier, on marche dans les gravois, on voit au matin des bâtiments qui n'y étaient pas la veille. La ville se prépare à recevoir des millions de visiteurs ! Le 1er mai 1878 est décrété jour chômé afin que tous les ouvriers puissent assister à l'événement ! L'enjeu politique est de faire oublier les drames des décennies précédentes, l'effondrement de 1870, le traumatisme de la défaite, les meurtrissures du siège, les déchirements de la Commune, cette guerre civile à l'échelle de Paris, et si possible d'inaugurer une république intègre !

Si le succès se mesure en chiffres, c'est réussi. Trois cent mille drapeaux claquent aux fenêtres, six millions de visiteurs déferlent sur la ville, pas de rue, pas de maison qui ne soit pavoisée d'oriflammes ! Le 30 juin célèbre « la paix et le travail » et débute par l'inauguration de la statue de la République de Clésinger au Champ-de-Mars, pour finir par une explosion de lumières et de bruits. Paris sacré Ville lumière n'est que lampions, lumignons et flonflons. Spectacle grandiose qu'approuve cette foule immense jusque tard dans la nuit, en envahissant places, jardins, boulevards, jusqu'aux plus petites rues, pour célébrer la République par le chant, la poésie, la danse, l'étreinte…

Au milieu de ce tapage, ce 30 juin 1878 s'ouvre solennellement l'Exposition universelle célébrant la bonne santé de cette république si longtemps espérée.

Feux d'artifice, ville pavoisée, c'est cette fête dont témoigne Monet dans sa *Rue Montorgueil*, transfigurée en explosion joyeuse. Plus politique Manet se range du côté des gueux et des marginaux. Avant de quitter son cher atelier qui donne sur la rue Mosnier, il la brosse à la manière de Monet, tout aussi pavoisée de drapeaux et de bannières, sous un même soleil crépitant, mais pour des mutilés de guerre que le gouvernement laisse crever ! Toujours le fameux point de vue décalé de Manet, plus abrégé, ses tons sont plus clairs, ses couleurs plus vives, ses valeurs plus voisines, il opère une magistrale simplification par rapport à Monet qui sature sa toile jusqu'à l'anecdote.

Oh, ces drapeaux ! Quand nos communards sont toujours exilés, eux qui se sont battus pour ces couleurs plus vaillamment que quiconque ! En réponse aux déploiements de patriotisme, Manet, désabusé, achève ces terribles toiles de la *Rue Mosnier*, où huit ans après l'on retrouve le climat du siège. Y a-t-il pire critique du régime et de ses faiseurs de morts que ce mutilé solitaire, en vareuse d'ouvrier, amputé d'une jambe, soutenu par ses béquilles et qui avance péniblement au milieu des gravats, dans cette rue en chantier où bêchent encore les paveurs ? Le silence tangible au passage d'un rémouleur, les pauvres qui marchent tête baissée pendant que file le fiacre des élégants du régime ! On ne saurait mieux dire. Pas plus Monet que Manet ne sont admis sous les ors de la République.

Cette œuvre-là illustre en revanche à la perfection la *Chanson des gueux* de Jean Richepin, rencontré chez Nina. Depuis deux ans, à se jouer dans tous les bouges où se retrouvent les rapins, ses poèmes-chansons se sont mises à courir les rues. Même le gros Chabrier ne dédaigne pas de les accompagner au piano et de sa grosse voix :

Venez à moi, claquepatins,
Loqueteux, joueurs de musettes,
Clampins, loupeurs, voyous, catins,
Et marmousets, et marmousettes,
Tas de traîne-cul-les-housettes,
Race d'indépendants fougueux !
Je suis du pays dont vous êtes :
Le poète est le Roi des Gueux.

Richepin dit vrai. Les temps sont si durs que pour nourrir leurs enfants Pissarro et Cézanne envisagent d'arrêter de peindre, de faire n'importe quoi pour permettre à leurs enfants de manger à leur faim. Renoir va jusqu'à envoyer une toile au Salon, le vrai, des fois que... Peine perdue. On ne veut pas d'eux, surtout cette année.

Trop maltraité l'an dernier, Manet répugnait à l'idée d'en être. Un moment, il a espéré réunir assez d'argent pour s'offrir une expo privée, à la Courbet ! Trop cher. Les festivités de l'Expo universelle ne laissant de place à rien, la sienne n'aurait eu aucune visibilité, c'eût été de l'argent et de l'énergie claqués en vain.

Il doit déménager deux fois dans l'année : expulsé du 4, il lui faut trouver un atelier, et, coïncidence, le bail de l'appartement de sa mère n'est pas reconduit. Il a beau faire de la résistance et refuser de quitter le 4 tant que la justice ne le lui signifie pas expressément, il devra partir. Puisqu'on le chasse comme un laquais, que son propriétaire le traite comme un indésirable chez les bourgeois, autant faire du tapage jusqu'au dernier jour ! Manet organise une fiesta à l'atelier, histoire d'en jouir au maximum avant de le quitter. Chabrier et Suzanne se démènent au piano, chantent à tue-tête les couplets du Pal, l'opéra-bouffe du premier, ou de Richepin, ils sont de plus en plus nombreux à reprendre en chœur les scies d'Offenbach. Manet multiplie les soirées, il s'agit de partir en beauté.

Entre mai et juillet, le 4 devient le salon le plus huppé du moment. Habitués du boulevard, gens de Bourse et des courses, industriels, financiers, snobs ou désœuvrés, politiques ou canailles, il est de bon ton de passer chez Manet. On y trouve surtout des femmes, beaucoup de femmes, élégantes à la mode ou grisettes de charme, toutes se mêlent avec abandon et sans préjugés puisqu'on est chez Manet ! Soudain, il a un vertige suivi d'un élancement au pied ! La phrase de sa mère revient l'obséder, « ça va passer ». C'est ce qu'elle répétait à son père. De fait, c'est vrai, ça passe. Ce qui lui permet de l'attribuer à un surcroît de fatigue, ou à ces bons vieux rhumatismes des familles forcément héréditaires, donc si rassurants. Au pis, les traces d'une vieille blessure, son fameux serpent brésilien. Il serre les dents, donne le change – sa spécialité – et retrouve sa bonne humeur, la mime ou la surjoue.

Paradoxalement le bruit fait par sa petite expo privée l'a rendu plus respectable. Sa peinture est peut-être excentrique, mais on commence à savoir qu'il est surtout maltraité par le jury du Salon. Quand la presse parle de lui, elle l'appelle désormais monsieur Manet. « Je ne sais pas à Paris, homme de plus d'esprit ni plus galant, plus épris d'art et en parlant avec plus de goût. » Encore une fois les choses ont l'air de s'arranger. C'est un début. Combien d'années déjà qu'il débute ?

Dieu qu'il aimerait y croire encore mais, seul au travail, il éprouve des moments d'épuisement ou de découragement, qui l'obligent à s'allonger. Le curieux Anglais parisien, George Moore, vient opportunément le distraire. Il a l'âge de Léon, il a étudié aux Beaux-Arts avec Cabanel, il se veut romancier et se vante d'être *membre honoris causa du groupe des Batignolles.* « Je ne suis allé ni à Cambridge ni à Oxford mais à la Nouvelle Athènes ; un grand jour celui où Manet m'adressa la parole, je savais qui il était, j'admirai ce visage bien dessiné avec ce menton saillant d'où s'avançait une barbe blonde taillée de près, ce nez aquilin, ces yeux gris clair, la voix ferme, la remarquable beauté de cette figure bien bâtie... » L'inouïe de cette description, c'est sa similitude avec celle de Proust le décrivant à 20 ans. Il approche de la cinquantaine. Et rien n'a changé, fors la douleur et un rien d'amertume, quand le relance le deuil de sa gloire. Ou Berthe. Ses deux plus grands chagrins.

Le portrait que Manet tire de Moore le stupéfie ! Chez Cabanel, il a appris le contraire exactement de ce qu'il lui voit faire. En trois coups de crayon, le peintre saisit la personnalité du jeune Anglais qui se sent percé à jour. Le dandy des Batignolles a bien du talent. Moore et quelques nouveaux venus lui donnent l'occasion de portraits qu'on peut, sans le vexer, taxer d'impressionnistes.

Son style actuel, inauguré avec *Argenteuil* et ses ombres violettes, sa touche lâche est, selon Moore, le germe qui donne naissance à une bonne douzaine d'écoles différentes, de l'impressionnisme à tous les ismes qui font florès. « Oh, fichez-moi donc la paix avec vos ismes ! Je peins comme je l'entends, au diable vos histoires. Roi des impressionnistes ! Je t'en foutrais, moi ! Un artiste doit être spontanéiste, voilà le terme juste », conclut ledit roi en piétinant sa couronne de chiffon.

Mais comment continuer à peindre sans beaucoup de cœur au corps et en cherchant à se reloger ? Ça y est. Son propriétaire a gagné. Il doit être parti fin juillet. Mais pour aller où ? Il visite, visite, ne trouve rien. Si, un appartement pour sa famille de plus en plus réduite. Gustave, depuis qu'il a été élu conseiller municipal à Montmartre, y est installé. Franc-maçon, ce juriste est un militant dans l'âme, très lié à Gambetta et à Clemenceau, c'est un vrai soutier de la République.

Eugène vit chez Berthe. Et du jour au lendemain, Léon refuse de cohabiter avec Parrain et Manie. L'annonce de la naissance de l'enfant de Berthe, qui sera le vrai petit-enfant de celle qu'il considère malgré tout comme sa grand-mère, l'affecte plus qu'il ne sait dire. On le croit très remonté contre les siens sans raison alors qu'il a juste besoin de s'en éloigner.

Donc Manet doit aussi le recaser, et ranger sa femme, sa mère, les chats, les chiens, et lui-même sans oublier le piano, ce meuble encombrant mais sans doute le seul lien conjugal qui leur reste. Il le trouve au 39 de la même rue, décidément c'est sa rue. En juin, il loue les bras des Savoyards pour transvaser une maison dans l'autre. Toujours pas d'atelier, rien trouvé, un ami peintre qui doit s'absenter lui loue le sien 70 rue d'Amsterdam. Avantage, c'est tout près. Désavantage, c'est extrêmement encombré. Manet doit laisser au garde-meuble l'essentiel de ses affaires. Mais ça lui laisse du temps pour aménager un grand espace trouvé au 77 de la rue d'Amsterdam. Encore. Y a-t-il une fatalité des rues ? Depuis des années, il est passé du 51 au 40, puis au 4 de la rue Saint-Pétersbourg. Là il s'installe au 39 ! Quant à ses deux prochains ateliers, ils sont respectivement au 70 puis au 77 de la rue d'Amsterdam. Étrange, non ? S'il avait le temps de s'y pencher, il aimerait s'interroger sur ce qui le relie à Saint-Pétersbourg ? Avec Amsterdam, il y a une logique, Suzanne, Rembrandt, mais il n'a plus de temps pour ces états d'âme. Il est ravi de ne pas s'éloigner de Méry, c'est elle qui le console désormais.

Le soir, à l'heure où les amis passent à l'atelier, on est sûr de l'y trouver. Méry Laurent est la seule femme qu'il tutoie hors sa mère et sa femme. Amants, amis, un trouble tissé de tendresse les unit. Manet ne peut rêver plus grande complicité avec une femme dont la féminité l'attendrit presque autant que Berthe hier. Tout n'est pas si lisse dans leur relation, ils se retrouvent aussi à des heures que son protecteur, le docteur Evans, n'apprécierait pas.

Celui-ci passe chaque soir « se détendre » près de sa bonne amie, qu'il a installée pile entre son domicile et son cabinet pour têtes couronnées, au 52 rue de Rome. À cent mètres de chez Manet.

Avant de rentrer chez sa femme, Evans prend toujours une collation chez sa maîtresse, voire davantage. Un jour, utilement prise de migraine, elle le prie de se retirer. Ce qu'il fait. Sans le vouloir, paraît-il, il oublie son carnet de rendez-vous. Quelques minutes plus tard, en remontant le chercher, il retrouve Méry en robe de bal, au bras de Manet, et prête à s'envoler. Manet se carapate discrètement, assez content pour une fois de jouer le rôle du greluchon. Il revient quand le brave dentiste s'est retiré, apaisé par l'invention d'un mensonge de qualité. La dame est douée pour en fourbir à la seconde, l'air le plus sincère du monde. N'était-elle en train de lui présenter une robe pour poser ? Sitôt Evans parti, Méry agite un mouchoir blanc à sa fenêtre sur la rue de Rome. Au fanal déployé – c'est le signal –,

Manet court la retrouver dans son boudoir couvert de fourrures et de pacotilles. Sa carrière théâtrale lui a donné maintien et face-à-main. Jamais prise au dépourvu, elle sait se tenir en toute occasion.

Elle aime beaucoup Evans, lui est très reconnaissante de l'opulence sans heurt qu'il lui offre, outre les cinquante mille livres de rentes annuelles qu'il lui verse. « Le quitter ? Non, ça lui ferait de la peine. Je me contente de le tromper. » Fleur de chair sidérante, elle ne se donne pour le plaisir qu'à l'art, poètes, peintres ou musiciens. Des jaloux l'ont surnommée « Toute-la-Lyre ».

Revoir Manet après la rencontre à l'atelier lui fut chose aisée. Comment repousserait-il les avances d'une si belle femme, tellement au-dessus de ses passades et autres brèves liaisons ? Tellement pressé de vivre et d'aimer, il manque souvent de discernement au point que Suzanne préfère n'en rien savoir et s'y tient farouchement.

Le paradoxe est sa nature et son pays natal. À la fois, il prise les salons bourgeois et il est attiré par les boudoirs des hétaïres. Avide d'honneurs officiels et recherché par les marginaux, aussi à l'aise avec les rapins qu'avec les grands de ce monde. En connivence profonde avec les femmes aux mœurs les plus libres, il tient sa femme enclose. Quant à Berthe, la femme qu'il a le plus aimée, elle est corsetée de conventions...

Avant de quitter pour toujours cet atelier où il a été si heureux, il achève une série de nus comme il n'en a jamais fait. Méry accepte de poser pour un grand nombre. Il en tire des merveilles. *Femme dans un tub*, et d'autres *Scènes de bain*. Le jeune Henri de Régnier qui est aussi amoureux d'elle, pour célébrer ce nu-là, intitule un poème *Édouard Manet*.

Elle pose aussi en chapeau pour *Femme à la fourrure* et pour l'*Automne* dans une série des quatre saisons. Elle n'est pas seule à se dévêtir pour fêter les derniers feux du 4. Il y a aussi Ellen André, un corps magnifique de modèle-actrice-grisette, qui pose pour *La Prune* et souvent pour Degas. Elle exige qu'on lui prenne le corps ou le visage, jamais les deux ensembles. Pareil pour Louise Valtesse, grande dame du demi-monde, qui pose à la fois pour un pastel de profil, et nue. Elle aussi réclame de n'être pas identifiable. Elle raconte à Manet que Degas, lui, n'a pas voulu d'elle pour un nu.

« Pour quelle raison ? s'intéresse Manet la pipelette.

— Pas bien compris, il m'a dit : "T'as les fesses en forme de poire comme la Joconde."

— Oh, mais c'est très joli les fesses en forme de poire, s'empresse de dire Manet en retenant un fou rire. »

Contrairement à Degas, Manet aime ces femmes et les respecte, il ne les juge jamais et les admire souvent. Elles le sentent, elles sont bien près de lui. Si elles ont réussi, c'est qu'elles ont mis beaucoup d'intelligence dans leur corps, et su faire bon usage de leurs charmes. Ce qui, comme la reconnaissance en peinture, n'est jamais gagné. Elles sont toujours précaires, et en danger de tout perdre. Il se tisse entre ses modèles et lui un respect profond doublé de subtiles connivences. Ils se savent du même monde, sinon d'univers mitoyens assez poreux.

Nus et scènes de café se succèdent pour un

adieu à cette vie-là, dans cet atelier-là. Sa palette explose de joies hardies. Son noir se fait couleur forte, sinon vive. Lumineuses toiles sans colère ni apitoiement, témoignant de son goût démesuré pour la vie, sous mille facettes.

Les finances du groupe sont au plus mal, deux ventes à Drouot d'œuvres impressionnistes se sont déjà soldées par des échecs retentissants. Et voilà qu'Hoschedé refait faillite ! Cette fois c'est sa boutique de l'avenue de l'Opéra, euphémiquement nommée « Au gagne-petit » qu'il perd. Il doit à nouveau tout vendre, disperser sa troisième collection par adjudication judiciaire. Il s'en tire mal. *Impression, soleil levant* qu'il avait payé 800 francs ne dépasse pas les 210. Ses Manet partent à moins de 500, il les avait achetés 3 000 à Durand-Ruel. Quant à la faillite de ce dernier, elle a causé un profond désespoir à toute la bande.

À la vente Faure, c'est encore pis, trois Manet aux enchères, Faure doit en racheter deux, faute d'acquéreurs. Le troisième ne fait pas mieux. Ça n'empêche pas Faure d'acquérir *Le Déjeuner sur l'herbe*, cette œuvre qui fit scandale sous le nom de *Bain*, il y a... plus de 15 ans. Comme le temps passe. C'est exactement le genre de sensations que Manet veut à tout prix éviter. Vite. Oublions, allons de l'avant.

Tiens, tout de même, ses amis ? Et s'il les peignait avant que. Oui, avant qu'ils soient vieux et moches. Ou morts.

Ce sont les funérailles nationales que le régime offre paradoxalement à son plus ironique détracteur qui inspirent à Manet de les fixer tous sur la toile. Ce 7 octobre 1880, dès six heures le boulevard de la Madeleine est noir d'une foule énorme, avide et émue, les femmes portent au corsage des *violettes impériales*, le ciel bas et lourd de chagrin se retient d'éclater au passage du char funèbre, enseveli sous les fleurs, plus de vingt couronnes venues de tous les théâtres reconnaissants. Sa Légion d'honneur repose sur un coussin derrière lui. Tandis que retentit la *Chanson de Fortunio* aux grandes orgues de la Madeleine pour saluer l'entrée de ce grand mort de si petite taille. Là c'est l'église qui est trop petite pour contenir tous ces gens en deuil de leur gaîté, de leur jeunesse, de leur insouciance. Les portes restent ouvertes et laissent sa musique envahir les rues de Paris. À la grand-messe d'Offenbach, tous les figurants survivants de *La Musique aux Tuileries* de Manet sont de la revue. On chante l'*Agnus dei* sur le motif des *Contes* d'Hoffmann, et le *Sanctus* sur *La Vie parisienne... Ite missa est*, la messe d'une époque est dite. Le cortège s'ébranle vers le cimetière de Montmartre en passant par tous les lieux qui ont compté dans la vie de Jacques Offenbach. À la hauteur des Bouffes-Parisiens, l'orage éclate, une fine pluie glacée entre le faubourg Poissonnière et le Conservatoire... Les rangs s'éclaircissent. Boulevard de Clichy, le petit peuple de Paris interrompt la circulation pour chanter l'air de *La Belle Hélène* sur son passage. Le père de la *Grande Duchesse* ne part pas seul. Le second Empire sombre avec lui.

Trempé, Manet rejoint l'atelier où il peint comme un fou, comme un malade, aurait sarcastiquement précisé Suzanne avant de s'aliter sans dire un mot. Ni plainte ni explication. Elle n'a pas suivi le corbillard sous la pluie, juste assisté à la messe. Elle n'a pas pris froid ? Non, elle n'a rien. Alors de quoi souffre-t-elle ? D'un mal qu'on ne parvient pas à identifier médicalement.

Et si c'était de malheur ?

Des mois entiers, Manet, sa mère et Léon se relaient à son chevet sans qu'elle consente à leur sourire, à leur parler ou à leur répondre. Elle ne se plaint de rien. D'ailleurs elle ne parle plus. Se lever ? Elle n'en a plus le courage.

Comment appeler cette maladie ? Siredey donne sa langue au chat. Les chats, tiens, justement, on dirait qu'ils ont compris, ils occupent le lit de la malade comme pour la protéger ou lui servir de bouillotte. Eux aussi se relaient pour la soigner, il y en a toujours un contre elle. Et si elle en avait assez ?

Après Moore, le jeune Anglais fou, Manet refait un portrait de Faure, toujours mécontent des précédents. Et décide d'achever toutes ses toiles chorales, toutes ses œuvres en chantier.

Comme toute la France, il nourrit un rêve de midinette, entiché de Victor Hugo, il veut faire son portrait. Intimidé par la stature du poète, il n'ose l'approcher. Il supplie Proust qui le connaît un peu d'intercéder. On ne connaîtra jamais la réponse du grand homme, Proust oublie de lui en parler ! Drôle d'ami, ce Proust, toujours là, toujours laudateur et bienveillant, mais tellement secret, il ne partage rien, il vit sa vie de son côté, tout en s'alimentant à celle, féconde et profuse de son ami. Au fond, rien n'a changé depuis l'enfance, quand l'oncle Fournier lui a mis le pied à l'étrier. En échange ? Son amitié et sa fidélité sincères.

Quelques jours d'été à Gennevilliers avec ses amis choisis entre tous, Eugène et Berthe sont en Normandie avec sa mère. Suzanne toujours prostrée à Paris est soignée par Léon. Aussi Méry le rejoint souvent. Puis quelques jours chez Hoschedé ruiné, un saut chez Carolus-Duran, seul. Les Impressionnistes en pensent le plus grand mal, et c'est vrai qu'il est fat, mais il est si riche. « Si je gagnais autant que lui, je trouverais du génie à tout le monde », dit Manet avec un rien d'amertume.

On le conspue toujours de ne pas se laisser confondre avec les Impressionnistes. Mais il persiste malgré ce couplet que chantent en cœur les étudiants des Beaux-Arts.

Qui donc jette la pierre à l'impressionnisme ? C'est Manet.
Qui donc dans sa fureur crie au charlatanisme ? C'est Manet
Et pourtant qui donna le premier branle au schisme ?
Tout Paris le connaît ? Manet encore Manet.

Avec Mallarmé, compagnon de cabaret, Manet retourne au Skating de la rue Blanche croquer ces créatures qui le consolent de tout, une heure ou deux. Il en tire quelques tableaux modernistes, naturalistes, dirait Zola, avec qui il est un peu en froid. Ils enchaînent avec le cabaret de Reichshoffen, boulevard de Rochechouart, où les serveurs sont des femmes ! De là, ils descendent vers les brasseries et cafés-concerts du bas-Montmartre. Et ça donne *La Brasserie, La Serveuse de bocks, Les Buveurs de bocks. Une liseuse...* Il peint comme un fou.

Tableaux sombres pour ces lieux de plaisir, mais où les exposer ? Qui en voudra ?

Il lui arrive de ne plus tenir debout, la station face au chevalet lui fait mal au pied. Alors, à bout de fatigue, ses nuits sont si courtes, il se met au pastel qu'il peut faire assis et même étendu. *Blonde aux seins nus...* Et quelques autres naissent de son épuisement. Rien de mieux que le pastel pour sertir la carnation d'une femme. Rien de mieux que le tourbillon des belles pour lui ôter toute douleur, toute fatigue.

Bien de son époque et fidèle à Baudelaire, il préfère les femmes parées de falbalas et de bijoux, de chapeaux et d'étoles, qu'entièrement nues...

Les blessures d'amitié sont les plus douloureuses. Puni de ne pas vouloir y être, dans le premier ouvrage sérieux sur *Les Peintres impressionnistes* signé Duret, celui-ci expédie en quelques lignes son ami Manet en le taxant d'inclassable, pour se consacrer à Monet, Pissarro, Sisley, Renoir et Berthe Morisot. D'être la seule femme lui donne droit à son prénom. Elle n'en profite pas, elle est très enceinte. Eugène se rapproche d'Eugénie à qui il va offrir son premier petit-enfant. Officiel. Pour la première fois de sa vie, Édouard se sent dépossédé de sa mère qui a toujours été d'abord la sienne. Il souffre comme un gosse jaloux. Doublement jaloux de ce petit frère qui lui prend toutes les femmes de sa vie, celles qui comptent le plus.

Un jour d'octobre, après six mois de silence et d'absence au monde, Suzanne se lève. Est-elle remise de ce mal inconnu qui l'a tenue alitée depuis le début de l'année ? Elle ne répond pas, n'en reparlera jamais. Elle se relève pour soigner l'homme qu'elle aime et qu'avant tout le monde elle voit diminuer. Fatigué, il boite. Son pied gauche le fait souffrir, la morsure de serpent, ou le siège de 1870. Le même pied que son père ?

Ah non, pas son père !

Ça passe. Mais ça revient, quand il est fatigué. Puis il y a ces atroces migraines qu'il attribue aux odeurs de térébinthe, aux trop longues stations au travail. Ou bêtement à ses soucis. Mais qui n'en a pas ?

Siredey est évasif, Manet en profite pour oublier.

Des rhumatismes, conclut-il. À un certain âge, tout le monde en a. Dans sa famille, on commence jeune. Quarante-cinq ans, c'est peut-être tôt mais il est pressé, il fait tout vite.

Le travail, rien de tel pour dissiper l'angoisse. Tout de même, il teste quelques remèdes hors circuits officiels, sans rien en dire à Siredey. Ils opèrent tous un temps, il recouvre sa bonne humeur comme si ses douleurs au pied concentraient ses alarmes.

Johann-Georg Otto, comte de Rosen, est ce peintre d'histoire suédois, qui lui offre l'asile de son bel atelier ! N'y étant que de passage, Manet se hâte de profiter de ce merveilleux décor, une serre, un jardin d'hiver abritant une formidable collection de palmiers et d'autres plantes tropicales. Quel magnifique truchement pour exécuter des tableaux trichés ! Donner l'illusion du dedans-dehors, et faire la nique aux rigoureux pleinairistes. Le cadre lui plaît, il l'utilise tant qu'il peut.

Fi de la fatigue, il se lance dans une grande œuvre composée d'un couple élégant de marchands de mode du faubourg Saint-Honoré, *Dans la serre*, évidemment. Prins, qui le soutient, c'est bien son tour, quand sa femme est morte, Manet ne l'a pas lâché d'une semelle, parle d'un « plein air de palmarium ». Jules Guillemet et son épouse qui pousse un léger flirt avec l'artiste posent longuement. Suzanne, miraculée de sa mystérieuse maladie, les rejoint. Jusqu'ici, elle n'était pas la bienvenue à l'atelier de son époux, là, pour les détendre, elle joue du piano pendant qu'ils posent. Guérie, elle s'arroge tous les droits, Manet sans rien dire s'est vraiment alarmé.

Cinq mois pour détendre ce couple à la mode et fortuné, qui demeure guindé dans un cadre pourtant digne d'eux. Un vrai tableau psychosociologique ! Cynique, Manet met en scène avec minutie leurs conventions sociales. Les faux-semblants, ça le connaît, sa vie en est encombrée. Peut-être joue-t-il de sa ressemblance avec son modèle pour brosser par personne interposée le portrait de son propre couple abîmé de soumissions au carcan bourgeois ?

Il persiste à ne jamais représenter de couples épris, se regardant avec amour. Ses couples sont isolés, murés d'indifférence. Ils n'ont rien à se dire, non plus qu'au public. Ensemble ou séparés, ses personnages sont toujours seuls, sur la toile comme dans la vie. Au tour de son épouse de s'installer dans la serre, il la montre plus abandonnée que jamais. Plus ingrate aussi. Et comme il ne parvient pas à la rendre agréable, il laisse tomber, sa toile reste inachevée.

En peinture comme en réalité, il ne cède qu'aux charmes des brèves rencontres. C'est plus prudent. Un bal, un spectacle, une promenade, des occasions de rencontres suffisent à faire une toile. Sauf pour *Le Père Lathuille*, chef-d'œuvre de complicité sensuelle où pour la première fois ses personnages échangent vraiment des regards évocateurs, qu'il compose après que Degas qui a surpris l'aventure en train de naître la lui a racontée. Manet se met alors en tête de la rendre comme au théâtre... Une scène sur le point de. Il en accouche longuement.

Le 14 novembre 1878, vient au monde l'enfant de Berthe et d'Eugène. C'est une fille, une fille ! Julie. Ils l'appellent Julie Manet.

Manet fond en larmes, Suzanne est stupéfaite. Elle ne se doutait pas qu'il avait tant désiré un autre enfant. Elle pensait qu'il s'était fait une raison sans trop de peine. Aussi le console-t-elle tout de travers.

Manet se rend au chevet de la jeune accouchée, mais aussitôt se retire, non sans avoir fait quelques croquis du poupon et d'Eugène en vieux jeune père. Émouvant. Eugénie est aux anges, bien sûr, elle adopte sa nouvelle bru, dotée soudain de toutes les vertus, puisqu'elle la fait officiellement grand-mère. Il était temps.

Léon se cabre et refuse d'aller visiter celle qui ne sera jamais sa cousine. Vingt-six ans les séparent. Beaucoup plus en réalité. La situation est encore plus injuste pour lui, se dit son père toujours honteux.

Au retour de cette éprouvante marche de chez Berthe à chez lui, de Passy à la place de Clichy, soudain, il s'écroule. Une douleur déchirante dans les reins. Il choit littéralement sur le trottoir. Par chance à proximité de chez lui. Siredey arrivé à vive allure le ménage, n'ose toujours pas prononcer le nom de sa maladie dont il réclame encore d'avoir confirmation.

Trois jours plus tard, le diagnostic tombe, et c'est un autre médecin qui le donne à Manet : ataxie locomotrice *tabès dorsalis*. L'autre forme de la syphilis. Baudelaire et son père étaient atteints de la forme neurologique. Manet est touché au tronc et aux membres inférieurs, sa jambe droite est parfois si raide qu'il chancelle...

« Plus tard, de temps à autre, minimise aussi ce second docteur, il sera parfois dans l'impossibilité de coordonner les muscles de ses jambes, son mal l'empêchera d'avancer, et même de rester debout, il devra s'étendre pour ne pas tomber comme au retour de chez Berthe.

— C'est inguérissable ?

— On peut en ralentir l'évolution. Un temps. »

En fermant les yeux, Manet revoit Baudelaire égrener ses « crénom », son père ne plus se contrôler. Oh, non, pas lui, pas maintenant, pas déjà.

Il se redresse et s'en va chez Méry, sans plus dissimuler sa boiterie. Elle le console. En tout cas, dans ses bras, il oublie.

Puis il entreprend son autoportrait. S'il est apparu dans ses œuvres chorales, à la manière des artistes de la Renaissance en bord de toile, il ne s'est jamais attardé sur lui-même, sauf à 18 ans quand il a commencé de perdre ses cheveux et en a tiré une caricature terriblement chevelue ! Pochade d'atelier ! Là, il s'attelle à un *Autoportrait en pied*, où il affronte son début de paralysie bien en face, exhibant presque son handicap. Ah ! Ce souci de vérité ! Faire ce qu'on voit est parfois plus douloureux qu'on ne pense. Dans l'*Autoportrait à la palette*, il entreprend de se faire en buste, c'est plus facile pour afficher encore une prestance parfaite de vieux gamin boulevardier : cravate noire avec perle, chapeau melon noir, veste chamois de bonne coupe... Le cocasse ou le sinistre, c'est qu'il se peint par-dessus une toile qui lui a servi à peindre Suzanne, à rater Suzanne.

Quelle abjection tout de même que ces conventions qui leur ont gâché la vie à l'un comme à l'autre, sans parler de Léon, le plus sacrifié de l'aventure !

À l'inverse de Vélasquez, il respecte l'image en miroir, les mains en positions inversées, toujours pour souligner l'artifice de l'art. Il ne feint pas d'être surpris en train de se peindre, au contraire il se montre tel qu'il est, seul et grave pour affronter la mort. Mise en abyme du peintre de la modernité, si le dandy baudelairien est d'abord un homme blasé, il souffre pourtant en stoïcien. Le dandysme n'est pas qu'un détail vestimentaire, mais un masque à sa douleur, un sourire dissimulant le désespoir. « Dernier éclat d'héroïsme dans la décadence... »

Avec la certitude de la maladie, il y est en plein. Certitude confirmée par l'aigu de la souffrance, qui, pour Siredey vaut authentification. L'ami attendait que Manet soit prêt à affronter la nouvelle pour lui prescrire un traitement hydrothérapique chez le docteur Beni-Sarde rue de Miromesnil. Manet en use, et très vite en abuse. Comme partout où des gens se soignent, ils s'échangent des remèdes, Manet entend parler d'autres techniques contre ce mal. Il s'y rue, essaie un charlatan après l'autre, dans une pathétique course-poursuite. Adepte de l'homéopathie qui apaise ses migraines, Eugène lui recommande le docteur Gachet qui se pique davantage de peinture que de médecine. Une relation du Guerbois...

Chaque drogue commence par marcher mais très vite la douleur revient, décuplée, elle résiste à tout. Chaque nouveau traitement l'épuise, s'épuise, il faut recommencer. Manet veut guérir. Mais surtout il veut vivre. Vivre encore comme un fou.

La veille de Noël, Berthe Morisot, qui signe désormais ses lettres Berthe Manet, passe visiter son nouvel atelier, seule, et à l'improviste. Le prétexte est un cadeau pour Eugène sur lequel elle veut le consulter. Foin des formules d'usage, sitôt posée sur *son* canapé, elle se plaint à Édouard de n'avoir pas donné naissance à un garçon, de ne pas perpétuer le nom des Manet. Cherche-t-elle à lui signifier que, de lui, elle attendait un fils ? Qu'avec le bon Manet elle aurait eu un garçon ?

...

Il ne veut pas entendre un mot de plus. Si quelqu'un connaît les peines et les déceptions qui accablent les parents d'un fils, c'est lui, aussi lui conseille-t-il de se rappeler les joies de son enfance entre ses deux sœurs... Sans raison apparente, il explose de rage. Il lui fait peur. Il est méchant, injuste, sa colère est disproportionnée. Elle se renfrogne, et se met à ressembler à la Berthe du bouquet de violettes, ce qui l'émeut plus qu'il ne peut dire. Alors, sans transition, toute colère bue, il la réconforte tendrement. Il demande à revoir Bibi, comme elle a surnommé Julie, et lui promet un pastel pour la nouvelle année. À la Noël, c'est d'ailleurs une boîte de pastels qu'il lui offre, pour la carnation des bébés il n'y a pas mieux. C'était la première fois qu'ils étaient seuls depuis... ? Il ne vaut mieux pas savoir. Quant à recommencer ? Jamais.

Pourtant le vieux rêve de peindre et dessiner côte à côte n'est pas mort. Il suffit d'un visage de nouveau-né posé sur un coussin pour que tous les Manet, carnet et fusains en main, s'en saisissent tandis que Suzanne et Eugénie servent à boire, que Léon boude dans un coin, et que Gustave essaie de les convaincre que ce régime est le meilleur des régimes. Ainsi se passent leurs réunions de famille.

Les Impressionnistes remettent ça en 1879. Depuis Noël, ils sont en pleine organisation. Eugène n'est pas que l'intendant de sa femme, il donne aussi un coup de main à Degas, avec qui il noue des liens particulièrement forts, avec Renoir aussi, et surtout Pissarro qui, politiquement, le convainc davantage que Gustave, finalement trop modéré. À l'expo des Intransigeants, il y aura une seconde femme, une amie de Degas, Mary Cassatt. Américaine ? Oui, et impressionniste, c'est possible !

La douleur rend Édouard extralucide. Face à Berthe, il s'avoue qu'elle représente tout ce qu'il aurait aimé et qu'il a loupé dans sa vie. Elle est son plus grand chagrin. Et le demeure. Bizarrement en épousant son frère, son double physiquement, presque son jumeau, Berthe aussi est en permanence rappelé à son chagrin, à son remords. Si elle non plus n'est pas heureuse, au moins jouit-elle des joies de la maternité. Édouard s'en est toujours tellement défendu qu'il a tout gâché. Pour lui, mais surtout pour Léon. Quant à Suzanne et Eugène, les autres sacrifiés de l'histoire, réfugiés dans leur sens du devoir, ils s'en contentent. Pas le choix.

Berthe persiste dans la marge où elle s'est fait un nom au milieu de ses « frères impressionnistes ». Et Manet, dans son refus d'en être, envoie au Salon de 1879 deux grandes toiles : *En bateau* et *Dans la serre*. Les deux sont acceptées et pas trop mal accrochées. Chacune représente un couple. D'un côté, des pauvres, énamourés et joyeux, de l'autre des riches, guindés et compassés. Sur fond de Seine plus pâle, ou de paysage tropical, canotage et faux plein air ! Un pied de nez à chaque camp. Manet se sent plus fort aujourd'hui pour attaquer le Salon et même les Impressionnistes : un début de reconnaissance, une certaine presse de son côté, et Mallarmé qui entraîne ses troupes symbolistes à le soutenir.

Aux Beaux-Arts, on a composé ce refrain :

Courbet, Manet tous ceux qu'ont du génie
N'ont pas la croix ça dégoûte d'la vie.

Une classe entière de l'école s'est révoltée contre l'académisme de l'enseignement. Ils ont en chœur exigé la démission de leur prof « trop pompier ». Ne l'obtenant pas, ils ont tiré leur révérence à l'école officielle pour aller ensemble demander à Manet d'ouvrir un atelier où il les dirigerait. Manet, prof à la tête d'un atelier comme Couture ? Ah, s'il n'était tellement épuisé... Mais non, il n'en est plus capable.

Enfin, miracle, Wolff dans *Le Figaro*, le loue : « Ce tzigane de la peinture a une incontestable influence sur son temps... a donné le coup de pioche à la routine... montre du doigt la voie à suivre... » Désormais chaque fois qu'il rencontrera Wolff, Manet se figera en posture de cantonnier doigt pointé pour indiquer la route...

Son envie de peindre est intacte, il fourmille d'idées et de projets, mais l'énergie, mais le courage physique, mais la force...

Pourtant il envoie aux édiles municipaux une proposition pour redécorer l'hôtel de ville en cours de reconstruction. Il rêve d'y créer une série de compositions représentant le ventre de Paris, toutes ses corporations : Paris-Halles, Paris-Chemin de fer, Paris-Port, Paris-Souterrain, Paris-Courses, Paris-Jardin... et, au plafond, la galerie des portraits de ces hommes en train d'améliorer activement la ville.

On ne prend pas la peine de lui répondre. Personne. Jamais. Sa lettre reste en souffrance, elle y est toujours. En revanche, son idée est confiée à Gervex, un artiste plus présentable que Manet. Il n'aurait pas eu la force de ses ambitions mais, tout de même, en quel mépris la ville le tient !

Amer, il raconte l'histoire à Proust qui a les moyens d'intervenir, mais ne fait rien alors qu'il a de plus en plus de pouvoir. Étrange, cet ami qui n'a pas assez confiance en lui ou en ses amis pour les revendiquer.

Le premier avril 1879, il quitte la serre pour s'installer chez lui rue d'Amsterdam, entre Saint-Lazare et place de Clichy, dans une cour sans âme, sans caractère, au milieu d'autres ateliers, mais lumineuse. Sans énergie ni beaucoup de cœur, il fait appel à la force et à la tendresse de Léon pour l'aider. Plus il souffre, plus il a besoin de lui. C'est peut-être à ça que sert un fils ? Mais alors à quoi sert-il comme faux père ?

Austère et vaste, ce nouvel atelier est d'abord un entrepôt, Léon y arrime toute une vie de peinture. Les murs disparaissent tant les œuvres se touchent, on se croirait au Salon ! Ses voyages en Italie, en Espagne, en Hollande, sous forme de copies, d'ébauches ou de toiles, voisinent avec les scandales qui ont émaillé ses expositions : du *Déjeuner sur l'herbe* au *Balcon*, de l'*Olympia* à *L'Exécution de Maximilien*... par ordre de taille !

Pour meubles, son piano, le baquet de zinc des « nus au tub », son bonheur-du-jour, la psyché de Nana, une table de troquet et un comptoir de bar pour ses portraits de cafés puisqu'il n'a plus assez de jambes pour s'y rendre chaque jour. Il transforme son atelier en taverne où les serveurs d'à côté renouvellent les consommations aux amis qu'il rassemble. « On ne peut se décider à quitter l'atelier de Manet quand on y est entré, même pour une visite indifférente », dit le baron Toussaint, alias René Maizeroy, fameux chroniqueur de *La Vie parisienne*, qui ne paraît jamais sans son chien, et c'est bien ainsi que Manet le croque. « On fume, on parle, on échange des mots d'esprit qui pétaradent comme des feux d'artifice. »

Derniers feux ?

Boulevardier en diable, Manet adore les conversations badines qui font fuir Degas, consterné par leur futilité. Mallarmé, Proust et Duret, Bracquemond et Nadar, Astruc et Guérard le fiancé d'Eva, Prins et même l'abbé Hurel, tous ses amis s'y retrouvent fidèlement, ainsi que ses frères impressionnistes qui ne manquent jamais de passer quand les soucis d'argent ou d'expositions ne les en empêchent. Sa fidélité en amitié est une constante de sa vie, à égalité avec son amour intempestif et volage pour les jolies filles.

Aux soirées chez lui, les duos au piano entre sa femme et Emmanuel Chabrier qui chantent les couplets de son opéra-bouffe font fureur. Il faut bien se moquer du ridicule, fût-il républicain.

C'est terrible une vie entière d'œuvres non vendues, doivent se dire ses visiteurs en tournant la tête, mais le plaisir est si grand devant cette concentration de chefs-d'œuvre que personne n'y songe, sauf l'artiste à qui la douleur donne de l'aigreur. Il prie Léon de lui fabriquer un cagibi pour les dissimuler.

La presse étrangère le sollicite : « Vous avez un tel renom. L'Angleterre n'a d'yeux que pour vous... » À quoi bon, répond-il, désabusé.

Le Salon 1879 se passe pourtant mieux que jamais. En aurait-il fini avec l'ostracisme ? Il n'est plus la tête de Turc du jury ni des journalistes aux ordres. Fidèle, Banville à nouveau : « Quand on pense qu'il y eut un temps où Manet était le Révolutionnaire, le buveur de sang, le spectre rouge... »

Cette fois Renoir aussi expose au Salon, et Wolff en personne en dit du bien ! En même temps et dans la même salle que *Dans la serre* et *En bateau*, on acclame un piètre tableau d'histoire signé Victorine Meurant ! Si la coïncidence est amusante pour le vulgaire, elle révèle le médiocre jugement des jurés.

Paul Alexis écrit... « Le rapin débraillé est bien loin... Manet a déjà à sa suite toute une école... C'est un maître... » Mallarmé le flatte davantage en affirmant qu'il est le seul homme à Paris à savoir parler aux femmes.

Si on pense aux prix où se vendent des Stevens ou des Cabanel, les quatre mille francs que Faure lui donne pour sa *Serre* paraissent dérisoires. Il n'a jamais reçu meilleur accueil au Salon. Il est même question que l'État lui achète une œuvre, *Le Bon Bock* par exemple. Oh, il n'en est pas question longtemps, l'État n'a pas de suite dans les idées.

Dans *Le Figaro* du creux de l'été, tombe un papier d'Émile Zola qui démolit Manet !

« ... Un artiste qui promettait et a déçu toutes ses attentes [...] resté un pionnier..., il s'est épuisé sans jamais réaliser ce qu'on attendait de lui, se contentant d'à peu-près... »

Le lendemain, le même journal ravi titre sur la brouille entre les deux hommes. Zola a beau se fendre d'une lettre d'explication alambiquée, où il argue d'une faute de traduction à une interview parue en russe... « Ils auraient aussi confondu Monet et Manet. »

Monet appréciera. Non, Monet par nature se fout royalement de ce qu'on pense de lui. Le chanceux.

... « Sa main n'égale pas son œil, il est resté l'écolier enthousiaste [...] Il agit au jugé », dit encore Zola à propos de *son ami Manet*, qui choisit de croire à cette ruse de traduction fautive, ou d'erreur de nom. Il répond à Zola, se disant rassuré, mais le prie tout de même de rendre publique sa réponse dans le même *Figaro*.

Quand Zola débutait, il s'est servi de Manet comme d'un marchepied, histoire de se hisser sur ses épaules pour se rendre visible, et profiter de l'aura de scandale qui l'entourait. Effectivement ça l'a aidé à émerger. Ensuite, soit incompréhension définitive de sa peinture, soit indécrottable mauvais goût, ou infidélité chronique, Zola l'a rejeté, et d'autant plus aisément qu'il parlait depuis la Russie, n'imaginant pas que ses propos désobligeants arriveraient jusqu'en France. Politiquement, il commet l'impair de jeter dans le sac de son mépris les artistes impressionnistes et naturalistes confondus sous l'appellation, *ramassis de communards*. Ça risque de leur déplaire !

Pas dupe, Manet n'a pas envie d'une brouille de plus. En dépit des limites artistiques du naturaliste en chef, sa célébrité l'autorise à se laisser aller à ses véritables goûts, et il en a de très mauvais. D'affreux goûts de très petit-bourgeois ! Tant pis, Manet lui conserve une vieille reconnaissance pour son soutien initial. Mais il faudra au moins trois articles du *Figaro* pour le convaincre que Zola est toujours son ami !

À l'issue de la quatrième exposition des Impressionnistes, pour la première fois, Manet a le sentiment de s'être peut-être trompé dans son refus d'en faire partie. Un doute le saisit. Du 10 avril au 11 mai, au 28 avenue de l'Opéra, 15 400 mille entrées ! Net progrès, surtout que, dans le même temps, Renoir réussit sa percée au Salon.

Manet ne doute pas longtemps : en dépit du fait que tous sont ses frères, il sait intimement que sa peinture n'en est pas. Il sent au profond ce qui l'éloigne de leur démarche. Le côté Manet contre le côté Fournier, la rigueur, quelque chose de sévère en tout cas d'austère. De classique.

Au tour de Monet, toutes affaires cessantes, d'appeler à l'aide. Son grand amour, la Camille de tous ses tableaux, vient de mourir, le laissant seul avec leurs deux fils. Manet s'est précipité mais il n'est pas seul à consoler cet ami merveilleux : tous de débarquer auprès de lui. Alice Hoschedé est déjà sur place, et elle console mieux que Degas, Renoir ou Pissarro réunis. Ça fait longtemps qu'elle le console.

Son mari accumule les faillites, tout en persévérant à acheter les Impressionnistes, et même à les racheter. Ignore-t-il combien sa femme est tombée sous le même charme ? Elle n'est pas séduite que par la peinture, la personne de Monet y est pour beaucoup. Même ruiné, même trompé, Hoschedé comprend sa femme, la vie auprès de ces peintres-là est tellement plus belle, plus intéressante. Ça fait quelques mois qu'Alice s'est installée chez Monet pour soigner Camille. Il y a plus longtemps encore qu'ils s'aiment. Désormais elle ne le quitte plus, ni aucun de leurs six enfants, puisqu'elle est venue avec les quatre siens, ajoutés aux deux garçons de Camille, ils font famille. Mis en commun, tous vont grandir ensemble. Et Ernest Hoschedé les rejoint quand ses affaires lui en laissent le loisir. Il faut bien faire vivre toute cette tribu. C'est d'abord ça, les Impressionnistes, des mœurs moins possessives, moins exclusives, plus partageuses. Plus libres, plus fidèles à cette idée de vérité qui les guide. Là encore, Manet sait qu'il n'en est pas. Et le regrette infiniment, il aurait moins froid.

L'enterrement de Camille est une des dernières réunions de la bande au complet. Même Cézanne est monté d'Aix pour serrer Monet dans ses bras. Alice s'occupe de tout. Après l'enterrement, elle prend la maison et les enfants en main. Et c'est si paisible, si harmonieux, si consolateur, que Manet se demande ce qu'il aurait fait si Suzanne était morte. Épouser Berthe ? L'aurait-elle voulu, elle ? N'aurait-elle pas pensé que la présence d'un grand artiste lui aurait fait de l'ombre ? Et Léon, que serait-il devenu ? Non, il ne doit pas penser à ça. Ça le rend mesquin et méprisable. L'important est que Monet ne reste pas seul, qu'il reprenne vite ses pinceaux, refasse pousser des fleurs et que ses fils retrouvent une femme à aimer.

Manet aussi reprend ses pinceaux et enchaîne les portraits des siens. À nouveau Proust, en pied dans son rôle de *monsieur important*. Il titre *Proust aujourd'hui* pour marquer l'évolution depuis leur jeunesse. En dépit de sa tendresse pour son compagnon de toujours, le confident absolu, il le brosse fat, vain, et trop beau pour être honnête. Et dire qu'il se permet d'avoir un béguin pour une actrice de 25 ans de moins que lui, Manet le surnomme l'Alcibiade de la République ! Mais gâche sept toiles avant d'arriver à le fixer tel qu'il le veut. Et qu'il s'accepte. Gant, canne, tube, redingote, fleur à la boutonnière, on doit voir tout de suite que c'est un gros monsieur. Il s'y reprend beaucoup. Le haut-de-forme est la chose la plus délicate à peindre au monde ! Enfin, un jour, Manet est content. Proust aussi, on se tape dans la main, on en est venu à bout, on est d'accord, c'est bien fini ? Ils s'embrassent en dansant une gigue de victoire.

Enfin paraît le fameux Rochefort dont l'évasion en 1874 avait défrayé la chronique et bluffé les Républicains, dont la plume d'avant guerre avait enflammé Manet. L'amnistie de 1880 vient de le ramener en France, et il consent à venir trinquer.

Las, les hommes épuisent Manet, il leur préfère de loin la compagnie des femmes, coquettes et immobiles qui posent pour lui. Il aime demeurer des heures dans leur présence parfumée.

Il enchaîne avec *Le Printemps, La Prune...* il peint jusqu'à épuisement. C'est alors que Suzanne, alertée par le docteur Siderey, insiste pour l'accompagner faire une cure. Se reposer sans peindre, éventuellement des pastels sur les genoux, mais pas d'huile, pas de grande machine... Mais qui pour l'inspirer, quelles muses ? Manet ne veut pas quitter Paris, l'atelier, les toiles en cours, mais Suzanne, instrumentalisée par le médecin, insiste, insiste... Cette cure serait la seule façon d'atermoyer avec le mal. Oui, oui, il va y aller, bientôt.

Madame Mère préfère la chair fraîche de Bibi, à une station de cure. On la comprend. Elle prend désormais ses vacances avec Eugène, Berthe et l'enfant.

Et Léon ? Oh, Léon, il est grand. Pendant ce temps il prend soin des chats et des chiens à Paris, garde l'appartement, l'atelier et s'occupe à différents petits boulots, dans la catégorie expédients.

Manet n'arrive pas à quitter Paris, toujours une chose importante l'oblige à demeurer. En juillet, il marie sa meilleure amie, son unique élève, Eva Gonzalès avec un graveur de ses amis, Henri Guérard.

En août, Monet doit venir à Paris parler peinture avec lui, ils ont des échanges techniques d'une folle précision, et se communiquent des recettes de transparence... Bref, Manet s'entête, tandis que la fatigue gagne du terrain. Jusqu'au moment où Siredey se fâche et menace de ne plus le soigner s'il ne file pas à Bellevue faire sa cure.

Méry promet d'y venir poser si Manet ne trouve rien sur place. Fidèle, elle est toujours aussi présente dans sa vie, c'est lui qui n'y est plus trop. Pourtant il ne peut s'en passer, mais Siredey et Suzanne ont sans doute raison, il doit d'abord recouvrer la santé. Guérir pour peindre, guérir pour être aimé encore un peu, guérir pour ne pas mourir tout de suite.

Il aime la vie presque autant que les femmes et la peinture.

Mi-septembre, il s'installe dans ce sinistre centre hydrothérapique à Bellevue, pour subir un traitement de choc des semaines d'affilée. Là, au milieu d'un ennui sans fond, il rencontre Émilie Ambre, voisine des lieux. Cantatrice de renom, elle adore depuis longtemps sa peinture, mais de l'avoir pour voisin en fait son meilleur ami. Elle lui propose de lui faire traverser l'Atlantique : que le Nouveau Monde rencontre son œuvre, faute de croiser l'homme, pour l'heure immobilisé. Pourquoi non ? Elle part bientôt en tournée aux Amériques. Manet lui confie son *Exécution de Maximilien* dans l'espoir de le faire voir à un public d'amateurs éclairés.

La fin d'été à Bellevue est terrible, la cure n'est ni agréable ni très efficace, Manet la suit pourtant à la lettre, le médecin exige le plus grand repos, il ne peint pas, dessine sur ses genoux, et découvre la vertu de la correspondance pour rester en contact avec le grouillement de vie qu'il a réussi à recréer au 77 rue d'Amsterdam. Il s'ingénie à faire revivre des moments passés en les traçant sur du papier, en les magnifiant à loisir. Les souvenirs s'enchaînent, s'enchâssent et se succèdent, il en fait part en paroles et en images, il aquarellise sa pensée pour l'offrir comme des fleurs en bouquet. Portraits, paysages, chats, oiseaux ou nature morte, quelques pigments, de l'eau, et en deux coups de pinceau renaissent les bribes heureuses de passé. Il signe Le solitaire de Bellevue. Il se sent exilé. Ce début d'automne est pourtant splendide, octobre croule sous des ors éblouissants. Ces visions l'apaisent. Dans la beauté des choses où il demeure, il se calme. Du coup, il se sent mieux et veut rentrer à Paris reprendre sa vie où il l'a laissée. Mais il demeure à Bellevue tant qu'il a le vague sentiment de guérir. Sa seule obsession : guérir. La bouche tordue de Baudelaire égrenant ses pathétiques « crénom » lui sert de repoussoir, c'est contre la fin de Baudelaire qu'il se soigne.

Sa correspondance s'égaie sur une constellation d'amis d'époques différentes. Ce bavard impénitent a tant besoin d'échanges qu'il se contente d'un partage de papier. Ces mots de billets sont une autre façon de recréer les précieux tête-à-tête qui l'entretiennent vivant. Vital, cet échange est son seul contact extérieur. Bien sûr, Suzanne est là qui veille sur lui, Léon passe chaque fin de semaine porter le courrier et ce qui lui manque. Mais c'est la vie qui lui manque, la vie dans sa diversité, dans ses imprévus, la vie folle et joyeuse, la vie grouillante et interlope. Aussi compte-t-il sur ses fleurs, ses fruits, ses branches et ses clins d'yeux. Il se sent terriblement dépendant de la société. Il en a besoin comme de l'air qu'il respire. Plus que de papier et de pigments, elle est la véritable ressource de son art.

Quand il n'en peut plus d'oisiveté, il se sent aussi un peu mieux. Alors il rentre en courant reprendre brosses et pinceaux, horaires de travail et de café, de rencontres et de spectacles. Paris ! Dieu qu'il aime cette ville. Dieu qu'il aime la vie !

Il achève son second *Autoportrait en buste,* sans

complaisance. Scrutant ses traits avec une lucidité d'expert, il y lit l'évolution de son mal, exhibe ses traits amaigris et même sa gaucherie.

Il reprend *Le Père Lathuille* auquel il a repensé tout l'été. Il a l'ambition d'en tirer une « scène moderniste ». Une page ensoleillée dans des tons clairs. Il hésite à commencer la grosse machine de plein air dont il rêve pour dépasser *Argenteuil*, il craint que la maladie ne l'en empêche. Au premier signe d'épuisement, il se rabat sur les portraits de ses amoureuses, au pastel. Manet doit souvent s'allonger. Son mieux est superficiel. Heureusement, la cohue, qui a compris que c'est au 77 que ça se passe, se presse à nouveau chez lui. Derechef Manet donne le change, retrouve sa superbe et la verticalité pour faire les honneurs de son atelier. Dès l'apparition d'un jupon on le voit se redresser. Mallarmé pense qu'il n'en est pas conscient. Prins de s'étonner : « Il souffre sans arrêt, moralement, surtout, mais, chose curieuse, la présence d'une femme, n'importe laquelle, le remet d'aplomb. »

À la mode, il est enfin à la mode, il en a rêvé, et maintenant... il n'en jouit pas comme il l'espérait. Certes de nouveaux amateurs rejoignent les premiers. Méry est un magnifique ambassadeur, elle lui envoie ses plus riches amis qu'elle convertit à l'art moderne. Ainsi rencontre-t-il Éphrussi, qui tombe en pâmoison devant ses natures mortes où la paix du monde semble s'être réfugiée. Il lui achète sa *Botte d'asperges*, celle qu'il a mis si longtemps à peindre qu'on a dû manger des asperges toute la saison... Manet en demande huit cents francs, le banquier lui donne un billet et refuse sa monnaie. Manet ne veut pas être payé plus cher qu'il s'estime valoir. Alors il court à l'atelier et, dans un encore plus minuscule format, peint en un temps record une asperge, une seule asperge, au centre de la toile qu'il fait porter chez Éphrussi avec ces mots : « Il manquait une asperge à votre botte. La voilà. » Délicatesse, humour et élégance. Manet n'aime rien d'autre. Ses amis aussi, ou alors ce ne sont pas ses amis.

Pilier des apéritifs à l'atelier, Proust déplore qu'on ne puisse se faire qu'une pâle idée du grand artiste qu'il est, de son importance, précisément parce qu'il passe sa vie à plaisanter. Sa gentillesse empêche qu'on le prenne au sérieux, se plaint-il. Il blague tout le temps. Ça énerve Proust, déjà chez Couture il ne pouvait s'en empêcher. Proust ressemble de plus en plus à son portrait de gros monsieur qui a du foin dans les bottes, il a surtout de plus en plus de pouvoir, et ça se voit. Il s'approche des sphères où l'on décide et, à chaque instant, il s'en gonfle, s'en rengorge, telle la fameuse grenouille de La Fontaine. Ça fait la joie de Manet et de Degas que les vains ornements exaspèrent plus que de raison. Même si Proust lui amène souvent ses amis politiciens assez puissants pour faire évoluer sa carrière, comme ce Rochefort tant admiré jadis.

Proust a raison, Manet est si drôle, si continûment railleur, ironique, et même cynique, qu'il est réellement impossible de le prendre au sérieux. À choisir entre s'amuser et triompher, Manet choisit toujours la légèreté. Ou sa pudeur, son sens de l'indécence l'empêchent de jamais s'y croire ? Ça n'effleure pas Proust.

Émilie d'Ambre rentre de sa tournée de cantatrice aux États-Unis avec le chagrin de lui rapporter *L'Exécution de Maximilien*, invendu. Même en atténuant les choses, elle a fait un bide. Non content de ne pas s'être vendu, on ne l'a pas vu. Les Américains, qui ne savent de Manet qu'un parfum de scandale amorti, ne se sont pas déplacés pour se faire un avis.

Méticuleusement, Manet range le plus grand de ses tableaux, à sa place, dans la soupente où il stocke sa vie en couleurs. *Maximilien* était en déplacement dans le Nouveau Monde, il est rentré chez lui, voilà tout, plaisante l'artiste pour ne pas déchoir devant une dame et la mettre à l'aise. Entre *Le Déjeuner, Olympia, Argenteuil*, voilà sa place. « Tiens, Argenteuil, et si, pour le prochain Salon, je faisais pire, puisque c'est ainsi qu'ils parlent de moi. »

La malheureuse Émilie n'en peut mais. Sourit et, bien sûr, accepte de poser pour Manet qui multiplie ces derniers temps les portraits de qui franchit son seuil.

Chapitre XVI

1880-1881-1882

HC : DÉFINITIVEMENT HORS CONCOURS

Comme l'espérance est violente...

GUILLAUME APOLLINAIRE

« Des tambourins pour les étrennes ! » Eh non, ce n'est pas une blague. Pour Noël 1879, la bande livre chacun son tambourin décoré à *La Vie moderne*. La galerie de Charpentier étrenne là l'idée neuve d'expositions collectives sur thème. À la pièce, ça se vend très bien !

Heureusement que cette sauterie leur donne l'occasion de se retrouver comme à vingt ans dans les rires et les embrassades. Plutôt mi-figue mi-raisin, Manet lâche « et pourquoi pas des œufs d'autruche, tant qu'on y est ! » Charpentier le prend au mot et, pour Pâques, chacun de livrer son œuf décoré. Et une vente pascale suit l'expo d'œufs peints par les mêmes. À part, une fois encore l'occasion de festoyer ensemble, ces fabrications de colifichets mettent Manet et Degas en colère, ils ont passé l'âge de se faire voir, non ? Pourtant, chacun y va de son tambourin et de son œuf, histoire de ne pas faire le malin et de rester solidaires. Les autres ont tellement besoin de ces trois francs six sous.

Et tous ronronnent sous les encouragements de la belle Marguerite Charpentier, qui reçoit comme une reine, traite chaque artiste comme s'il était le dernier rescapé sur une île déserte. Ils en sont tous plus ou moins épris. Sa cuisinière fait le reste. Son salon ne désemplit pas, qui la transforme peu à peu en nouvelle puissance mondaine, les plus grands s'y pressent le vendredi. Et Renoir devient son protégé.

Si tous s'y plient, c'est aussi parce que *La Vie moderne* organise des expositions d'artistes seuls avec des œuvres s'étalant sur plusieurs années ! Ça ne s'est jamais fait, et ça semble incroyablement audacieux. Est-ce que ça peut marcher ? En premier Renoir essuie les plâtres, puis Monet. Comme ils ont eu du public, du succès et même quelques ventes, Charpentier propose à Manet d'être le suivant ! Tope là.

Ainsi du 8 au 30 avril 1880, une foule d'amateurs éclairés défile devant les dix huiles et quinze pastels que Manet a minutieusement choisis. Il y rencontre enfin un succès un peu profond. On parle de peinture, d'art et même de poésie.

Pour accompagner l'exposition, Charpentier fait imprimer un catalogue illustré de deux lithos qu'on s'arrache. Si l'on doutait que ce genre de récapitulation puisse drainer du public, on est désormais rassuré, il y a presse à la galerie. Encore que ce soit beaucoup ses frères artistes, généralement les plus jeunes, les plus en phase avec son travail qui perçoivent l'incroyable innovation de pensée et de techniques dont fait preuve Manet. Si les autres discernent encore mal ce qu'il apporte, ils ne le rejettent plus en hurlant.

Coïncidence ou fait exprès ? En avril 1880, au moment précis où les vingt-cinq nouvelles œuvres de

Manet rencontrent un vrai succès en galerie, s'ouvre la cinquième expo impressionniste.

Sans exposer à leurs côtés, Manet les défend avec ferveur. Il leur prête même quelques toiles de sa collection. Souvent des cadeaux, des échanges entre eux, mais aussi certaines achetées pour les aider à vivre.

Las, leurs rangs sont de plus en plus clairsemés. La règle qui interdit de postuler au Salon et d'exposer chez les Intransigeants en a fait reculer plus d'un. Beaucoup se dédisent afin d'être libres.

Mais tout est soudain gâché par l'annonce de la mort de Duranty. Le 9 avril, ce génial touche-à-tout à qui seule la malchance a souri, mais qui a tant fait pour le succès de ses amis, meurt d'un cancer de l'anus, bêtement, à plat ventre, hurlant de douleur.

« C'est curieux chaque fois qu'on prononce son nom, il me semble le voir me faire signe de le rejoindre », dit Manet qui le pleure peut-être démesurément par rapport à la nature de leurs liens. C'est vrai qu'il s'est battu en duel contre lui, il y a mille ans, et l'a épargné. Et même donné ses plus belles bottines ! Cette mort ne laisse rien augurer de bon.

Pourtant cette année encore, et au fond comme toujours, Manet est vilipendé au Salon. Il est en outre très mal accroché. Des fois qu'on puisse le voir. Si haut perché, il y a peu de chances ! Puis comment le juger sous un si mauvais éclairage ? Ses ennemis ne désarment toujours pas.

« S'ils t'approuvaient aujourd'hui, c'est toute leur vie qu'ils désavoueraient, le rassure Renoir, jamais inquiet quant à lui, ni même quant à eux, persuadé que le temps travaille pour eux.

— Pourtant mon portrait de *Proust en pied* ou *Le Père Lathuille* n'ont rien pour choquer ?

— Si, affirme Monet, regarde, c'est signé Manet. »

Eh oui !

« Les jurés du Salon sont nos dernières chochottes, approuve Pissarro. »

Tous soudés, ils ont débarqué ensemble le premier jour pour soutenir Manet, qu'ils continuent de considérer comme leur maître. Monet, Renoir, Sisley, Pissarro et même Cézanne auraient plus de peine encore à exister s'il n'était passé avant. S'il n'essuyait tous les plâtres pour eux. S'il ne leur ouvrait la voie. Il bénéficie d'un meilleur accueil du public et de la critique, mais fait toujours dresser les cheveux des plus conservateurs.

« Oh, t'inquiète, ils sont de plus en plus dégarnis, et de moins en moins nombreux. Les méchants meurent aussi », conclut Degas, toujours aussi caustique.

Après l'expo chez Charpentier, ce succès mitigé au Salon et sa visite attristée aux impressionnistes, Manet n'en peut plus. À nouveau il traîne la patte. L'effet Bellevue s'est effacé depuis un moment. Les élancements se font plus aigus. Siredey lui interdit de monter les escaliers. Adieu aux escapades chez Méry ! Chez ses femme et mère, on le traite en grabataire. Il les fuit, passe tout son temps au 77, l'atelier transformé dès 15 heures en salon, en troquet et, même certains soirs, en piste de danse.

À nouveau, les médecins insistent pour qu'il quitte Paris, et prescrivent repos et cures hydrothérapeuthiques tant haïes l'an dernier. À nouveau Bellevue pour trois mois ! Mais cette fois il y sera chez lui, si l'on peut dire. Pour ne pas vivre dans les soins jour et nuit, il loue une petite maison qu'Émilie lui dégote près de chez elle. L'insuccès de *Maximilien* en Amérique est son tourment personnel, qui lui donne le sentiment d'une dette envers l'artiste à qui elle voue une admiration inaltérable. Dans son état, Manet fait feu de tout bois.

S'il consent à suivre les prescriptions de Siredey, il n'en essaie pas moins superstitieusement n'importe quelle panacée plus ou moins dangereuse. Il arrive vite à abuser de traitements plus nocifs et fantaisistes les uns que les autres, qui le font même délirer. Suzanne le trouve parfois totalement halluciné ! Ne reconnaissant personne, il traverse des heures où il n'est plus conscient. Tant qu'il ne souffre pas, il s'entête. Il peste contre les infirmiers de Bellevue qui lui infligent des séances atrocement douloureuses, un vrai supplice.

Toutes les fins de semaine, Léon lui apporte ses caprices et tente de lui expliquer la Bourse. Il a décidé d'en faire son nouveau gagne-pain. Il veut devenir très riche et créer une banque à son nom. Manet s'alarme, mais n'a plus la force de s'y opposer. Il passe du banc du jardin au canapé du salon, carnet de croquis à la main, et au mieux, aquarelle. Sa table s'y retrouve régulièrement, des asperges le jour où Suzanne en épluche, des melons, des poires, des citrons souvent, il se représente en citron. Il reprend avec assiduité sa correspondance imagée, aquarellisée. Les réponses de ses amis sont son seul aliment. Et Manet les trouve plutôt chiches.

Proust, Duret, Bracquemond, Astruc, Prins, Méry, Eva et Mallarmé sont les plus fidèles, ceux-là ont compris sa dépendance. Ils répondent par des can-

cans, des rumeurs, des bruits de cour ou de jardin. La vie privée des actrices aujourd'hui le passionne, demain, les meilleures recettes pour effacer les rides… Manet, malade, se change en midinette.

Par lettres, il s'éprend de la nièce de Charpentier, la belle Isabelle Lemonnier. Qui trop jeune, trop tête de linotte, redoute qu'il en veuille à sa vertu, et le rembarre. La bécasse ! Incapable d'imaginer que cette cour n'est que virtuelle, pour l'artiste malade, juste une manière de se réchauffer, de repousser la mort, en trompant la souffrance qui empire.

Pour l'ami Mallarmé qui vient souvent à Bellevue, il achève les illustrations du poème de Poe *Annabel Lee*, dans sa traduction. Manet fait encadrer quelques planches pour les lui offrir en gage d'amitié. Leur entente se fortifie.

À l'automne il rentre chez lui un peu requinqué, mais pas guéri. Après tant d'efforts, de séances douloureuses, on ne parle que de rémission ! Il n'y croit plus, quémande juste des sursis pour travailler sans trop de douleur. Il a tant de toiles à peindre encore, il rêve en des couleurs de plus en plus folles. Il n'a pas dit son dernier mot. Qu'au moins la maladie endormie par les cures lui laisse quelque répit.

Comment aller consoler Mallarmé dont le fils vient de mourir, Manet ne parvient plus à monter ses quatre étages rue de Rome, il l'a tenté, il s'est assis sur une marche au deuxième en pleurant. Impossible de monter plus haut. Il lui écrit sa peine, et qu'il va bientôt rejoindre son petit garçon de l'autre côté, promet d'en prendre soin. À peine s'absente-t-il que Mallarmé lui manque.

Des années que Pertuiset et lui sont amis, quoique Manet déplore sa passion chasseresse, aussi veut-il lui tirer le portrait en chasseur avec un lion, un fusil, toute une Afrique figurée, une vraie panoplie. Aventurier courageux, chasseur, peintre à ses heures, collectionneur de natures mortes de Manet et de la bande ; et grand voyageur, ses récits leur ont offert à tous la sensation de quitter leurs chaises de café. Il conçoit une mise en scène qui l'amuse autant que Pertuiset. Par chance, celui-ci demeure dans un de ces passages du boulevard de Clichy où Manet peut encore s'aventurer à pied sans souffrir. Dans son jardin, sous un arbre, Manet jette une peau de lion pour figurer la chasse du jour, tandis que genou à terre, carabine pointée sur le public, Pertuiset s'assure que son lion est bien mort. Pas trop de doutes, depuis le temps qu'il lui sert de descente de lit.

Tartarin de Tarascon paru quelques années plus tôt a rendu aussi populaire que ridicule cette figure de colon pacificateur et armé ! Manet se lance à corps perdu dans ce grand tableau de fausse chasse, avec vrai chasseur.

Depuis qu'il est au 77, il engrange les portraits de ses amis comme on recopie des noms dans un carnet d'adresses. Pour ne pas les oublier, les perdre. Il les portraiture pour les avoir plus près de lui. Ses amis, ses « sujets », surtout des femmes. Sa nouvelle série l'oblige à en trouver trois différentes, pour figurer les quatre saisons. Si Méry a choisi l'automne, Ellen prend le printemps, plus que deux à inventer ? Ah ! Si la vie pouvait avoir mille saisons !

Désormais, il traite les femmes au pastel, ça les adoucit et les rend plus belles. Mais surtout cette pâte de couleurs suaves est facile à travailler assis.

Ce qui lui évite de se montrer vacillant et boitant devant elles. Chaque fois que le pinceau lui tombe des mains ou que ses jambes le lâchent, il se jette sur le pastel. Assis, il travaille sur ses genoux. Avant l'arrivée des modèles, il écrase ses poudres de couleur avec une rage rentrée, les mélange avec ses liants huileux et, quand le modèle paraît, il ne lui reste qu'à l'installer précautionneusement et à manier ses pastels avec une délicatesse d'orfèvre.

Le 77 est un lieu bizarre en soi, l'espace y est étrange, incroyablement haut en verrière, d'où descend une douche de lumière zénithale qui inonde l'immense pièce principale dont les larges vitres dépassent des toits voisins. L'ensemble donne sur une cour sinistre où, dans d'autres ateliers, sinon des amis, du moins des camarades, travaillent et échangent. Il lui manque le bruit et les mouvements de la rue. La vraie vie. Tant de silence l'angoisse, d'où l'organisation de visites continues. Sitôt que la lumière cesse de couler à flots, commence le ballet des consommations livrées par le serveur du café d'à côté. Il faut faire vivre cet atelier pour éviter à Manet tout déplacement inutile. Peu meublé ou trop grand pour n'avoir pas l'air vide, ce qu'on voit en premier sont ses œuvres. Sa vie entière sur les murs. Il manque de place pour toutes les exposer ! Elles se chevauchent, s'entassent, se recouvrent. Sous ce nouvel éclairage, elles revivent, vivent autrement, même Manet les redécouvre. Perdus au milieu du vide, ses meubles indispensables, le canapé arrondi, un divan, des fauteuils, le tabouret de cuir de Léon enfant et du petit abbé Hurel. Contrairement au 4 qui se revendiquait bourgeois chic, cet atelier rappelle plutôt celui de la rue Guyot, quand, avant guerre, au milieu des pauvres, il travaillait dans une atmosphère misérable, mal chauffée et meublée de hasard. Ici aussi, d'une certaine manière, l'air errant de ce grand buffet de restaurant égaré chez ce drôle de particulier, ce tub dans une pièce à vivre, ces vases de fleurs disparates qui semblent ponctuer l'espace, avec de-ci de-là ses chevalets chargés d'œuvres en cours. Ça n'empêche ni ses amis et encore moins ses amies, ni les plus belles actrices du moment, ni les créatures du demi-monde de s'y presser en fin de journée.

Vers 17 heures, commence la noria des garçons des cafés voisins, renouvelant bocks et apéritifs colorés, on transpose la vie de café au 77 où règne l'esprit de Paris en concentré. L'ironique urbanité de l'artiste qui reçoit, assaille ses hôtes les plus coincés de sa drôlerie irrésistible. Sa vivacité joyeuse retient son public. Depuis que la maladie l'a touché, il soigne plus encore sa tenue, on dirait un *sportsman british*, ce qu'accentue son teint de blond à la peau claire. Muni d'une canne plombée et de semelles de caoutchouc, il ne laisse pas deviner son découragement. Il dissimule parfaitement et la douleur et la fatigue. Moins aisément ses humeurs qui oscillent selon ses visiteuses entre confiance et désespérance. Mais quel amour de la vie il sent encore battre dans sa poitrine avec la fiévreuse avidité d'un être menacé dans ce qu'il a de plus profond, sa joie de vivre.

Son chasseur de fauves, il l'extirpe de sa douleur. Pour fuir l'appartement de ses femmes, il passe toutes ses heures au 77 et enchaîne, quand il peut, au cabaret ou au café-concert, tout sauf rentrer chez lui. Accompagné par Mallarmé ou Prins, Proust ou Renoir et même Degas quand il est dans ses bons jours.

Si la maladie menace, son humour l'emporte. Tout est parodie dans ce tableau jusqu'à la moustache du chasseur qui ressemble à un accessoire de théâtre. Et il signe sur l'écorce de l'arbre à la façon des amoureux !

La violence réelle de cette œuvre réside dans ses couleurs. Manet pavoise, il prétend avoir trouvé la couleur de l'air. Le violet ! Le plein air est violet. Ce qui ne manque pas de surprendre et même de choquer. Si l'Afrique est absente, sa violence est présente grâce à ces violets fouettés de rose, ces chairs carminées, ces lilas vineux… toute cette déclinaison de couleurs hurlantes déclenche un tollé au Salon. À quoi cette fois Manet s'attend. Il l'a même provoqué en conscience. Sa volonté d'exagérer participe de la moquerie.

Un critique écrit : « Il vient d'abattre une peau de lion qu'un pelletier distrait a oublié au jardin. » C'est dire qu'il perçoit ce que Manet a peint de dérisoire et de grotesque mais de toujours menaçant. Enfin compris ?

Dans la foulée de ses tableaux de plein air violet, il enchaîne avec un de ses héros, le pamphlétaire Rochefort. Après Proust qui l'y a introduit, c'est Desboutin son cousin, toujours proche de Manet, qui le ramène au 77. Comme tout Paris, Rochefort s'y goberge un temps. Mais le climat y est trop libre pour lui. Il passe souvent quand il y a foule, aussi Manet l'engage-t-il publiquement à poser pour son portrait. Il lui montre la toile représentant son évasion, et propose de la lui offrir.

« Non merci », s'empresse-t-il de répondre.

Comme tous les politiques, Rochefort est incapable d'apprécier la modernité. Encore un de ces révolutionnaires prêts à aimer Cabanel !

Depuis qu'il est rentré du bagne, il vire à droite, sinon intégriste, au moins puritain. La peinture de Manet ne lui revient pas ! N'empêche, Manet croque de quoi nourrir son œuvre, et pas moins de deux versions autour de l'évasion, pour n'exposer finalement que son portrait en évadé de Salon !

Mais le *Rochefort en barque* lui donne envie de refaire la mer comme dans sa bataille navale. Les flots phosphorescents qui entourent la barque de l'évasion sont sensationnels, alors que ce n'est plus qu'une mer de mémoire, il ne l'a pas vue depuis ? Depuis longtemps. Il l'invente dans une ivresse picturale autant que sentimentale, puisqu'il n'ira plus à la mer. S'il n'envoie pas ces « marines », c'est aussi qu'au fur et à mesure de la pose le beau héros romantique se dégonfle sous ses yeux. À la fin, il n'y croit plus. « L'homme qui sait rire, se battre, se dévouer et haïr » n'est qu'une petite gloire pour terrasses de café à la mode. Il n'est plus très sûr d'être politiquement dans le même camp. C'est *un tableau à sensation* comme on dit que le retour des amnistiés rend très actuel. Le traitement qu'il inflige à la tête du héros à grands coups de brosse hachés fait sensation. À nouveau, un bruit énorme.

À Pierre Prins, arrivant chez lui, Manet hargneux avoue n'être qu'un « crevard, et ça n'est pas plaisant à voir. Je sais. Merci quand même de ta visite ».

Il s'aigrit quand il souffre.

Prins ne dit rien et s'assoit. Toujours au chevalet,

pinceau à la main, Manet est en train de retoucher son *Amazone*, quand soudain son bras le lâche et le pinceau tombe. Manet le ramasse et, de rage, se jette sur le divan. Ses jambes l'avaient déjà lâché, mais ses membres supérieurs jamais.

Prins choisit de faire comme s'il n'avait rien vu. Se tait. Manet se relève seul et reprend *L'Amazone*. Leurs liens sont profonds. Entre eux, le silence dit tout.

Il a beaucoup de mal à achever ses deux machines de Salon, en partie parce qu'il ne peint plus que par séquences courtes. Et comme il ne peut travailler l'huile que debout, la multiplication des poses l'oblige à refaire du pigment… C'est là qu'il se dit que le tube le soulagerait ; il l'a testé chez Berthe à l'occasion de quelque plein air, mais il s'est toujours dit que ses sauces cuisinées à l'atelier étaient forcément de meilleure qualité. Là, c'est trop de manutention, surtout qu'il en gâche les trois quarts. Aussi prie-t-il Renoir de lui apporter ces fameux tubes et de lui montrer comment lui, le magicien des couleurs, s'en sert. Manet n'a pas une grande maîtrise des couleurs toutes prêtes, mais il s'y met, il s'y met, opiniâtre comme il est, il s'en amuse vite.

Ses séances de pose sont d'autant plus courtes qu'il est hors de question de se montrer fatigué devant ses modèles, fût-ce des amis. Et que les dimensions de la première toile excèdent de loin ce à quoi il peut se colleter ces temps-ci. 1,50 × 1,70 m. Une vraie machine de guerre. Plus dans ses moyens. À l'avenir, il le saura.

Entre *Rochefort* le tombeur d'hommes et *Pertuiset* l'abatteur de lion, Manet dénonce la violence du temps. Mais c'est son violet qui oppresse le public !

Grande nouvelle, le Salon de 1881 est le premier directement administré par les artistes eux-mêmes. Par la grâce de Jules Ferry, l'ancien amoureux de Berthe, aujourd'hui ministre en charge des arts et lettres, ça y est, le Salon leur appartient. L'Académie recule. Du coup, il cesse d'être l'institution officielle dont, toute sa vie, Manet a brigué le ticket d'entrée. Pour exposer, il suffit d'y avoir été admis une seule fois. L'État en remet la gestion aux artistes, alors la jeunesse s'engouffre dans la brèche, s'adjuge le plus de places possible et complote de livrer bataille au nom de Manet pour lui témoigner sa gratitude. Les peintres qui le suivent le considèrent non seulement comme un précurseur mais comme leur maître, et tentent de lui faire attribuer une médaille. Pourquoi pas, puisque c'est leur Salon ? Mais ils n'ont encore ni l'habitude ni l'autorité. Timides et frileux, ils n'osent taper plus haut qu'une médaille de deuxième classe, ce qui, vingt ans après sa première mention en 61, fait assez mesquin. Sans doute auraient-ils pu obtenir plus, mais ils ont craint les rebuffades ; le nom de Manet fait toujours peur. Or non : on la lui remet ! Comme un gosse, Manet est fou de joie, nonobstant les épouvantables cris d'orfraie des critiques et autres conservateurs. Le voilà HC ! Hors Concours. Il peut désormais exposer à chaque Salon sans avoir à demander l'aval de quiconque !

À mort, le jury. Manet est libre ! Une liberté qu'il doit à ce rapport paradoxal qu'il entretient avec ceux qui se réclament de lui mais auprès de qui il refuse toujours d'exposer.

Et c'est pour ce *Rochefort*, considéré comme un défi politique – et coloriste – qu'on lui donne la médaille ! Davantage que pour *Pertuiset*, considéré comme une arlequinade. C'est le monde à l'envers, mais cet envers va bien à Manet.

D'autant qu'il a appris que Cabanel, même Cabanel, face aux plus conservateurs de ses pairs, lui a rendu un vibrant hommage en affirmant « qu'il n'y avait pas quatre artistes dans toute la France capable de peindre comme lui ».

Il a eu dix-sept voix pour sa médaille. Dix-sept !

Et il est HC.

Mais qui peut oublier qu'il a 49 ans ? Pas lui, en tout cas. Une médaille, c'est bon à 20 ans. Là, c'est dérisoire. Il en goûte le plaisir et l'amertume.

Degas s'étonne.

« Je te croyais au-dessus de ces distinctions.

— Pas du tout. Tu te trompes, je les veux toutes… j'en ai toujours rêvé. »

Manet, ravi, se fend d'ailleurs d'aller remercier personnellement chacun des dix-sept jurés qui ont voté pour lui.

Chapitre XVII

1882

DERNIÈRES FOLIES

Au soleil parce que tu l'aimes
Je t'ai menée, souviens-t-en bien
Ténébreuse épouse que j'aime
Tu es à moi en étant rien
Ô mon ombre en deuil de moi-même.

GUILLAUME APOLLINAIRE

Son humeur est au bleu. Il va peindre un de ces papillons du boulevard, l'actrice Jeanne de Marsy, radieuse de jeunesse et de succès. Il l'accompagne choisir sa robe et commander son chapeau chez la modiste. Il a du soleil au cœur. Elle pose pour *L'Été*. Manet est vraiment une midinette, s'ébaubit Mallarmé qui l'envie et l'admire.

Las, c'est une joie brève. À nouveau la douleur l'assaille. Le docteur Siderey tente de le mettre en garde contre ses folles expérimentations de drogues. Elles sont plus dangereuses pour son mal que bénéfiques, même si elles le soulagent un instant. Manet s'en fout, il court après un miracle, la raison n'a rien à faire là. Le mal progresse si vite. La gloire tant convoitée vient trop tard, il est foutu. Et il aime tant la vie. Il se prend à regretter son voyage au Brésil et à en vouloir au monde entier, à tous les vivants qui ne vont pas mourir. Dans une rage de bête piégée, il s'en prend à la mort en personne, il la refuse. Comme le petit Dauphin de Daudet, il croit pouvoir lui tenir tête.

Dans son univers recomposé du 77, puisqu'il ne peut plus aller au monde, défilent les habitués, de Proust à Chabrier, de Mallarmé à Renoir, de Guillemet à Nadar, de Carolus à Monet, de Sisley à Pissarro, de Bracquemond à Astruc et, quand ils sont à Paris, Degas, Prins, sans parler d'Éphrussi, Paul Bernard, Deudon ou Marcel Bernstein, ses derniers collectionneurs assidus et avides. Et bien sûr, les stations bi-hebdomadaires de l'abbé Hurel. Tous se succèdent et s'y donnent rendez-vous. Fantin reparaît parfois, Whistler aussi. Ne manquent que ses morts, Baudelaire, Bazille, Duranty. Ça ne désemplit pas. Des femmes, que Suzanne ne doit pas rencontrer, passent quotidiennement. Méry Laurent, toujours en voisine, et, quand elle ne peut venir, elle envoie Eliza chargée de fleurs fraîches et de fruits choisis. Le monde et le demi, Suzette Lemaire, madame Michel Levy, Valtesse de la Bigne, madame du Paty, Irma Brunner, Eva toujours fidèle même mariée, Marie Colombier, Isabelle Lemonnier, même madame Zola qui soudain exige son portrait à tout prix et ne songe pas de le payer. Pour la mettre à l'aise, Manet choisit de lui offrir, et va jusqu'à affirmer qu'il en a eu l'idée seul. Entre 1879 et 1882, il fera six portraits de la belle Isabelle Lemonnier, assez pour s'en croire amoureux.

Avec les peintres et Mallarmé, Manet parle boutique, cuisine imaginaire, fabrication d'œuvres d'art, toile ou poème, sous des angles pratiques. Ses conversations préférées sont celles des dames entre elles, quand elles oublient sa présence. Jamais il n'a rejoint les messieurs au fumoir, s'égaillant dans les boudoirs. Grand trousseur de jupons, Sisley partage ses goûts.

Le 77 devient le dernier endroit où l'on peut contempler les chapeaux les mieux architecturés du moment, les toilettes les plus extravagantes arborés par celles et ceux qui savent le mieux les porter. Entre les reines de la galanterie et les épouses de quelques collectionneurs, il y a tous les soirs concours d'élégance au 77.

Il multiplie les flirts, collectionne les petites amoureuses... Chaque fois, il essaie d'y croire...

Comment rester maître de ce qui lui arrive ? Qu'il nomme toujours fatigue passagère ou crise d'arthrite !

Degas revient à la charge. Accompagné par une délégation de nouvelles recrues, peintres sûrement de talents – Manet garde intacte sa confiance dans l'œil de Degas –, mais plus du tout impressionnistes, et le supplie d'exposer avec eux. C'est la sixième exposition indépendante. Déjà. L'an dernier, le groupe battait de l'aile. Beaucoup d'absents. Berthe se consacrait à son nouveau-né, Renoir, Sisley et Cézanne se risquaient au Salon. Degas insiste. En vain. Si d'aucuns reprochent aux nouveaux venus de ne pas peindre impressionniste, que dire du travail de Manet ?

En plus ça se passe mal entre eux. Manet n'a pas besoin de conflit. Caillebotte se plaint que Degas « apporte de la désorganisation parmi nous », en introduisant des peintres, comme ce Gauguin, qui n'ont vraiment rien d'impressionnistes. Mais Degas l'est-il seulement ? Il s'est toujours refusé à user du mot, il lui préfère « Indépendants », ou mieux « Intransigeants ». Sur l'affiche qu'il finance comme le reste, Caillebotte veut imprimer la liste des participants, histoire d'appâter le chaland. À ses yeux, c'est indispensable et, comme il est riche, il prétend savoir ce qui attire l'argent. Or beaucoup sont aux abois et ont besoin de vendre. Degas juge cette manière de réclame d'une folle vulgarité, mais cède aux desiderata du principal commanditaire, à condition d'ôter le nom des femmes peintes de la liste épinglée. Tout de même ! Que les dames au moins soient épargnées par cette ignominieuse publicité !

Une troisième femme rejoint Morisot et Cassatt, Marie Bracquemond, l'épouse de ce graveur qui a jadis présenté Morisot à Fantin puis à tous les autres, le plus ancien pilier de la bande. Hélas, elle est tombée dans tous les pièges tendus aux femmes peintres. D'abord, et bien qu'artiste lui-même, son mari l'étouffe. Il ne supporte pas ce qu'il appelle soudain de « l'exhibitionnisme » !

Exposer ? Pouah !

Mais comment exister sinon ?

Elle se piège aussi toute seule par conformisme. Elle n'ose pas s'engager assez à fond dans l'avant-garde, seul lieu d'existence pour une femme peintre, Berthe le lui a assez seriné. Elle a bien compris, elle, que c'était ça ou mourir. Tracer, oser, suivre ses sensations…

Degas se démène presque seul. Par chance, il retrouve Henri Rouard, son ami du lycée Henri-IV puis de la Garde nationale, devenu grand collectionneur, peintre lui-même et vraiment riche. Il leur dégote boulevard des Capucines un lieu pour tous les exposer.

Sur treize participants, sept sont des amis de Degas. Mary Cassatt y fait grand bruit. Cette fois encore, Renoir, Cézanne, Caillebotte, Sisley et même Monet se sont fait porter pâles. La marge leur pèse, ils cherchent à intégrer l'Officiel. L'ancien groupe se disloque, et Caillebotte va rejoindre les réfractaires qui n'exposeront plus avec les Impressionnistes. Alors que tout de même, si quelqu'un mérite cette épithète, c'est bien ceux-là. Seul Pissarro ne désarme pas, c'est exclusivement en marge qu'il veut exister. La marge est son pays.

Degas leur impose des peintres nouveaux qui n'ont c'est vrai plus rien de commun avec le groupe initial. Sauf qu'ils n'existeraient pas si les précédents et surtout Manet ne leur avaient ouvert la voie. Si le local est mal fichu, la critique est aussi méprisante que d'habitude. Treize artistes entassent 170 tableaux dans un lieu sombre et exigu. On y sacre pourtant unanimement le travail de Mary Cassatt et de Berthe Morisot. Vive les femmes ! L'impressionnisme c'est les femmes. Cassatt expose cette merveille, *Le Thé*, Morisot, un éventail, quatre aquarelles et dix huiles, dont cette *Femme à sa toilette* qui fait se pâmer Manet. Cette seule toile la place au premier rang de l'Expo 1881.

Scindé en deux, le groupe initial, Monet, Sisley, Renoir briguent les honneurs du *salon de monsieur Bougereau*, contre les rebelles antibourgeois, Pissarro en tête, le plus pur, mais aussi Degas et Morisot qui n'ont aucun besoin de gagner leur vie, et se passent de cette forme de reconnaissance ! Bref entre les anciens marginaux règne une grande confusion. Ce qui fait paradoxalement passer Manet, même médaillé, pour un révolutionnaire forcené, et lui donne l'air plus intransigeant que ses pairs. Le grand public le considère toujours comme « l'insurgé de la peinture ». Insurgé et décoré ! Pour l'Institut, il n'a pas cessé d'être une terreur, il déclenche toujours l'effarement des bourgeois, alors qu'il continue d'avoir comme première préoccupation d'assortir ses cravates avec ses pochettes, et d'ajuster au mieux son haut-de-forme.

Pissarro, doyen de fait des Intransigeants, est l'unique à ne manquer aucune exposition impressionniste. Animé par l'amour de l'art autant que par l'amour de l'humanité, il rêve que la beauté sauve le monde, et s'attache à communiser l'art, à socialiser la peinture. Degas les sépare au point qu'ils s'escamotent les uns après les autres, laissant la place aux nouveaux. Et comme c'est son ami Rouart qui avance les frais de la sixième, c'est à Degas qu'on s'en prend. Piètre organisateur, il manque fâcher tout le monde avec tout le monde. Heureusement qu'ils s'aiment encore énormément. L'exposition dite impressionniste ne les sépare que le temps qu'elle dure, la semaine suivante, ils se retrouvent comme avant, comme toujours. Ils se soutiennent, s'admirent et s'entraident sans relâche. Ils font encore passer l'art et l'amitié avant leur bisbille. Monet déplore tout de même que « la petite église soit devenue une école banale qui ouvre ses portes au premier barbouilleur venu » ! Force est de reconnaître que ce groupe dit impressionniste s'étiole et se meurt entre 1879 et 1881. Cézanne et Renoir ne reviendront pas, ils prennent l'arrivée de Gauguin pour prétexte à ne pas se fâcher avec leur jeunesse…

Oui, ils restent ; fidèles à leur jeunesse. La preuve, ils se retrouvent unis et solidaires pour voler au secours d'un des leurs. Cabaner est mourant. On l'a transporté au sanatorium, mais il ne peut y rester, il n'a pas de quoi payer. Vite, ils organisent une vente de charité pour le secourir. Cabaner est la figure de l'excentrique par excellence. Doux et pensif, aussi excellent musicien que singulier compositeur, évidemment très pauvre, une incroyable dégaine, tous l'ont peint ou glissé dans leurs compositions. Il est leur *Neveu de Rameau* d'aujourd'hui, une grande figure de liberté. Et un merveilleux camarade. Pour vivre, deux trois soirs par semaine, il a passé sa vie à gratter de tous les instruments dans les caf'-conc' des boulevards. Au lieu de se contenter des airs à la mode, il y glissait de ses compositions. Ce qu'il compose ? Là, vraiment, chapeau. Pour ça, il en a du talent. S'il fallait un compositeur impressionniste, ce serait lui. Même Suzanne a plaisir à le jouer. Mais qui a conservé une seule de ses partitions ? Or si les textes de Richepin connaissent une telle notoriété, ils le doivent à sa musique. Manet a illustré les couvertures de ses rares partitions publiées. Aujourd'hui disséminées. Cabaner a mis en musique les meilleurs textes de Baudelaire, de Villon et de Cros. Son *Hareng saur* a connu le succès grâce à sa musique. Son œuvre n'est pas mince que la misère s'acharne à disperser. Il a été pour Manet le modèle des modèles, c'est lui son *vieux musicien*, son *mendiant*, son *philosophe*... Cabaner est le génie tutélaire des peintres, le plus ancien compagnon des Batignolles, terrain d'entente et d'entraide de toute la bohème.

Verlaine, qui s'y connaît, trouvait « qu'il ressemblait à un Christ après trois ans d'absinthe ». Lui-même disait à propos de son père, « un type dans le genre de Napoléon en moins bête ». Drôle mais jamais méchant. Il a toujours habité une grande pièce rue la Rochefoucauld où, sous l'égide des *Baigneurs* de Cézanne, son ami, il a hébergé tous les plus malheureux que lui. Il a fait partie du club des Vilains Bonshommes, il a vu arriver puis repartir, après avoir hébergé un temps chez lui le môme Rimbaud, qui l'enchanta alors qu'il épouvanta nombre d'habitués. Barman chez les Zutiques, un certain nombre de sonnets lui sont dédiés. Lui, il en a dédié un à Rimbaud, un étrange objet qui se veut le pendant du sonnet des voyelles, mais en associant les notes aux couleurs cette fois :

La OU cinabre,
Si EU orangé,
Do O Jaune,
Ré A vert,
Mi E bleu,
Fa I violet,
Sol U carmin

Sonnet pour les peintres.

On ne va pas le laisser crever tout seul. Pour payer les arriérés du sanatorium, chacun apporte son obole. De sa soupente, Manet sort cette œuvre étonnante, déjà ancienne, *Le Suicidé* qu'il n'a jamais montrée. Serait-ce l'état présent de son esprit ?

La vente a lieu le 14 mai 1881. De fait, grâce à ses amis, Cabaner survit. Jusqu'au mois d'août !

Ce tableau *Le Suicidé* alarme les Manet-Morisot qui s'enquièrent du moral d'Édouard auprès de Suzanne. Elle se fait une joie de leur dire en regardant Berthe dans les yeux, syphilis. Sinon, en famille, on le dit toujours atteint de rhumatismes héréditaires.

Malade, épuisé, déprimé, et ça ne s'arrange pas. Il souffre d'un pied, de l'autre, d'une jambe, de l'autre... Sans plus se fier au docteur Siredey, il se soigne tous azimuts, prend n'importe quelle poudre de perlimpinpin sans aucun discernement, abuse du seigle ergoté, et, comme ça l'énerve et le rend plus excité, il se croit mieux. Il en reprend jusqu'à tomber dans une addiction qui fait empirer son mal...

Quitter Paris ? À nouveau ? C'est chaque fois se quitter soi-même. Et juste au moment où il est enfin libre d'exposer comme bon lui semble : HC !

Mais il n'ira plus à Bellevue, ce douloureux traitement s'est avéré inutile. La médecine lui interdit aussi le bord de la mer qu'il a tant aimée : pas d'humidité, donc pas non plus Gennevilliers près de la Seine où ses amis se retrouvent sans lui, où il n'a jamais été si heureux. Où aller ? Il tourne comme un lion en cage, quand un collectionneur lui suggère une maison à louer proche du château de Versailles qu'il pourra peindre de chez lui. Manet s'y installe aussitôt. La maison est moche, le jardin décourageant, mais il espère aller se perdre dans le jardin des reines. « Sur trois marches de marbre rose... »

Il y est déjà, fin juin, quand le Salon distribue publiquement ses récompenses, donc sa médaille. Il n'entendra pas ce que son nom déclenche encore de cris de haine, de huées de mépris, cette fois couverts par les applaudissements enthousiastes de ses admirateurs.

Léon est allé chercher la médaille, vêtu en marlou. Est-ce provocation ou ainsi qu'il évolue, s'inquiète

Suzanne ? Il ne lui rapporte pas les grondements haineux, mais il ne peut lui éviter la presse qui blâme cette « médaille de sauvetage » !

Fantin applaudit, Carolus-Duran se réjouit, Renoir lui écrit « vous êtes le lutteur joyeux sans haine pour personne comme un vieux Gaulois, et je vous aime à cause de cette gaîté même dans l'injustice ». Cela peut-il le venger de « la démocratie est la mort de l'art et Manet le Zola de la peinture » lu le matin même dans la *Gazette* ?

Pour Monet comme pour Degas, Manet devrait être au-dessus de ces distinctions bécasses. Oui, mais non, il ne l'est pas.

Versailles est décevant, il marche de moins en moins, il ne peut pas quitter son jardin, et chaque jour réduit ses pas. Il ne dort bientôt plus et déprime épouvantablement. S'écoulent là deux mois d'ennui sans fin à aquarelliser sur ses genoux. Deux, trois toiles, en tout, en deux mois et demi !

Il est tellement épuisé que, lorsque Mallarmé qui vient souvent le visiter lui lit des textes choisis, il lui arrive de s'endormir. Alors Mallarmé, soucieux, soigneux, attentionné de tout son être, continue tout doucement pour ne pas le déranger. Sa santé est si mauvaise qu'aucun médecin n'ose se prononcer. Quand arrivent les averses du 15 août, un ennui sidéral, les douleurs revenues, l'amertume et les regrets se bousculent dans sa poitrine. Mais il ne doit pas penser au passé s'il veut avoir un avenir. Il s'y accroche comme au manche de son pinceau. D'autant qu'à Paris le bruit court qu'il est fini, lui rapporte Proust.

Fini ? Ah ! Eh bien, on va voir ce qu'on va voir ! Il rentre dans l'heure !

Sitôt chez lui, il se remet au travail d'arrache-pied, c'est hélas le cas de le dire, son pied gauche le lance sans trêve. À nouveau, il fuit l'appartement des femmes et multiplie les flirts de façon hystérique, comme si, faute de le guérir, c'était la seule chose capable de le distraire. Au moins la détérioration de sa santé ne vient pas de l'air parisien, à Versailles il était plus mal encore. Foin des douleurs, il reprend sa canne, son haut-de-forme et refait le tour des bars à la mode pour atterrir aux Folies-Bergère qu'il décide de reproduire en « machine de Salon ».

Fasciné par le train, la vitesse et le progrès technique, il sollicite des chemins de fer l'autorisation de monter sur les locomotives pour peindre les cheminots au plus près, dans le feu de l'action, gueules noires, mains brûlées... Il rêve de faire le portrait des petits métiers pour rendre compte de la peine des travailleurs. Ce projet ne tombe pas dans l'oreille d'un sourd. Zola en fera un livre.

En douce, Prins, qui ne le quitte plus, prévient les proches : cette fois Manet est vraiment mal ; il a besoin de toute leur amitié. De leur présence aussi, en relais.

Il peint *Le Banc* où il a passé toutes ses heures de douleurs, en ce jardin de Versailles qu'il n'aimait pas. Quand, dans le lointain imaginaire d'homme libre de ses mouvements jadis, jaillit un jeune *Taureau blanc* qu'il peint comme il le voit : toisant le public, un air de défi dans les yeux. Son double rêvé.

Manet n'est pas plus content de sa santé que des travaux qu'il s'efforce pourtant de mener à bien.

Suzanne et Eugénie n'en peuvent mais. Envers elles, il est d'une humeur aussi abominable qu'injuste. Quelle fatigue couve sous ses bravades ? Il veut encore se promener, encore peindre, encore réussir, encore briller. Maintenant qu'il est HC, il veut exposer de plus grandes choses encore.

Dans le miroir des Folies…

La composition de son *Bar aux Folies-Bergère* rejoint ses plus grandes machines chorales. Il y a vingt ans, c'était la *Musique aux Tuileries*, il y a dix ans le *Bal à l'opéra*, il achève *sa carrière de peintre des mœurs les plus libres, les plus légères et les plus joyeuses du siècle aux Folies…* Ce qui choque chaque fois, c'est le « négoce sexuel » que sous-entendent ces scènes. Or elles ne sont pas explicites dans le tableau, c'est seulement le regard du public qui les y voit. Manet comprend enfin que ce qui offusque les bourgeois, c'est leur propre abjection, leurs sales façons d'acheter et de traiter les femmes. Lui ? Il les traite si bien.

Ô comme il aime les bien traiter.

Ne pouvant plus croquer sur le vif pendant des heures, il débauche la servante triste des Folies afin qu'elle vienne poser à l'atelier. Il récupère le ruban noir d'*Olympia* et lui noue autour du cou. Il installe sa plus brillante nature morte au premier plan, fruits, fleurs, bouteilles sur le comptoir de marbre de l'atelier. Il fait accrocher par Léon un miroir à cadre doré dans le reflet duquel il n'oublie ni le lustre ni la grande galerie du premier étage des Folies, qu'il charge d'un public peu intéressé par le numéro de trapéziste en cours, dont il ébauche les pieds chaussés de vert vif, et la barre de trapèze. Une machine vraiment très compliquée, d'une savante construction.

Accoudée au balcon, Méry tout en blanc, derrière elle Jeanne de Marsy tout en beige incarnent le brillant du demi-monde qui draine le Tout-Paris.

« Les Folies sont le seul endroit à Paris qui pue aussi délicieusement le maquillage des tendresses payées et les abois des corruptions qui se lassent. Marchandes de boisson et d'amour. » Ouvertes depuis peu, l'établissement de la rue Richer passe pour une halle aux filles, en dépit des nombreuses attractions qui s'y succèdent sans désemparer. C'est laid et superbe à la fois, entre un luxe canaille et une musique de bastringue. Impossible de ne pas avoir le sentiment de s'y dévergonder... Manet peintre du dévergondage ou peintre dévergondé ?

Coiffée à la chien, la boudeuse Suzon, l'authentique serveuse des Folies ne vient poser qu'accompagnée de son très méfiant protecteur qui lui interdit d'aller seule chez un artiste. En arrivant, le mac inspecte les lieux, il ne comprend rien. C'est quoi cet entrepôt de bric et de broc où se pavanent tant de messieurs chics et de belles dames ? Les riches sont vraiment pervers ! Il ne lâche pas sa Suzon. Laquelle, perdue au milieu de la foule peinte, exprime toute la solitude du monde. Pour son premier grand effet de miroir, Manet choisit la distorsion : le dos de Suzon ne reflète pas sa position de face, il déforme la perspective à dessein, orientant ainsi le point de vue du spectateur à sa guise. Ça lui permet de placer chacun en voyeur, à l'égal du monsieur qui a l'air de lui passer commande.

Toute la beauté des Parisiennes semble jaillir de ces miroirs.

Après de nombreuses séances courtes et laborieuses, Manet achève sa toile assis. Il souffre trop.

Depuis l'été où il a commencé de lui écrire, il se croit épris de cette Isabelle Lemonnier qui ne brille que d'indifférence. Il la harcèle de dessins, d'aquarelles, de jolis mots où il l'implore de le visiter. Elle se mure de silence. Et sans doute d'incompréhension. Elle est plus jeune que Léon ! Qui ne quitte plus Manet. Il s'est mis à plein-temps à son service, aux petits soins de son Parrain. Prêt à intervenir dans l'instant, téléguidé par Suzanne que Manet envoie bouler dès qu'elle ose s'inquiéter.

Méry Laurent est sa plus proche amie, cette fois avec l'assentiment de tous, puisque Manet la supporte, au moins ne marronne-t-il pas tout seul. Elle vient chaque jour, parfois deux fois, ou envoie sa bonne Eliza, très attachée à son monsieur Manet, qu'elle dorlote comme ni sa mère ni Suzanne n'en ont plus le droit.

Toujours aussi ambigu, Proust lui décroche néanmoins la Légion d'honneur, après quelques contestations, y compris de la part du chef de l'État. Le président Jules Grévy soi-même, à l'énoncé du nom de Manet, se cabre et refuse de signer. Alors, du haut de son autorité naturelle, Gambetta dit assez fort : « Il est bien entendu, monsieur le Président, que chaque ministre demeure maître de ses croix. » Le Président signe. Gambetta la lui remet le 30 décembre 1881.

Cynique, Manet répond à Ernest Chesneau, hier journaliste, aujourd'hui embusqué dans les allées du pouvoir, et qui ose le féliciter de sa médaille comme s'il y était pour quelque chose : « Trop tard, si vous m'aviez décoré il y a 20 ans... Avec ce ruban, vous ne réparerez pas vingt ans d'insuccès. »

Il était temps. Proust ne demeure ministre des Beaux-Arts que quelques jours après ça. Le 26 janvier 1882, c'est fini. Le cabinet Gambetta a tenu 77 jours ! Et Gambetta n'y survit pas. Mais Manet a sa rosette.

« Merci l'ami tu as fait ce que tu as pu, du bout des lèvres comme toujours mais c'est ta nature.

— Ce n'était que justice, se gargarise Proust.

— Ah ! L'heure de la justice ? Cette heure fameuse qui fait que nous ne commençons à vivre que quand nous sommes morts ? Oh comme je la connais, celle-là. »

Une décoration pour repousser la mort. Est-ce que ça peut marcher ? Trois centimètres de ruban rouge pour l'immortalité ? Ça ne va pas suffire.

C'est à son père qu'il la dédie. À sa mère qu'il l'offre, et à son tiroir qu'il la réserve. Là encore : trop tard. Il n'en jouit pas. Oh, il est content, pour les siens surtout, qui ont enduré des décennies de rejets. Si ça peut les dédommager un peu…

Chevalier de la Légion d'honneur ? Cavalier de l'Apocalypse, oui.

L'ombre du soir descend.

À nouveau, Durand-Ruel est acculé à vendre ses collections, la faillite le poursuit. Il est au regret de devoir dire à Renoir et à Monet que, même s'ils refusent encore d'exposer lors de la septième manifestation impressionniste, lui va les y accrocher. Il doit se défaire des œuvres qu'il leur a achetées. Cette année, leur exposition se tient au 251 rue Saint-Honoré, salle des panoramas. Malgré la presse rieuse des premiers jours, le vent tourne. C'est un échec financier, mais moindre, et, pour la première fois, la critique leur est favorable. Et Manet s'en réjouit, « notre heure a enfin sonné ! ». Dans sa bouche, ça sonne un peu comme un glas, mais sa joie est sincère. Leur peinture survivra, espère-t-il, encouragé par la foi solide de Renoir, celle émerveillée de Monet, et le ton bourru et péremptoire de Degas. « Évidemment, c'est pas Cabanel qui raconte l'époque, c'est nous. »

Il sait Mallarmé très épris de Saladin, son sloughi, un chien magnifique. Pour son anniversaire, Manet en a fait le portrait. Et comme il a fait toute sa vie, pour tous ses animaux, il l'a traité comme un humain. Il le lui offre, le poète fond en larmes. Manet le prend dans ses bras mais interrompt son geste pour se jeter sur le canapé : ses jambes l'ont lâché. Se glacent les rires qu'il sait faire renaître dans la seconde. L'humour accompagne la douleur. Est inséparable de sa douleur.

Au Salon de 82, il expose Jeanne figurant *Le Printemps* et son *Bar aux Folies*, et rencontre un succès encore assez controversé, mais suivi de commandes. Et les revues le chroniquent enfin avec admiration. Il lui parvient une réelle reconnaissance de la part d'anonymes. On ne le moque plus, on en discute. Il était temps.

Eh non, c'est trop tard.

Effectivement, le cartouche HC posé sous l'œuvre impose le respect au petit peuple qui n'y connaît rien, mais aussi à la critique qui n'en sait pas plus quoiqu'elle y prétende. Il est désormais un artiste classé, donc rien à dire à sa présence au Salon.

« Cet homme est une force,

Un Goya à la française. »

Il touche au but mais aussi au terme.

Aussi écrit-il à Wolff : « Je ne serais pas fâché de lire de mon vivant l'article que vous me consacrerez mort. »

Car elle approche. Ce mot de rhumatisme est un leurre, il le sait. Si le mot n'a jamais été étalé dans toute sa cruauté, celui de tabès dissimule-t-il autre chose ? Sa lointaine nuit brésilienne l'a rattrapé. Oh, il peut toujours minimiser la douleur, il est miné en profondeur. Les drogues l'abrutissent sans le soulager.

Il n'attend plus qu'on l'oblige à quitter Paris. Vaincu par une fatigue qui n'est qu'une des formes du mal qui le ronge, il loue une maison à proximité de ses meilleurs amis, et de Gustave endeuillé par la mort de Gambetta. Il s'y installe avec Léon et Suzanne. Il s'y sent puni. Heureusement les Manet-Morisot sont à Bougival, à côté, et tâchent de le visiter un jour sur deux. Suzanne, Léon et Eugénie se relaient pour le distraire de lui-même et de ses douleurs, sachant toujours se retirer quand, soudain, la concentration le jette sur le travail, ou que paraît un ami. Peu de toiles, la station debout est devenue impossible. Du pastel à l'aquarelle, il s'accroche désespérément à son pinceau. Il peint comme on prie Dieu.

Cette villa est si triste qu'elle exacerbe son sentiment de solitude et d'abandon, alors qu'ils sont tous là, se succèdent et se relaient pour lui tenir compagnie, parler d'autre chose ou de peinture, mais pas de maladie.

On commente avec un enthousiasme que Manet n'a jamais connu la moindre de ses natures mortes.

C'est sûr qu'il y manifeste une maîtrise et une virtuosité absolues. Mais c'est un si petit genre.

« Tu le sais, n'est-ce pas, qu'on n'a jamais fait mieux, affirme Berthe. Tu n'as plus rien à prouver. Détends-toi.

— Si ! Oh si. J'aimerais tant vous prouver que je suis encore vivant. »

Chapitre XVIII

1882-1883

TROP TARD

Souviens-toi que le Temps est un joueur avide
Qui gagne sans tricher, à tout coup ! C'est la loi
Le jour décroît ; la nuit augmente ; souviens-toi !
Le gouffre a toujours soif ; la clepsydre se vide.

CHARLES BAUDELAIRE

Pour le prochain Salon, puisque maintenant il expose ce qui lui chante, il rêve d'un soldat qui jouerait du clairon et d'une amazone... Il en a croqué quelques-unes au printemps, mais laquelle poser sur une vraie toile ? Opiniâtre, il s'escrime sur ces femmes-fleurs, s'écroule en cachette, se relève et recommence des Méry, des Irma, des Isabelle... Il les peint comme il les aime, avec une tendresse démesurée.

Eugène et Berthe se relaient pendant la semaine. Gustave revient passer les fins de semaine. Son état empire. On le cache à Eugénie, heureusement distraite par la petite Julie, qui grandit dans ses bras.

L'autre pied est atteint. À quoi bon en faire état, puisque aucun remède n'opère ? C'est au milieu d'une jolie réunion de famille, par un de ces après-midi de soleil parfait que, subitement, Manet doit courir à Paris.

« Tout de suite ? »

Oui. Toutes affaires cessantes, maladie, douleur, mort, il y court, alors qu'il ne peut plus marcher ! Il doit soudain impérativement mettre ses affaires en ordre.

Sa mère et ses frères le supplient de ne pas bouger, de ne pas se mettre encore plus en danger. C'est en regardant Bibi, cajolée, adorée, peinte sous toutes les coutures par tous ceux qui savent tenir un pinceau alentour, lui-même était en train de la croquer avec son gros arrosoir, qu'il est pris d'une violente panique pour Léon. Ça lui fait comme une brûlure, un pincement au cœur.

Quel avenir pour Léon quand il n'y sera plus ? Que va-t-il lui arriver, qui prendra soin de ses intérêts après lui ? Après lui c'est tout de suite, demain. Vite trouver un moyen de le protéger après sa disparition.

Face à l'écart entre ces deux enfants de sang Manet, l'injustice lui broie le cœur. C'est trop disproportionné et c'est de sa faute. Il lui faut urgemment donner à Léon tout ce qu'il peut. Donner, léguer, peu importe, nantir cet homme à qui il n'a pas pu donner son nom, son rang, son lignage. Le temps presse. Le temps l'oppresse.

De Saint-Lazare un fiacre le mène directement chez le tabellion familial où, à la hâte, il rédige un testament écrit de sa main :

« Il est convenu que Suzanne ma femme laissera par testament à Léon Koëlla Leenhoff la fortune que je lui ai laissée…

Je crois que mes frères trouveront ces dispositions toutes naturelles…

Tout l'argent disponible est immédiatement pour Léon…

Sur tout ce qui sera réalisé lors de ventes ultérieures, prélever cinquante mille francs pour Léon, donner le reste à ma femme... »

Au passage, il fait don à Duret de n'importe laquelle de ses œuvres, à choisir à sa mort, charge pour lui, en échange, de s'occuper de vendre au mieux tout ce qui reste dans l'atelier. Après.

Oui, les testaments, les notaires c'est toujours pour après soi. Le mot mort ne lui fait plus peur. Il n'en a pas envie mais la lassitude l'a gagné. Il est contraint de retourner à la campagne. Une épidémie de choléra s'est abattue sur Paris, le nouvel Opéra est réquisitionné pour servir d'hôpital.

Il est trop faible pour rester ici, l'air est vicié.

Ayant fait cela, il s'exerce à donner le change. Pour la première fois depuis qu'il a commencé d'exposer, il n'a rien de prêt pour le Salon. Des idées mais plus envie, il est vraiment las de cette foire d'empoigne ; il a assez cavalé. Plus d'énergie. Tout de même, n'avoir rien de prêt cette année alors qu'il est HC, c'est rageant. Quel chagrin et quelle dérision.

Il passe d'une esquisse l'autre, Suzanne avec son chat sur les genoux, des études de Faure qui vitupère pour avoir un nouveau portrait. Il n'est jamais content de son image. Dieu qu'il s'aime, songe Manet qui n'en a pas autant pour lui-même. À tout le moins, il se supporte.

Là, il n'aime plus rien, n'a plus la force de rien. Des pastels de jolies filles, oui, tant qu'il peut, mais le chanteur exigeant et vaniteux ? Il laisse tomber. Ça n'empêche pas Faure de lui acheter quatre œuvres de plus, *Dans la serre*, une *Vue verticale de la maison de Rueil*, un de ses *Portraits de Rochefort* et *Léon avec une poire*.

Ne reste plus beaucoup d'heures utiles, étendu les trois quarts du temps, un livre à la main, les yeux souvent clos. « Je m'entraîne à être mort », s'excuse-t-il quand on le surprend. Il lit quelques romans, éprouve soudain une particulière familiarité avec ce Flaubert, mort il y a deux ans, et d'une si belle qualité de colère. De sa voix de velours, Mallarmé lui fait la lecture. Las, il devient difficile de trouver des livres plus forts que la douleur.

Il quitte Rueil début novembre, il se prend à redouter l'hiver. Il espère toujours le soleil, la chaleur, le prochain printemps. Puisqu'il n'a rien de prêt pour 1883, il fait des projets pour 1884. Un soir, Nadar l'entend inventer à voix haute un tableau merveilleux, qu'il n'ébauche même pas, mais Dieu qu'il était beau, répète Nadar.

Les Beaux-Arts de Lyon l'exposent en février 1883 ! Il n'envisage pas de s'y rendre, on lui écrit que son *Café-Concert* rencontre un vif succès. Tant mieux, ça n'a plus le pouvoir de le réjouir. Trop tard. Définitivement.

Quand il ne pleut pas, qu'il ne fait pas trop froid ou qu'il n'a pas trop mal, il se rend à l'atelier lentement, souvent au bras de Léon. Il dépasse rarement l'esquisse. Pluie ou vent, il demeure blotti devant le feu que Léon et Suzanne alimentent sans trêve. Siredey est inquiet mais ne sait que faire pour le soulager. Inexorable, le mal progresse, la douleur augmente. Et la presse publie de déplorables bulletins de santé. Démentir ne sert à rien. Elle est tellement en deçà de la vérité.

Les yeux mi-clos, il observe Léon, sacrifié aux convenances. Il ressasse, se cherche des excuses, des façons de lui présenter les choses. Non, rien. La culpabilité l'empêche de lui dire qu'il lui était impossible de le reconnaître tant qu'il était objet de scandale, ça en aurait rajouté et nui à toute sa parentèle. Il ose à peine s'avouer qu'en vérité il l'a sacrifié à sa pusillanimité. Il aurait pu, il aurait dû. Il a honte. Il sait bien que le testament ne réparera rien. Et Léon aux petits soins pour lui ! C'est son remords qui le dorlote.

Manet le regarde s'agiter pour améliorer son confort, et pleure. Croyant qu'il pleure de douleur, le fils caché, qui est aujourd'hui un homme de trente ans, le prend dans ses bras, et lui chuchote des « Parrain, Parrain, le printemps revient, ça va aller mieux… »

S'il rassure encore ses amis, avec sa famille, il n'essaie plus. Il sait à quoi s'en tenir et les prépare au pire.

Berthe a compris. Suzanne sait tout mais préfère se leurrer. Léon refuse simplement d'y croire. Eugénie demande à ses autres fils de la rassurer.

Méry Laurent est toujours présente. Il parvient encore à transformer ses cadeaux en dessins, aquarellise ses fleurs et ses fruits comme pour les lui rendre. L'eau des vases est quotidiennement changée par Eliza qui passe vérifier que monsieur n'a besoin de rien.

Il peine de plus en plus à se rendre jusqu'à l'atelier, du mal à marcher, du mal à rester debout, du mal tout le temps. Il s'y sent pourtant mieux que devant la cheminée à entendre les reniflements étouffés de sa mère et de sa femme. Du divan au chevalet et retour, vingt fois par jour. Il ne peint plus que des fleurs. Des fleurs pour sa tombe. Natures mortes qu'il s'apprête à suivre.

Un jour de mars, Eliza passe lui porter les présents du jour, fruits et fleurs, et lui annonce, gouailleuse, « c'est le printemps, tout va s'arranger. Et demain, c'est Pâques ». Méry lui fait porter un magnifique œuf en chocolat.

Manet prie Eliza de s'asseoir et de prendre la pose, il commence à la croquer, ça vient bien, quand soudain une douleur fulgurante l'oblige à s'interrompre. Sans attendre Léon, Eliza l'aide à regagner son logis à quelques mètres.

L'esquisse d'Eliza reste en plan sur le chevalet. Il ne redescendra plus.

Léon le couche en prenant mille précautions pour ne pas toucher à ses membres inférieurs qui ne sont plus que douleurs, ses traits se creusent, son nez s'affine, son beau regard se voile, il s'éteint avant de mourir.

On est le 25 mars 1883, la gangrène vient d'attaquer sa jambe gauche.

Seul Léon a droit de s'enfermer dans la chambre avec lui ou plutôt dans le salon converti en chambre d'agonie à cause de sa grande cheminée. Malgré un chaud et précoce printemps, Manet claque des dents.

Sous le coup d'un plus violent élancement, il s'entend dire à sa mère : « On ne devrait pas mettre des enfants au monde quand on les fait comme ça ! » C'est sorti malgré lui. Il s'en veut et le pense alors qu'au fond il ne doute plus de mourir de ses amours brésiliennes. Il n'ose plus regarder Suzanne, Berthe, Léon, en face. Il a honte, tellement honte. Du coup, il souffre d'un excès de lucidité. Aussi prie-t-il Berthe et Eugène de prendre Eugénie chez eux. Le temps qu'il guérisse...

Comme elle est folle d'inquiétude au moindre bobo, déjà l'été dernier, Édouard a demandé à Berthe de lui cacher le plus infime rhume de Bibi. Leur mère n'a jamais supporté de ne pouvoir soulager les siens. Cette mère toute-puissante ne se remet pas d'avoir engendré des enfants mortels. Surtout l'aîné, son adoré. L'a-t-il assez déçue ? Il préfère mourir loin d'elle.

Il se recroqueville comme un chat malade, il souffre en geignant. Les visites ne le distraient plus, pourtant il les espère encore. Si un miracle pouvait se produire, il viendrait par la porte.

Nadar lui porte son dernier ouvrage : *Le Monde où l'on patauge*. Manet lit le titre et dit : « Oui, c'est vrai mais dieu que j'ai aimé patauger. »

Par-dessus tout, il est sensible à la bonté des gens. Il ne l'a jamais mieux perçue que depuis qu'il est contraint à l'immobilité, dépendant comme il ne pouvait l'imaginer.

Comme il ne peut plus se rendre à l'atelier, ni travailler sur un format normal, il envisage de prendre des cours de miniature pour travailler de son lit. Il écrit à un confrère dans ce sens : « Mon cher Defeuille, venez me donner une ou deux leçons de miniature. Pour la peine je vous donnerai si vous le voulez un pastel... »

Comme l'espérance est violente.

Une fois couché, il perd le peu de coordination qui lui restait. Il risque la chute chaque fois qu'il se lève. Des sursauts de désespoir entre deux épisodes fiévreux le laissent sur les flancs. L'effort désespéré d'un homme qui se bat contre la mort.

« Pourquoi pas l'homéopathie ? » insiste Eugène. On dépêche le docteur Gachet à son chevet, qui ne trouve rien de mieux que de se faire mousser en causant peinture, histoire de montrer comme il s'y connaît. Quand à ses remèdes, au moins ne lui font-ils aucun mal. De toute façon, il est trop tard.

Léon filtre les amis autorisés à le voir. Degas, Pissarro, Fantin, Renoir, Monet, Prins, Astruc, Mallarmé… Et non, pas Zola. Il fait trop de bruit. Berthe les a prévenus, tous savent qu'il est perdu. Comment lui dire qu'ils l'aiment, qu'ils lui doivent tant ?

Gustave veut à tout prix lui amener son ami Clemenceau. Quand Manet voulait faire son portrait, Clemenceau n'avait jamais le temps. C'est à peine s'il lui accorda un quart d'heure à la va-vite. Alors, non, il n'en veut pas à son chevet. Finie, la vie publique ne l'intéresse plus, seule l'amitié, la tendresse. Monet oui, pas Clemenceau.

Livide et mourant, il est encore assailli par des collectionneurs amateurs qui réclament des toiles ! Ceux-là qui l'ont méprisé toute sa vie insistent pour l'acheter de son vivant, « après ça va forcément monter et ça sera trop cher ! ».

Spéculateurs de mort ! Charognards. Dehors ! Léon a cru bien faire en les laissant monter, il s'est trompé. On les chasse.

Ensuite, tout s'accélère. Pas assez pour lui. C'est l'horreur des agonies douloureuses qu'une médecine impuissante s'acharne à entretenir pour se gonfler d'importance sans jamais soulager. Ses gémissements réveillent tout l'immeuble. Folette, la petite chienne de Suzanne, hurle à la mort comme pour l'accompagner ou couvrir sa plainte. De gris, son pied gangrené vire au noir. L'odeur est pestilentielle, on fait brûler des parfums toute la journée. Un dimanche matin, Léon le trouve inanimé et court chercher Siredey qui, impuissant, convoque des confrères chirurgiens.

Chaque matin, après le passage du médecin, Léon punaise un bulletin de santé dans le hall de l'immeuble où se presse une petite foule, amis, curieux, badauds. Manet se meurt, les charognards n'en veulent rien rater.

Un évêque propose ses services pour l'extrême-onction. Léon lui interdit sa maison. L'abbé Hurel l'ondoiera, mais seulement quand il sera dans le coma.

Le collège de médecins convié par Siredey tient conseil dans l'antichambre. Seule l'amputation pourrait le soulager, sinon le sauver. Aucune autre façon de retarder l'issue, de suspendre cette douleur que rien n'apaise. L'amputation comme son soldat de la rue Mosnier pavoisée… qu'il aurait donc malgré lui anticipée.

Le 18 mars, tous les ongles de son pied tombent d'un coup, sa jambe est morte. Et il va la suivre, il le sait, tandis qu'autour on feint de croire au miracle.

Amputer ? Plus le choix. Mais il est si faible,

supportera-t-il l'opération ? Il faut amputer, sinon ? Sinon il mourra. Mais il meurt de toute façon...

On le consulte ? Manet consent à tout. Gachet déconseille. Mais c'est Siredey qui décide.

L'amputation a lieu là, ce 20 avril, à même la table du salon, sans la moindre asepsie. L'artiste est conscient, ensuqué, drogué tant qu'on a pu mais incroyablement conscient. Et il voit cette armée de médecins, concurrents en redingote, à peine protégés par un tablier blanc, se disputer, scalpel en main, s'il faut couper au-dessus ou au-dessous du genou. Manet pense à la leçon d'anatomie de Rembrandt. Il n'y a plus d'espoir, l'autre jambe est touchée. Ça ne fait rien, ils s'obstinent à couper celle qui est déjà noire. Pas d'anesthésie mais de l'alcool, beaucoup d'alcool, surtout pour les médecins... Manet bascule dans un sommeil noir sitôt que la douleur diminue.

Au terme de l'opération, ne sachant que faire de la jambe coupée, l'un d'eux la dissimule dans la cheminée, derrière le pare-feu. Alerté par l'immonde odeur, Léon l'y trouve le lendemain.

On a trop tardé. Lui ôter la jambe ne servait plus à rien, la gangrène est partout. La douleur est revenue identique à celle d'avant l'amputation. Il a mal à son absence de jambe, redoute qu'on la touche... Des douleurs atroces où il n'y a plus rien.

Un adieu aux siens ? Il veut bien. Léon lui propose de faire entrer ceux qui patientent dans l'antichambre avec Suzanne. « Qui est là ? » murmure-t-il. Berthe ? Oui. Qu'elle entre seule.

Elle reste deux minutes, debout, ses deux mains enserrant les siennes, sans un mot. Elle lui caresse la joue et sort sans une larme. Elles attendent d'être loin pour couler. Entrent ensemble Eugène et Mallarmé, le premier rejoint Suzanne et Léon à côté tandis que le second s'assoit naturellement à son chevet et demeure là tout son temps libre, silencieux, sans le quitter des yeux. Passent Monet et Chabrier qui restent debout près de l'entrée, intimidés. Sans bruit. Nadar s'étonne que Suzanne ne soit pas au piano. Elle est incapable de jouer, même son cher Haydn, ses mains tremblent, ses larmes ne cessent de couler. Chabrier propose de s'y mettre. Léon refuse. Seul demeure Mallarmé. Ni Degas ni Renoir n'osent franchir son seuil, trop affectés par l'anticipation de la perte. Ils passent pourtant chaque jour demander des nouvelles mais n'osent aller l'embrasser. Gustave passe tous les soirs, il se pose au salon où meurt Édouard et, fidèle à leur entente de toute sa vie, lui résume la presse du jour... jusqu'au bout. Même quand il ne réagit plus.

Manet cesse d'entendre. De voir, de s'intéresser. C'est fini.

Manet ferme les yeux, il en a trop vu. Il ne veut plus rien voir, jamais.

Entré en agonie le 24, inconscient, il rend l'âme, enfin ce qui en reste, après de si grandes douleurs, le 30 avril. Le soir n'est pas tombé, la lumière d'un printemps ascendant, triomphant, cherche encore à envahir la pièce, il est 19 heures, les premières fleurs de mai portées par brassées par Méry n'embaument plus ses narines. C'est fini. Léon ne l'a pas quitté. Sa main reste posée sur la sienne longtemps après qu'il a cessé de respirer.

Il a 51 ans.

Les artistes pleurent. Ses amis ne se quittent pas, rassemblés autour de Léon et Suzanne, Berthe et Eugène, Gustave et Prins. L'abbé Hurel l'a oint le matin même et n'a plus quitté l'antichambre.

Duret, Degas et Mallarmé prennent en main la suite, organisent ses funérailles. La nouvelle court Paris à la vitesse de l'éclair.

Ultime pied de nez, Manet s'est offert le luxe de mourir la veille de l'ouverture du Salon.

Bah, il n'avait rien de prêt cette année !

ÉPILOGUE

Le 31 décembre 1882 meurt Gambetta, Manet le suit en mai.

Sa mort fractionne l'univers qu'il avait commencé de grignoter.

D'abord on l'enterre en héros. Une immense foule massée sous ses fenêtres l'accompagne jusqu'en l'église de Saint-Louis-d'Antin. Mené par ses deux frères et le cousin Jules – où est Léon ? –, le cortège sort de l'église. Le cercueil est porté par Claude Monet, Émile Zola, Antonin Proust, Philippe Burty, Alfred Stevens et Théodore Duret. Suivi en rang par Suzanne, Eugénie, Berthe et sa fille, enfin tout seul, derrière, Léon. Suivent ses amis, le tout Montmartre, les héros du temps qui précèdent la foule massée, compacte, jusqu'au cimetière de Passy où Berthe Morisot, en catastrophe, a pris une concession – seulement quatre places ; une pour Suzanne plus tard, une pour Eugène et une pour elle. Personne d'autre ? Étrange !

Recueillie, la foule s'arrête dans la montée du cimetière de Passy où, à gauche de l'intersection dans la grande allée, on pose son cercueil sur le bas-côté. Proust, le plus ancien de ses amis, prend la parole mais hoquette de sanglots. Ce n'est pas feu le premier ministre de la Culture qui parle, c'est l'ami d'une vie qui s'effondre.

Renoir pleure. Monet retient ses larmes mais son cœur déborde. Vexé, Zola aurait voulu faire le discours, Mallarmé l'en a empêché, Alfred Stevens lui n'aurait pas pu, trop de chagrin…

Degas bougonne : « Il était plus grand qu'on ne le croyait. »

Manet croule sous les couronnes, les fleurs et les femmes. Tant de femmes tristes l'accompagnent. Il aurait aimé ça. Manque Eva Gonzalès. Le jour où l'on a amputé Manet, Eva Gonzalès a accouché. Cinq jours après, elle meurt d'une embolie d'après couches. L'annonce de sa mort l'a frappée au cœur.

Des semaines durant, la presse ne parle que du mort. C'était bien la peine. Si on pleure l'homme, le peintre sent toujours le soufre : impossible de le faire entrer au Louvre, même au Luxembourg ou à l'Orangerie ! Ses amis vont devoir batailler des décennies.

Personne ne pouvait demeurer où Édouard était mort : aussi, dès la fin mai, Suzanne, Léon et Eugénie quittent pour toujours les Batignolles et s'installent chez Berthe et Eugène qui les hébergent généreusement. Mais la situation est trop humiliante pour Léon. Et Suzanne se sent intruse chez cette belle-sœur rivale, en dépit des efforts d'Eugène qui conserve toute sa tendresse envers elle et Léon.

Ensuite, l'époque s'effiloche. Sa famille. Sa mère lui survit de peu mais, paralysée quand Gustave se suicide, elle se laisse mourir en quelques semaines, un an après son fils préféré. À la mort d'Eugénie, Suzanne les quitte pour s'installer avec son fils loin de ces gens. Qu'ils ne vont plus beaucoup revoir, sauf obligation. Comme celle d'organiser des expositions-hommages et surtout des ventes pour assurer leur survie.

Un groupe composé de Proust, Duret, Suzanne, Gustave et Eugène prévoit une rétrospective de l'œuvre et la dispersion de l'atelier. Les Beaux-Arts refusent d'exposer Manet qui brûle donc toujours. Alors Proust, toujours député et ancien ministre de la Culture, s'en occupe. Jules Ferry est fort contrarié qu'on se permette de lui demander une chose pareille, qu'il ne peut refuser à un supérieur comme Proust. Jules Grévy, qui avait déjà tiqué pour la Légion d'honneur, n'honorera pas l'expo de sa présence – trop dangereux. Le comité de parrainage choisit de présenter son œuvre sans tri préalable, un Manet non expurgé. Pour la première fois, il est présenté en entier suivant son vœu le plus cher.

La surprise, quand on se rappelle qu'il se voulait surtout peintre d'intérieur, de ville, très dandy parisien : plus d'une centaine de marines s'étale sur les 21 ans de carrière de l'ancien matelot. La mer a laissé une forte empreinte sur son œuvre. Les embruns l'ont accompagné toute sa vie.

En janvier 1884, le public se rue vers la première étude sur Manet, par Bazire. Ses œuvres étaient les mêmes, le public venait de changer. La mort de l'auteur qu'ils avaient tant haï le rendait aimable, mieux : fondateur de la nouvelle époque, d'une nouvelle esthétique. On reconnaissait enfin le grand novateur qui n'avait cessé de se renouveler. Le temps des insultes était mort avec lui.

Lors de la vente aux enchères, l'hôtel Drouot est envahi. Un succès inespéré qui rapporte 116 637 francs. Suzanne et Léon ont de quoi tenir et voir venir.

Le public commence à croire qu'il s'était, ou qu'on l'avait trompé.

Pour l'anniversaire de la mort de leur ami, tous les Impressionnistes se retrouvent en mai 1884 à un grand banquet chez le père Lathuille. Et chacun de lui rendre hommage. La légende est en marche.

Cinq ans passent, une nouvelle exposition universelle en 1889 vient fêter le centenaire de la Révolution. Et là, l'État français exige d'avoir des Manet à exposer ! Quatorze, et à la place d'honneur, s'il vous plaît. Un comble ! Un Américain veut si fort acheter l'*Olympia*, que Monet doit convaincre Clemenceau de la réclamer pour le Louvre. L'État n'a pas les moyens de la payer, on organise une souscription. Tous ses amis, Monet en tête, souscrivent généreusement pour faire entrer l'*Olympia* au Louvre, seul Zola refuse de donner un sou. Rapiat, renégat, ou manque de goût et de cœur ?

Même sans Zola, on réunit 20 000 francs pour acheter l'*Olympia* à Suzanne. Et l'offrir au musée du Louvre. Alors c'est Clemenceau qui n'ose l'y faire transporter. Une ultime fronde des fonctionnaires de l'Académie lui en refuse l'accès. Dernier combat ? L'*Olympia* entre donc d'abord au musée du Luxembourg, antichambre du Louvre. Elle s'y trouve bien seule jusqu'à la mort de Caillebotte, dont le legs introduit nombre d'impressionnistes au musée, outre Degas, Cézanne, Monet, Renoir, Pissarro, Sisley. Son testament, qui datait de 1876, précisait que *les œuvres seraient gardées par ses héritiers jusqu'au moment où les progrès du goût du public pourraient assurer leur acceptation par l'État, mais qu'on ne sépare pas la collection qu'elle soit entièrement visible ensemble au Luxembourg*.

Le reste du monde allait suivre ?

Plus de dix ans après la mort de Manet, pour faire pénétrer l'*Olympia* au Louvre, il faudra la faire transporter nuitamment, en cachette, comme on mène un prisonnier politique dans le fiacre de l'aube.

Le succès commercial est désormais cause de disputes entre héritiers. Esthètes riches et sans besoin d'argent, Berthe et Eugène sont horrifiés par la gestion qu'ils font de l'atelier d'Édouard. Léon et les Leenhoff vont jusqu'à retoucher, découper, recomposer des œuvres du grand mort pour les vendre mieux en pièces détachées. En vendre davantage... Il se vend des Manet que Manet n'a jamais vus, ni même conçus de son vivant.

Ça conforte Degas dans sa détestation des familles, surtout d'artistes.

Trois ans après, en 1886, les Impressionnistes meurent – cette fois symboliquement – lors de l'ultime exposition du groupe déjà bien disloqué.

Moins symboliques, les disparitions se suivent. En avril 1892, c'est Eugène qui meurt d'épuisement nerveux. En 1894, c'est Jules de Jouy, l'ami, cousin et meilleur conseiller de Manet. En 1895, Berthe Morisot s'éteint dans les bras de sa fille, remettant à Mallarmé, Renoir et Monet le soin de finir de l'élever en artiste. En 1898, Mallarmé les lâche.

Ensuite, l'affaire Dreyfus dans toute la France porte l'ultime coup d'estoc aussi aux Impressionnistes, en tant que groupe soudé. Les positions les plus ignobles, oh, les mêmes que celles qui font s'affronter les Français entre eux, vont fâcher un long temps Cézanne, Degas et Renoir violemment antidreyfusards avec Zola, Monet, Pissarro, Sisley... En réalité, depuis la mort de Manet, le groupe n'existait plus. Même si c'est à lui qu'on peut attribuer la naissance de cet art de peindre sans signifier à tout prix qu'est la peinture moderne. C'est Manet qui a, le premier, refusé toute valeur étrangère à la peinture, l'indifférence à la signification du sujet, disait encore Malraux.

Suzanne meurt en 1906 chez son fils, qui adopte aussitôt le nom de Koëlla. Jamais marié par « effroi d'une publicité d'état civil », qui aurait accablé sa mère, il épouse alors sa concubine, une demoiselle Fanfillon, qui a inventé la poudre à faire pondre pour quoi elle est décorée de la médaille du Mérite agricole ! Il meurt, lui, en 1927, sans enfant, et retiré de ses mauvaises affaires – il vendait des vers pour la pêche. *La Pêche*, qui demeure le seul tableau le représentant en présence de ses deux parents !

Bien qu'acquitté des accusations portées contre lui lors du scandale de Panama, Proust, l'ami d'une vie, se suicide en 1905.

Beaucoup de morts violentes autour de Manet : cette époque de grands bouleversements, auxquels il ne contribua pas peu, les aura tous grandement ébranlés aussi.

Chaque époque est dotée par le ciel d'un artiste chargé de saisir la vie de son temps et d'en transmettre l'image précise aux époques suivantes. C'est toujours des pierres dont on a lapidé l'homme qu'est fait le piédestal de sa statue. (Jules de Marthold)

NOTES D'ÉCRITURE

« Prends l'éloquence et tord-lui son cou. » Ce vers de Verlaine résume la démarche de Manet à la nuance près qu'il s'agit de peinture, non de poésie. Sans s'en douter, Manet opère une rupture radicale avec son époque et la tradition dans laquelle il s'inscrit, y compris avec les grands novateurs qui l'ont précédé, fût-ce de quelques années, comme Delacroix ou Courbet.

Si, en poésie, il s'apparente à Verlaine, en littérature il est de la famille de Flaubert : précision extrême au service d'une liberté totale. Chercher la concision, refuser l'anecdote, attraper le mouvement, voire la vitesse, s'ouvrir à la grande lumière comme à la grande ombre, et servir la sincérité. Avant tout, la sincérité. « Faire ce qu'on voit » est aussi difficile et coûteux que de dire ce qu'on pense. Le génie, c'est la bonne foi.

« On sait peu de choses de Manet : sa richesse, son élégance, sa désinvolture ne font qu'obscurcir son cas. Avec lui, une éclaircie sans précédent anime le temps et l'espace. Il la maintient jusqu'au bout, ses femmes sont les plus exceptionnelles de toute l'histoire de la peinture… » Peu de choses, et trop.

Comme souvent, Sollers a l'intuition juste. Sa vie, son œuvre nous sont connues mais mal éclairées, mal mises en perspective. Sinon, comment mesurer l'incompréhension dont il fut victime de son vivant et qui n'a fait que s'amplifier au point que même sa notoriété posthume ne parvient pas à la dissiper. Encore maintenant, on méjuge Manet, il n'occupe pas la place qui lui revient : celle de phare du XXe siècle sans qui, de Picasso à Kieffer en passant par Matisse et Bacon, le XXe siècle n'aurait pas été ce qu'il fut.

Le malentendu est d'origine. On se méprend comme on s'est toujours mépris sur l'étendue et la nature de son talent, on se trompe sur sa réverbération alentour, et on estime mal l'impact incroyable et les répercussions de son travail encore aujourd'hui.

Si Malraux a pu dire dans les années 1970 que *l'art moderne commençait avec* l'Olympia, c'est qu'il s'accomplit là une révolution du regard, en dépit de tous et surtout de Manet. Le public mettra cinquante ans, voire davantage, à le comprendre. Quant à le voir tout court, le voir en contemplant réellement une toile de Manet, on n'y est pas encore. Tant il est difficile de mesurer l'immense écart accompli par sa vision. Les instruments d'évaluation sont du côté de l'hypersensibilité exacerbée : « Un des plus magnifiques efforts d'art (qui aient) jamais paru », affirme Mallarmé lors de la première exposition posthume de *son* peintre.

Avant Malraux, Gauguin, quasi contemporain de Manet, a, lui, déclaré que « la peinture commençait à Manet », carrément. Si aujourd'hui ça semble excessif, pour Gauguin comme les artistes qui vont suivre, rien n'était plus évident. À tous alors, ça crève les yeux.

Ajouter l'épithète *moderne,* comme Malraux, suffit pour s'en convaincre. Pas d'impressionnisme sans Manet. Pas non plus de Cézanne ni aucun des novateurs qui vont suivre, Rouault, Bonnard, Vuillard, etc. Braque, de Staël, Balthus... Picasso l'a assez répété : sa plus grande dette va à Manet, Matisse ne dément pas. Quant aux autres, il suffit de les regarder, ça s'impose.

N'importe où, dans n'importe quel musée, on reconnaît un Manet de loin comme s'il avait imprimé sa marque, son empreinte, son sceau ! Il crève la toile. Non content d'avoir sorti la peinture de ces cimaises poussiéreuses où les Académiques la tenaient verrouillée, sous cloche et sans air, il l'a rendue au monde, à tout le monde. Il a inventé une époque, la sienne, qui s'est mise à ressembler à sa peinture. Jusqu'à inverser la donne. La révolution de Manet est peut-être là. Ses scènes peintes ne sont plus un produit de son imaginaire, elles ont été vues, sinon vécues. Même avec des prostituées ? Même avec des prostituées. Même le modèle qui pose pour le Christ mort, il l'a vu arriver, habillé moderne à l'atelier, avant de le costumer selon ses besoins. Sur sa toile, ce sont de vraies gens : ils bougent encore.

Au milieu du XIXe siècle, quand paraît Manet, la France est dotée d'un art officiel, un art d'État rigide, régi par les Salons, les Instituts, les Beaux-Arts, tout un système bureaucratique qui emprisonne les artistes, les musèle souvent, quand il ne les réduit pas à servir le pouvoir en place. Manet n'a jamais servi personne.

Comme Offenbach, son contemporain, Manet se sert du passé pour inventer du nouveau. Et comme le compositeur s'est emparé du cancan pour en faire ce qu'on connaît aujourd'hui sous ce nom, Manet suscite une collusion entre l'ancien genre toujours noble et le contemporain forcément trivial. Ça donne ce nouveau genre qui va faire danser le monde.

Le sacrilège surgit toujours du passage des frontières, et là, précisément, dans le télescopage passé-présent.

Qui touche à la hiérarchie des genres officiels touche à toutes les autres. Ses *Déjeuner sur l'herbe*, l'*Olympia* et autres *Musique aux Tuileries* relèvent à la fois de la nature morte, du portrait, du paysage et des scènes de genre, Manet piétine allégrement le cadavre de la peinture d'histoire. En donnant un direct dans le plexus de l'Académie et, sous elle, de la bourgeoisie, sa propre classe.

Aujourd'hui encore on persiste à refuser de voir l'œuvre dans son entièreté, on continue à découper Manet par genres : portraits, tableaux d'histoire, natures mortes, etc. Alors qu'un tableau comme *Le Déjeuner sur l'herbe* est à la fois une scène mythologique, une scène de genre, des portraits, un paysage de plein air, voire une *conversation piece*... Sans parler des détails, les techniques qu'il méprise ou bafoue : à la place de la perspective, il s'offre des représentations plates ; sa lumière frontale fait disparaître le modelé et produit un effet de réalisme qui abolit l'idéalisation. À bas l'imaginaire gréco-mystico-bellico emmerdant des grandes machines de salons qui, pour être bien peintes, n'en font pas moins bâiller d'ennui. À quoi il oppose le réalisme brutal d'*Olympia* qui, du coup, a l'air plus vrai que nature. Sans la moindre fioriture. Nonobstant, il est stupéfait et navré de faire scandale. Il n'en comprend pas l'origine ni la nature, et ne l'a jamais recherché. Même s'il accumule les barbarismes esthétiques en transgressant les frontières du petit et du grand art, peignant une banale fête champêtre et galante ou une cocodette en dessous légers, se repoudrant devant sa psyché, au format d'une peinture d'histoire… Des sujets si bas, si frivoles sur de si grands et si prestigieux formats ! Ça ne passe pas ! Quant à l'*Olympia*, on lui reproche de montrer *les femmes en laid*. Le drame d'Olympia, c'est d'avoir été vue, vraiment vue par l'artiste, pas inventée, vue et peut-être même touchée. Et de s'en bien porter.

Il use d'une technique par aplats. À la lumière qui vient d'en haut à gauche et façonne traditionnellement les corps, il substitue une lumière d'atelier maîtrisée, dirigée pour se débarrasser de la lumière frontale plaquée, aplatissante.

En traversant les genres aussi complètement, il les a tous transgressés. Il paraît que le *Déjeuner* est l'œuvre la plus commentée tout de suite après la Joconde, donc la plus et la moins vue au monde. Aucun autre peintre que Manet n'a fait l'objet d'un discours aussi haineux, superlatif, phénoménal, sans parler du délire interprétatif des critiques d'art. Ils ont tout dit et son contraire. Et finalement, que sait-on ? Qu'a-t-il dans l'œil ou dans la main ? « Ses structures sociales », répond Sollers, c'est vrai, mais ça ne suffit pas. Il s'est forgé, on ne sait comment, un autre compas pour voir le monde.

Le grand crime de Manet n'est pas tant de peindre la vie moderne que de la peindre grandeur nature. Grandeur nature ! Mais il n'y a que les Romains qui aient droit à ça. Néron, mais pas Maximilien...

Pour la première fois dans l'histoire des arts, le romantisme les réunit tous. Victor Hugo est un grand dessinateur, Delacroix est aussi musicien, Gautier peint pas mal, chacun connaît le violon d'Ingres. Toutes les relations de Manet sont mélomanes. Ils se retrouvent chaque semaine dans leurs salons pour y faire vraiment de la musique. Ce siècle si sectaire autorise le mélange des genres, le croisement des arts, toutes les *Correspondances* chères à Baudelaire : « Les parfums, les couleurs et les sons se répondent. »

Hostile au genre théâtral surtout mélo, Manet a pourtant agi et même réagi en peintre d'histoire par nécessité citoyenne de coller à l'actualité politique. Il a brossé plusieurs tableaux politiques du *Combat du Kearsarge* à *L'Exécution de Maximilien* (plus de quatre !), sans oublier son désir jamais exaucé de portraiturer Gambetta. Il se rattrapera avec *Zola, Clemenceau, Rochefort* et quelques *Barricades* de la Commune. L'arrivée des radicaux au pouvoir, en 1879, lui donne un ultime coup de fouet. Il a toujours eu le cœur comme le pinceau à gauche.

Comme tous les hommes beaucoup niés, censurés, insultés, moqués par les imbéciles (ah, les fanfaronnades de monsieur Manet !), il juge, devine, se cache en plein jour, préserve farouchement son indépendance, il ne cherche absolument pas à être d'avant-garde ou maudit. Il est systématiquement le premier surpris du résultat. Il vit, il crée dans l'inattendu, il ne calcule pas, il avance. Mettre un nu dans un paysage est en soi un barbarisme : son *Déjeuner* fait l'effet d'une bombe symbolique. La femme au premier plan est disproportionnée par rapport aux règles de la perspective classique, voire par rapport aux autres personnages, est-ce fait exprès ou pas ? Manet s'en fiche : ce qui compte c'est la sensation de vérité.

Ses contemporains n'aiment pas le vide, lui l'adore. Comme il aime s'approcher du silence en peinture. Il n'explique rien, ne se plaint de rien, il peint. Comme Flaubert, Manet est à la fois réaliste et formaliste.

L'autre choc tient à l'absence d'échanges entre ses personnages quand ils cohabitent sur la toile, comme dans *Le Balcon, Les Musiciens* ou les scènes de café... La question des relations interpersonnelles est posée par la composition qui escamote toute justification : ils sont là parce qu'ils sont là. Ils ignorent les autres comme s'ils étaient seuls. Quand ils sont vraiment seuls, le plus souvent ils toisent le public et, en même temps, semblent le mépriser. Olympia-Victorine, distraite, regarde le public, et commet de la sorte un attentat à la domination masculine. Elle s'en fout, et c'est insupportable. Pourtant dans toute l'histoire de la peinture un portrait regarde les spectateurs... Oui, mais pas comme chez Manet.

Là où Manet voit un exercice formel, un jeu de couleurs, de taches, le public voit une femme nue assise au milieu d'étudiants, autant dire un pur fantasme social. Il envoie dinguer sans avoir l'air d'y toucher, les rapports terriblement codifiés entre masculin et féminin, entre bourgeois et peuple... Peintre sociologue, il décrit ce que l'époque est en train de chambouler.

Son indécence esthétique formelle se double d'une indécence éthique explosive. Ses tableaux en avance sur ces poètes qui sont littérairement plus proches de lui que l'ami Baudelaire sont de vraies bombes symbolistes. Ses œuvres ouvrent la route à Verlaine, à Rimbaud, à Mallarmé, son ultime meilleur ami.

Le drame n'est pas ce qu'on voit, mais ce qu'on pense devant ce qu'on voit. Si Manet n'avait pas d'ennemis, sa peinture si. Énormément. Son pinceau est à la fois libre et structuré, on reconnaît ses touches de loin. Toujours.

S'il n'y a pas de progrès en art, s'il n'y a que des évolutions lentes, Manet représente la plus grande révolution artistique de l'histoire de l'art. D'ailleurs il déclenche une profonde crise de l'institution qui ne s'en relèvera pas.

Plus que tout, il voulait rester libre, et c'est en cela qu'il est moderne. D'aucune école. « Une école, c'est-à-dire l'impossibilité du doute », disait Baudelaire.

À cause de cela, il lui fut impossible de se fondre dans le groupe de ses meilleurs amis, les futurs Impressionnistes. Pas de chapelle, jamais. Être soi-même, solitaire et isolé peut-être, mais libre. Et chercher toujours la plus grande concision possible, agir par réflexe, rester maître de ce qu'on fait et ne faire que ce qui vous amuse, rester spontané, rapide, immédiat, en état de traduction instantanée… Ne jamais basculer dans le pensum.

Peindre l'amuse jusqu'à son dernier souffle.

J'habite chez Manet, je marche dans les pas de Manet et de Verlaine, à l'époque où Manet et Mallarmé han-

taient ce quartier. Je vis et j'écris aux Batignolles, où les futurs Impressionnistes ont senti battre le cœur de cet ouragan dont ils étaient porteurs sans le savoir. J'ai humé leurs souvenirs, pisté leurs traces, photographié, avant qu'il ne se saborde, le dernier marchand de couleurs, qui ne portait ce titre que pour avoir approvisionné ces artistes en pigments, liants, brosses, pinceaux, toiles et châssis.

MARCHAND DE COULEURS HENNEQUIN *dont subsiste l'enseigne sous forme de palette géante à hauteur de premier étage et les céramiques rouges et vertes qui en décorent la façade. La vulgaire boutique de vêtements de sports qui lui a succédé a maquillé (j'espère pas démolie) la façade du rez-de-chaussée. Maison fondée en 1830, est-il encore écrit en lettres art déco. L'anachronisme ne fait pas peur avenue de Clichy ; ce qui n'est pas précisé c'est : « Fortune faite entre 1860 et 1880 grâce à Manet et ses amis. »*

Les rapins se sont installés là quand Haussmann a démoli Paris, c'était près de la sortie vers l'ouest, via la gare Saint-Lazare alors en chantier. Le petit peuple de Paris qui végétait dans des baraques, ancêtres des bidonvilles telle cette Petite Pologne où Manet pêchait régulièrement ses modèles. Grand bourgeois, il quitte la rive gauche avec joie : il n'en pouvait plus de ce climat et de ces gens cossus et arrogants. La rive droite est alors peuplée de pauvres, d'artistes et de malandrins. Aux Batignolles, rien n'a changé sinon que de jeunes bobos s'y installent aujourd'hui mais pauvres, artisans et même écrivains s'y disputent encore le mètre carré. Manet et les siens n'y seraient pas (trop) dépaysés.

DU MÊME AUTEUR

Aux Éditions Gallimard

LÉONARD DE VINCI, 2008 (Folio Biographies n° 46)

NOCES DE CHARBON, 2013 (Folio n° 5939). Prix Paul-Féval de la Société des gens de lettres 2014

LA FABRIQUE DES PERVERS, 2016

Aux Éditions Télémaque

LA PASSION LIPPI, 2004 (Folio n° 4354)

LE RÊVE BOTTICELLI, 2005 (Folio n° 4509)

L'OBSESSION VINCI, 2007 (Folio n° 4880)

DIDEROT, LE GÉNIE DÉBRAILLÉ, 2009 et 2010 (Folio n° 5216)

FRAGONARD, L'INVENTION DU BONHEUR, 2011 (Folio n° 5561)

MANET, LE SECRET, 2015 (Folio n° 6096)

PICASSO : LE REGARD DU MINOTAURE 1881-1937, 2017

PICASSO : SI JAMAIS JE MOURAIS 1938-1973, 2018

Aux Éditions Robert Laffont

MÉMOIRES D'HÉLÈNE, 1988

PATIENCE, ON VA MOURIR, 1990

LES BELLES MENTEUSES, 1992

LE SOURIRE AUX ÉCLATS, 2001

Chez d'autres éditeurs

DÉBANDADE, *Éditions Alésia,* 1982

CARNET D'ADRESSES, *Éditions HarPo*, 1985

LA LISEUSE (Lithographie F. Brandon), *Pauvert Losfeld*, 1992

ÉLOGE DE L'AMOUR AU TEMPS DU SIDA, *Flammarion*, 1995

DANS DES DRAPS D'AUBE FINE..., *Invenit*, 2015
(D)ÉCRIRE LA BEAUTÉ, *Omnibus*, 2016

Composition Nord Compo.
Impression Grafica Veneta
à Trebaseleghe, le 09 octobre 2020
Dépôt légal : octobre 2020
1er dépôt légal dans la collection: février 2016

ISBN : 978-2-07-046622-1./Imprimé en Italie

374180